SV

Band 211 der Bibliothek Suhrkamp

Werner Kraft

Franz Kafka

Durchdringung und Geheimnis

Suhrkamp Verlag

Erstes bis fünftes Tausend: 1968
© Suhrkamp Verlag Frankfurt am Main 1968. Alle Rechte vorbehalten.
Druck: Poeschel & Schulz-Schomburgk, Eschwege. Printed in Germany.

Für Toni

immer gedenkend

Wie groß auch der Wert, die Mächtigkeit des Durchdringens in einer Erklärung sein mag, immer und immer ist es die Sache, die zu erklärende, die am wirklichsten ist, – und innerhalb ihrer Wirklichkeit figuriert genau das Geheimnis, das man auflösen wollte.

Paul Valéry

Inhalt

Vorwort

Die Entstehung dieses Buches geht bis auf den Anfang der dreißiger Jahre zurück. Einzelne Teile sind im Laufe der Zeit in Zeitschriften und Zeitungen erschienen. Die endgültige Fassung stammt aus den letzten Jahren. Mir lag daran, Einzelnes zu sehen und festzuhalten. Ob das Ganze erfaßbar und darstellbar ist, bleibt eine Frage. Die Literatur über Kafka habe ich nur teilweise benutzt. Ich habe mich an die Sache selbst zu halten versucht. Ich wollte Kafka durch Kafka verständlich machen. Ich wollte eindringen und gleichzeitig das Geheimnis wahren.

W. K.
Jerusalem, im August 1967

Die Mühe des Tages
Von den Gleichnissen

Die Frage, ob das Wort des Weisen anwendbar sei, ist für Kafka wesentlich. Das tägliche Leben, als Wirklichkeit gesetzt, wird in Frage gestellt. Dem Wort des Weisen kommt eine Wirklichkeit zu, von der es scheint, als könnte sie nicht bezweifelt werden, denn über das tägliche Leben hinauszugehen ist ein natürliches Bedürfnis jedes Menschen. Ist dies aber möglich? Es wird ein Beispiel gegeben. »Wenn der Weise sagt: ›Geh hinüber‹, so meint er nicht, daß man auf die andere Seite hinübergehen solle, was man immerhin noch leisten könnte, wenn das Ergebnis des Weges wert wäre, sondern er meint irgendein sagenhaftes Drüben, etwas, was wir nicht kennen, was auch von ihm nicht näher zu bezeichnen ist und was uns also hier gar nichts helfen kann.«[1] Das Ergebnis dieser Prüfung ist klar. Das Wort wird an sich nicht angetastet, aber es ist wesentlich unverständlich, selbst für den Weisen. Es ist ein Gleichnis. Es bedeutet etwas anderes als es aussagt, aber was es bedeutet, sagt es selbst nicht aus, er weiß es auch nicht, der Weise, und der Zuhörer ist auf vieldeutige Vermutungen angewiesen, so daß selbst im einfachen Sinne des Wortes auf die andere Seite zu gehen ein keineswegs einfacher Vorgang zu sein scheint. »Alle diese Gleichnisse wollen eigentlich nur sagen, daß das Unfaßbare unfaßbar ist, und das haben wir gewußt. Aber das, womit wir uns jeden Tag abmühen, sind andere Dinge.« Damit ist die Umkehrung eines Wertverhältnisses vollzogen, nicht anders als im Verhältnis des Don Quixote zu Sancho Pansa. Während aber Kafka in der Geschichte »Die Wahrheit über Sancho Pansa« von Anfang an sich auf die Seite Sancho Pansas stellt, geht er hier langsam zum Zweifel über. »Darauf sagte einer: Warum wehrt ihr euch? Würdet ihr den Gleichnissen folgen, dann wäret ihr selbst Gleichnisse geworden und damit schon der täglichen Mühe frei.« Don Quichote wehrt sich nicht, er kämpft gegen Windmühlen und ist eben darum frei von der täglichen Sorge, und so alle Menschen, die über den Erdboden sich erheben, »Gleichnisse« eines Ziels, das nicht die Sorge sein darf, der sie so entrinnen. Mit logischer Konsequenz heißt es weiter: »Ein anderer sagte: Ich wette, daß auch das ein Gleichnis ist«. Den Gleichnissen zu folgen, das ist eben nur im Gleichnis möglich, nicht in der Wirklichkeit, die immer den schwebenden Fuß auf die Erde zurückzieht, wo es unscheinbare Aufgaben gibt, deren Bewältigung selbst der große Mensch nicht preisgeben dürfte. Daß er sie preisgibt, daß er sich ihrer überhebt, ist kein rechtmäßiger Einwand gegen die Wahrheit: sie wird mit der Überhebung fertig. »Der erste sagte: Du hast gewonnen. Der zweite sagte: Aber leider nur im Gleichnis.« Denn in der Wirklichkeit ist auch die Aussage, daß nur im Gleichnis einer den Gleichnissen folgen könne, daß also das tägliche Leben alles sei, was wir haben, nur ein Gleichnis. Das tägliche Leben ist kein Halt, an den der Mensch sich klammern dürfte. Nun aber kommt der überraschende Schlußsatz: »Nein, in Wirklichkeit, im Gleichnis hast du verloren«. In Wirklichkeit also ist das tägliche Leben doch gegeben: im Gleichnis den Gleichnissen zu folgen möglich; in Wirklichkeit den Gleichnissen zu folgen unmöglich.

Die Einfachheit in der Entwicklung so schwieriger Gedanken zwingt zu dem Verzicht auf eine Ausdeutung, die die Flucht vor dem Wortlaut in ein notwendigerweise bodenloses Wissen umsetzen würde. Nur ein Denken, das die Mühsal des Tages ebenso ernst nimmt wie das Wort des Weisen, darf sich für die Mühsal des Tages entscheiden, ohne das Wort des Weisen zu versehren. Es bleibt freilich die Frage, ob das tägliche Leben, als Wirklichkeit, erfaßbar ist, ob nicht vielmehr Idee und Schein dem Menschen so wesentlich sind, daß er, auch wenn er wollte, sich nicht anders verhalten könnte als der, der den Gleichnissen zu folgen wagt. Es bleibt die Frage, ob nicht das tägliche Leben bei jedem Versuch, es aus der Nähe zu erfassen, in Idee zerbricht und ob nicht die Idee immer den unbewältigten Rest des täglichen Lebens zurückläßt.

Kafka hat in Gleichnissen gelebt, er hat aber, in jedem Augenblick, nach dem täglichen Leben zurückgestrebt.

Mythos und Gerechtigkeit
Der neue Advokat

Nur wenn einer die Vorgänge nicht versteht, kann er sich mit der großen Vision zufriedengeben, mit der die Geschichte aus dem Buch »Ein Landarzt« zu beginnen scheint. »Wir haben einen neuen Advokaten, den Dr. Bucephalus. In seinem Äußern erinnert wenig an die Zeit, da er noch Streitroß Alexanders von Makedonien war.« Im Vordergrunde steht also das Bild des Advokaten, das er heute darstellt; seine mythische Vorzeit ist verborgen. »Wer mit den Umständen vertraut ist, bemerkt einiges.« Schon dieser Satz deutet darauf hin, daß es hier um den Versuch geht, zu erkennen. Die bloße Wahrnehmung des grotesken Anscheins wird den kleinen Leuten überlassen, zu welchen auch der durchschnittliche Leser gehören könnte. »Doch sah ich letzthin auf der Freitreppe selbst einen ganz einfältigen Gerichtsdiener mit dem Fachblick des kleinen Stammgastes der Wettrennen den Advokaten bestaunen, als dieser, hoch die Schenkel hebend, mit auf dem Marmor aufklingendem Schritt von Stufe zu Stufe stieg.« Wenn Bucephalus in die Sphäre des Rechts eintritt, muß es zu einer Auseinandersetzung zwischen beiden kommen. Sie ist das Thema. Es wird durch den Satz eingeleitet: »Im allgemeinen billigt das Barreau die Aufnahme des Bucephalus«. Die Advokatenschaft wird hier mit dem französischen Wort bezeichnet, das vielleicht zu Kafkas Lebenszeit in Prag noch gesprochen wurde; das Fremdwort wirkt als ironischer Widerpart des noch fremderen Bucephalus, welchen doch das Barreau sofort sich anzugleichen bemüht ist. »Mit erstaunlicher Einsicht sagt man sich, daß Bucephalus bei der heutigen Gesellschaftsordnung in einer schwierigen Lage ist und daß er deshalb, sowie auch wegen seiner weltgeschichtlichen Bedeutung, jedenfalls Entgegenkommen verdient.« Aus diesem Satz ist zu entnehmen, daß die Gesellschaftsordnung heute anders ist als damals, daß die weltgeschichtliche Bedeutung zwar ein Grund für Respekt ist, aber doch schließlich nicht mehr als »jedenfalls Entgegenkommen« durchsetzen kann. Das ist eine äußerst vorsichtige Form der Zustimmung. Die Form des Satzes ist ironisch; das Positive klingt sachlich und sprachlich an. Bucephalus ist es, der in die Gesellschaftsordnung eindringt, sie bestimmt aus ihrem festen Bestand seinen Anspruch und begrenzt ihn, denn weiter heißt es: »Heute – das kann niemand leugnen – gibt es keinen großen Alexander. Zu morden verstehen zwar manche; auch an der Geschicklichkeit, mit der die Lanze über den Bankettisch hinweg den Freund zu treffen, fehlt es nicht; und vielen ist Mazedonien zu eng, so daß sie Philipp, den Vater, verfluchen – aber niemand, niemand kann nach Indien führen«. Mazedonien ist Prag, Philipp der Vater, den der Sohn verflucht, Indien aber die Freiheit in einem nicht nur persönlichen, sondern in einem überpersönlichen, in einem weiten Sinne. Die Ironie der Aussage liegt nicht darin, daß nach dem Maßstabe des Damals das Heute verworfen wäre, sie liegt vielmehr darin, daß jener Maßstab selbst wenn nicht verworfen so doch aus dem Zwang der Tatsachen abgelehnt wird. Das große Ziel der mythischen Menschheit ist ausgesprochen: Indien; wohin niemand zu führen vermag. Es folgt der Satz: »Schon damals waren Indiens Tore unerreichbar.« Kann das anderes bedeuten als daß das Ziel des Mythos seinen Möglichkeiten schon damals unangemessen war, also es immer ist? »Aber ihre Richtung war durch das Königsschwert bezeichnet.« Schwert und Richtung waren identisch, und sie schufen das Ziel, dem wenigstens sich zustreben ließ, wenn es auch »unerreichbar« war. »Heute sind die Ziele ganz anderswohin und weiter und höher vertragen.« Dies ist ein dunkler Satz, der Ziele anzudeuten scheint, die jenseit der Identität von Schwert und Richtung vorhanden und erreichbar wären, wenn nicht »vertragen« auf Irren und Verwirrung deutete. »Niemand zeigt die Richtung; viele halten Schwerter, aber nur um mit ihnen zu fuchteln; und der Blick, der ihnen folgen will, verwirrt sich.« Dies ist, in der stillsten Form der Äußerung, eine Kritik an dem Mythos in seinem ganzen Umfange. Es geht hier nicht um Opposition. Opposition steht immer notwendigerweise, wenn auch im geheimen, auf gleichem Boden mit der Macht, die sie bekämpft. Es geht um Erkenntnis. Das Toben aller Kriege der neueren Geschichte wird eingeschränkt auf fuchtelnde Schwerter, und man muß sie gewähren lassen, will man den Blick rein erhalten, denn nur »verwirrt« könnte dieser hiervon etwas Wahres sehen. Der Betrachter leitet darum seinen Hymnus auf die Gerechtigkeit in unverbrüchlicher Bescheidenheit mit einem »vielleicht« ein. »Vielleicht ist es deshalb wirklich das Beste, sich, wie es Bucephalus getan hat, in die Gesetzbücher zu versenken«. Von Gerechtigkeit spricht er selbst nicht, das Wort ist schon zu groß. »Frei, unbedrückt die Seiten von den Lenden des Reiters, bei stiller Lampe, fern dem Getöse der Alexanderschlacht, liest und wendet er die Blätter unserer alten Bücher.« Der Reiter in der Alexanderschlacht, er ist der mythische Heros, der schon damals nicht nach Indien führen konnte, aber wenigstens im Königsschwert die Richtung hatte. Bucephalus, solchen Reiters ledig und solchen Getöses, steht lesend in der Weltzeit der Gerechtigkeit. Er wartet.

In Bubers »Erzählungen der Chassidim« (1949) steht die Geschichte »Vielleicht«. Ein Aufklärer, der den Rabbi Levi Jizchak von Berditschew bekehren will, geht zu ihm, und dieser, in einem Buche lesend und »in begeistertem Nachdenken« auf- und niedergehend, sieht ihn flüchtig an und sagt: »Vielleicht ist es aber wahr«. Mit der Wirkung, daß der Aufklärer bekehrt wird! Dieses »vielleicht« ist die Kategorie des positiven Zweifels, und ihr entspricht Kafkas Werk in seiner unergründlichen und »vielleicht« ergründbaren Tiefe.

Die Zeit
Das nächste Dorf

Als »klein« bezeichnet Kafka ausdrücklich die Geschichten, die er unter dem Titel »Ein Landarzt« veröffentlicht hat, und eine der kleinsten ist die vom nächsten Dorf, welche das Problem der Zeit zwar nicht löst, aber einer möglichen Lösung zuführt. Sie lautet:

> Mein Großvater pflegte zu sagen: Das Leben ist erstaunlich kurz. Jetzt in der Erinnerung drängt es sich mir so zusammen, daß ich zum Beispiel kaum begreife, wie ein junger Mann sich entschließen kann, ins nächste Dorf zu reiten, ohne zu fürchten, daß – von unglücklichen Zufällen ganz abgesehen – schon die Zeit des gewöhnlichen, glücklich ablaufenden Lebens für einen solchen Ritt bei weitem nicht hinreicht.

Der Ritt ins nächste Dorf umfaßt eine kurze Strecke Zeit, das gewöhnliche, glücklich ablaufende Leben eine lange Strecke. Wie kann nun dieses zu jenem nicht hinreichen? Hier muß von zwei wesentlich verschiedenen Arten Zeit die Rede sein. Sie lassen sich versuchsweise bezeichnen als die qualitative und die quantitative Zeit. Die lange Strecke – des Lebens – bezeichnet die Quantität, die kurze – des Ritts ins nächste Dorf, welcher gleichnishaft mit dem ganzen Leben identisch ist, dessen Maß Menschen nicht haben – die Qualität der Zeit. Auf diese kommt es an, jene entspricht einem imaginativen Maß, dem die Realität fehlt. Eine Verkehrung hat stattgefunden. Wir glauben, das Maß des Lebens zu haben; das Maß des Rittes wird aus dem Bewußtsein getilgt. Die Qualität der Zeit indessen wird überboten von dem Zeitmaß des Todes, dessen »Jetzt« noch eine Verdeckung des wahren Sachverhalts ist. Einen Namen scheint es für dieses Maß nicht zu geben, obwohl der Tod als »unglücklicher Zufall« in die Überlegung einbezogen wird. Der alte Mann sieht nicht auf den Rest seiner Tage, sondern auf das Leben hinter ihm. In dem Ritt ist beides gleich lang und die Kürze der qualitativen mit der quantitativen Länge des Lebens identisch, und so ließe sich, qualitativ betrachtet, vielleicht auch umgekehrt sagen, daß auf jeder Stufe des Lebens der Mensch das ganze Leben vor sich habe.

Jener Bauer, der beim Tode eines Vierzigjährigen sagt, er verstehe das nicht, der Tod gehöre doch nicht in die Mitte, er gehöre ans Ende des Lebens, spricht die Wahrheit aus über die quantitative Zeit, von der er als Repräsentant der Menschheit das Maß zu haben glaubt. Die eigentliche Aufgabe des Menschen, die nämlich, aus der quantitativen in die qualitative Zeit durchzubrechen, sie anwendbar und fruchtbar zu machen, will sagen: in ihr zu leben, scheint unlösbar zu sein. Ruhmes genug, den unlösbaren Zusammenhang zu sehen und in gezählten Worten auszusprechen.[2]

Die Stufen
Fürsprecher

Dieses Prosastück ist ein metaphysisches Gedicht. Obwohl es vom Gericht handelt, trügt der Schein, daß es zu dem »Prozeß« gehöre. Die Anmerkungen in »Beschreibung eines Kampfes« enthalten keinerlei Angabe, wann und in welchem Zusammenhang es entstanden ist. »Es war sehr unsicher, ob ich Fürsprecher hatte, ich konnte nichts Genaues darüber erfahren, alle Gesichter waren abweisend, die meisten Leute, die mir entgegen kamen und die ich wieder und wieder auf den Gängen traf, sahen wie alte dicke Frauen aus, sie hatten große, den ganzen Körper bedeckende, dunkelblau und weiß gestreifte Schürzen, strichen sich den Bauch und drehten sich schwerfällig hin und her. Ich konnte nicht einmal erfahren, ob wir in einem Gerichtsgebäude waren. Manches sprach dafür, vieles dagegen.« Es war also eher kein Gerichtsgebäude, und doch scheint es mit dem Gericht etwas zu tun zu haben.

»Über alle Einzelheiten hinweg erinnerte mich am meisten an ein Gericht ein Dröhnen, das unaufhörlich aus der Ferne zu hören war, man konnte nicht sagen, aus welcher Richtung es kam, es erfüllte so sehr alle Räume, daß man annehmen konnte, es komme von überall oder, was noch richtiger schien, gerade der Ort, wo man zufällig stand, sei der eigentliche Ort dieses Dröhnens, aber gewiß war das eine Täuschung, denn es kam aus der Ferne.« Man könnte an K.'s Telephongespräch mit dem Schloß denken, aber was er da hört ist kein Dröhnen, sondern: Musik. Die Gänge selbst, so scheint es dem, der durch sie geht, sind nicht für dieses Dröhnen geschaffen. »Diese Gänge, schmal, einfach überwölbt, in langsamen Wendungen geführt, mit sparsam geschmückten hohen Türen, schienen sogar für tiefe Stille geschaffen, es waren die Gänge eines Museums oder einer Bibliothek.« Wenn dem so ist, erhebt sich für den Sprecher eine Frage. »Wenn es aber kein Gericht war, warum forschte ich dann hier nach einem Fürsprecher?« Die Fürsprecher aber, wie sich nun zeigt, sind nicht im Gericht, sondern in der Welt, die nicht mit dem Gericht identisch zu sein scheint, denn es heißt nun: »Weil ich überall einen Fürsprecher suchte, überall ist er nötig, ja man braucht ihn weniger bei Gericht als anderswo, denn das Gericht spricht sein Urteil nach dem Gesetz, sollte man annehmen. Sollte man annehmen, daß es hierbei ungerecht oder leichtfertig vorgehe, wäre ja kein Leben möglich, man muß zum Gericht das Zutrauen haben, daß es der Majestät des Gesetzes freien Raum gibt, das ist seine einzige Aufgabe, im Gesetz selbst aber ist alles Anklage, Fürspruch und Urteil, das selbständige Sicheinmischen eines Menschen hier wäre Frevel.« Die Fürsprecher erinnern in der ihnen zugewiesenen Stellung an die Helfer im »Prozeß«, die zu dem Gericht in einer Art von Beziehung stehen, deren Ort aber in der Welt ist. Diese Beziehung ist zufällig. Das zeigt sich darin, wie hier die Majestät des Gesetzes bestimmt wird: die Fürsprecher sind überflüssig, denn der Fürspruch gehört zwischen Anklage und Urteil zum Gesetz. Das dem so sei, davon steht nichts in jenem Gespräch am Ende des »Prozesses« zwischen dem Gefängnisgeistlichen und dem Mann vom Lande über das Gesetz. In der Geschichte von den Fürsprechern handelt es sich um die Aufnahme des Tatbestandes in der Welt. »Anders aber verhält es sich mit dem Tatbestand eines Urteils, dieser gründet sich auf Erhebungen hier und dort, bei Verwandten und Fremden, bei Freunden und Feinden, in der Familie und in der Öffentlichkeit, in Stadt und Dorf, kurz überall. Hier ist es dringend nötig, Fürsprecher zu haben, Fürsprecher in Mengen, die besten Fürsprecher, einer eng neben dem andern, eine lebende Mauer, denn die Fürsprecher sind ihrer Natur nach schwer beweglich, die Ankläger aber, diese schlauen Füchse, diese flinken Wiesel, diese unsichtbaren Mäuschen, schlüpfen durch die kleinsten Lücken, huschen zwischen den Beinen der Fürsprecher durch. Also Achtung! Deshalb bin ich ja hier, ich sammle Fürsprecher.«

Nun kommt die große Paradoxie, das Umschlagen der Erkenntnis, vorbereitet durch die ironische Darstellung, wie die Fürsprecher vor den Anklägern zu unterliegen scheinen: sie sind gar nicht da. »Aber ich habe noch keinen gefunden, nur diese alten Frauen kommen und gehn, immer wieder, wäre ich nicht auf der Suche, es würde mich einschläfern. Ich bin nicht am richtigen Ort, leider kann ich mich dem Eindruck nicht verschließen, daß ich nicht am richtigen Ort bin.« Natürlich ist er fehl am Ort, denn die Welt, die nicht das Gericht ist, wird ihm zum Gericht und entleert sich ihm bis zu dem Eindruck, daß da nur alte Frauen sind, und er weiß doch genau, wie es in der Welt aussieht. »Ich müßte an einem Ort sein, wo vielerlei Menschen zusammenkommen, aus verschiedenen Gegenden, aus allen Ständen, aus allen Berufen, verschiedenen Alters, ich müßte die Möglichkeit haben, die Tauglichen, die Freundlichen, die, welche einen Blick für mich haben, vorsichtig auszuwählen aus einer Menge. Am besten wäre vielleicht dazu ein großer Jahrmarkt geeignet. Statt dessen treibe ich mich auf diesen Gängen umher, wo nur diese alten Frauen zu sehn sind, und auch von ihnen nicht viele, und immerfort die gleichen und selbst diese wenigen, trotz ihrer Langsamkeit, lassen sich von mir nicht stellen, entgleiten mir, schweben wie Regenwolken, sind von unbekannten Beschäftigungen ganz in Anspruch genommen.« So trostlos scheint es also zu sein, wenn man die Welt mit dem Gericht gleichsetzt. Als K. im fünften Kapitel des »Schlosses« den Geltungsbereich des Schlosses zu durchdringen sucht – und Schloß und Gericht entsprechen sich ja bis zu einem gewissen Grade –, da macht er die gleiche Erfahrung, als ob Amt und Leben ihre Plätze gewechselt hätten. Der nach Fürsprechern sucht gibt sich darüber volle Rechenschaft. »Warum eile ich denn blindlings in ein Haus, lese nicht die Aufschrift über dem Tor, bin gleich auf den Gängen, setze mich hier mit solcher Verbohrtheit fest, daß ich mich gar nicht erinnern kann, jemals vor dem Haus gewesen, jemals die Treppen hinaufgelaufen zu sein.« Er ist also nicht nur in ein Haus hineingeeilt, die Eile gehört hier zum Wesen der Sache, er hat in dieser Eile nicht einmal die Aufschrift über dem Tor gelesen, die ihn vielleicht zurückgehalten hätte, hätte er gelesen, dies sei das Gericht, er ist auch gleich die Treppe hinaufgelaufen. Und hat es vergessen!

Mit diesen Treppen beginnt das große Motiv des Schlusses, sie führen hinauf und hinab. »Zurück aber darf ich nicht, diese Zeitversäumnis, dieses Eingestehn eines Irrwegs wäre mir unerträglich.« Dies wäre der Beweis dafür, daß er einen Irrweg gegangen ist, es wäre Zeitversäumnis, denn er hatte Eile, und er hat Eile. Die Zeit, die in der Geschichte von dem nächsten Dorf eine qualitative Zeit war, in deren kleinstem Teil zuviel geschieht, als daß die quantitative Erstreckung des Lebens für ihn hinreichte, wird hier zur Zeit der Eile, zur Zeit der Angst. »Wie? In diesem kurzen, eiligen, von einem ungeduldigen Dröhnen begleiteten Leben eine Treppe hinunterlaufen? Das ist unmöglich. Die dir zugemessene Zeit ist so kurz, daß du, wenn du eine Sekunde verlierst, schon dein ganzes Leben verloren hast, denn es ist nicht länger, es ist immer nur so lang, wie die Zeit, die du verlierst.« Weil dies so ist, und mag es sich auch um einen Irrweg handeln, so führt der richtige Weg nach oben, nicht nach unten, denn unten ist Sturz. »Hast du also einen Weg begonnen, setze ihn fort, unter allen Umständen, du kannst nur gewinnen, du läufst keine Gefahr, vielleicht wirst du am Ende abstürzen, hättest du aber schon nach den ersten Schritten dich zurückgewendet, wärst du gleich am Anfang abgestürzt und nicht vielleicht, sondern ganz gewiß.« Das also ist gewiß, was aber ist oben? »Findest du also nichts hier auf den Gängen, öffne die Türen, findest du nichts hinter diesen Türen, gibt es neue Stockwerke, findest du oben nichts, es ist keine Not, schwinge dich neue Treppen hinauf. Solange du nicht zu steigen aufhörst, hören die Stufen nicht auf, unter deinen steigenden Füßen wachsen sie aufwärts.« Oben ist vielleicht nichts, aber die aufwärtswachsenden Stufen sind die Gewähr der Hoffnung –: daß aus diesem Nichts *der* Fürsprecher hervortreten wird, dessen Wort gilt. Im Gegensatz zu den pluralistischen Fürsprechern der Geschichte ließe sich ihr Titel als ein Singular Majestatis deuten.

Der Mensch ohne Schuld
Ein Brudermord

Die Einwirkung gewisser malerischer Tendenzen der Epoche, etwa Chagalls, liegt bei dieser Geschichte aus dem »Landarzt« immerhin nahe. Schmar, der Mörder, hat nur ein »dünnes blaues Kleid« an. Blau ist die Farbe sowohl des malerischen als auch des dichterischen Expressionismus. Es genügt, für die Malerei auf Franz Marc und den »Blauen Reiter«, für die Dichtung auf Georg Trakl hinzuweisen, der von Else Lasker-Schüler beeinflußt ist, dessen Originalität aber erst darin gründet, daß bei ihm das Blau des Himmels in das Blau des Leichnams übergeht. Kafka widerspricht seiner Methode, der Realität den Eindruck des Grotesken zu nehmen, wenn er sie in den Normen des Alltags ausdrückt, hier in besonderem Maße. Auch im Stil! Man findet, an manchen Stellen, die bescheidene Stille der Oberfläche nicht wieder, unter der sonst sich der Wirbel der Wahrheit verbirgt. Schon ein verkürzter Satz wie »Kalte, jeden durchschauernde Nachtluft« fällt auf bei einem Schriftsteller, der Subjekt und Prädikat an die richtige Stelle zu setzen pflegt. Die Betrachtung mag ergeben, daß er gerade dieser grotesken Verhüllung bis in die Sprache hinein sich bedient, um etwas Dunkles in einer Gestalt darzustellen, die mehr verrät als sie ausdrückt, indem sie mehr ausdrückt als sie verrät.

Ein Mord ist geschehen, der Mord an einem »Bruder«. Der Untat fehlt ein sachliches Motiv; das einzig zureichende ist die Lust, zu töten. Kafka läßt »Mörder«, »Opfer« und »Zuschauer« förmlich auf einer Bühne auftreten, wie Allegorien, mit der festen Bezeichnung dessen, was sie in alle Ewigkeit sind, als Spruchband auf dem Leibe. Nach dem geradezu einem Polizeibericht entnommenen Satz der Einleitung »Es ist erwiesen, daß der Mord auf folgende Weise erfolgte« heißt es: »Schmar, der Mörder, stellte sich gegen neun Uhr abends in der mondklaren Nacht an jener Straßenecke auf, wo Wese, das Opfer, aus der Gasse, in welcher sein Büro lag, in jene Gasse einbiegen mußte, in der er wohnte«. Der Klang der Namen entspricht dem Mörder wie dem Opfer. Der Satz, der als schöne Periode mit entsprechend gebauten Relativsätzen und abwechselnden Relativpronomen das sprachliche Abbild der mathematisch klaren Lage – des Ortes und der Handlung – gibt, läßt erkennen: zwei Gassen, an deren Grenze der Mörder steht, und das Opfer muß aus der einen, wo sein Büro, in die andere gehen, wo seine Wohnung liegt. Darüber scheint der Mond. Die Welt ist auf ein Kleinstadtidyll zusammengerückt, in dem ein Mord zelebriert wird.

Zunächst wird der Mörder beschrieben, und zwar, da die

Psychologie verschmäht wird, *als* Mörder; das »blaue Kleid«
könnte der Rolle zugewiesen sein, die der ungenannte und
unnennbare Leiter dieses Spiels ihn spielen läßt: der Mörder
ist ausgesondert, und er muß als solcher auch äußerlich erkennbar sein. Er friert nicht, obwohl das »Röckchen« – das
auf vergiftete Märchenluft hinweist – aufgeknöpft war; die
Lust, zu töten, wärmt ihn. Sein Zustand vor der Tat wird so
geschildert: »Seine Mordwaffe, halb Bajonett, halb Küchen-
messer, hielt er ganz bloßgelegt immer fest im Griff. Betrachtete das Messer gegen das Mondlicht; die Schneide blitzte auf;
nicht genug für Schmar; er hieb mit ihr gegen die Backsteine
des Pflasters, daß es Funken gab; bereute es vielleicht; und
um den Schaden gutzumachen, strich er mit ihr violinbogenartig über seine Stiefelsohle, während er, auf einem Bein stehend, vorgebeugt, gleichzeitig dem Klang des Messers an seinem Stiefel, gleichzeitig in die schicksalsvolle Seitengasse
lauschte«. In Raskolnikows Tun und Denken vor dem Mord
sagt echte Psychologie etwas über das Wesen dieses Menschen
aus; Kafka, der den ahnungsvollen – im Manuskript freilich
durchstrichenen – Satz niedergeschrieben hat: »Zum letzten
Mal Psychologie!«, tut das Gleiche. Aber er zielt nicht nur
auf einen Menschen. Von der ungeheuerlichen Waffe, die
Schmar vor dem Gebrauch violinbogenartig verwendet, wie
Chaplin es tun könnte, bis zu dem Stehen auf einem Bein und
dem Lauschen in die Seitengasse ist der Wille, zu töten, jenseits jedes Motivzusammenhangs weniger Gestalt als Gesicht
geworden: des absoluten Bösen. Stilistisch sind die beiden
Sätze – im Grunde nur einer – wie so oft bei Kafka ganz
durch das Semikolon geprägt, und ein solches könnte auch
hinter »Griff« stehen. Aber auf dieses »im Griff« Halten
wird Gewicht gelegt, wie auch die stilistische Unruhe eines
subjektlosen Prädikats wie »Betrachtete« der wirklichen Unruhe entspricht.
Eine neue Person wird eingeführt. »Warum duldete das alles der Private Pallas, der in der Nähe aus seinem Fenster im

zweiten Stockwerke alles beobachtete?« Wer ist das? Wir müssen sagen: ein Privatmann, ein Zuschauer. Und wahrscheinlich Kafka selbst, wenn man die Vokale der beiden Namen miteinander vergleicht, wie ja auch Samsa in der »Verwandlung« Kafka sein dürfte! Die Antwort auf die Frage lautet: »Ergründe die Menschennatur!« Das ist eine geniale Formel, um die Lücke der menschlichen Erkenntnis durch einen Tonfall zu stopfen. Das Böse ist souverän, denn es bedient sich der Normen des Guten. Gegen das Streichen der Waffe über die Stiefelsohle als eine Handlung, die niemandem schadet und das Interesse des Betrachters reizt, gibt es in der Welt der Freiheit keinen Einspruch; in der Welt der Betrachtung kommt es höchstens zu einem Kopfschütteln. »Mit hochgeschlagenem Kragen, den Schlafrock um den weiten Leib gegürtet, kopfschüttelnd, blickte er hinab.« Auch der letzte Spieler in diesem Spiel wird genannt: Frau Wese. »Und fünf Häuser weiter, ihm schräg gegenüber, sah Frau Wese, den Fuchspelz über dem Nachthemd, nach ihrem Manne aus, der heute ungewöhnlich lange zögerte.« Ihre Kleidung, noch mehr als das Nachthemd der Fuchspelz, scheint anzudeuten, daß sie zum erotischen Empfange ihres Mannes bereit ist.

Das Spiel kann beginnen, und es wird wirklich durch ein Glockenzeichen angekündigt. Dieses entsteht auf die natürlichste Weise, als Wese das Haus verläßt, in dem sein Büro sich befindet. Aber diese Türglocke ist »zu laut für eine Türglocke«, sie tönt »über die Stadt hin, zum Himmel auf«. Wese, »der fleißige Nachtarbeiter«, tritt seinen letzten Gang an, aber er weiß es nicht. Der fleißige Nachtarbeiter erinnert an die stillen Menschen ohne Ruhm, deren Ermatten, nach Kafka, »das des Gladiators nach dem Kampf«, deren Arbeit »das Weißtünchen eines Winkels in einer Beamtenstube« ist. »Er tritt dort, in dieser Gasse noch unsichtbar, nur durch das Glockenzeichen angekündigt, aus dem Haus; gleich zählt das Pflaster seine ruhigen Schritte.« Die Ruhe eines Mannes, der nach getaner Arbeit in der Nacht nach Hause strebt, klingt aus

dem stillen Satz. Wie anders ist aber die Wirkung auf die eigentlichen Spieler! Pallas beugt sich weit vor, um nichts zu
versäumen. Er ist so ganz Neugier und Erwartung, als Privatmann, daß er um ihretwillen selbst einen Mord geschehen
ließe, was dann auch geschieht. Frau Wese ist beruhigt. Klir-
rend schließt sie das Fenster, denn sie erwartet den Geliebten.
»Schmar aber kniet nieder.« Welche Ironie, daß der Mörder
die Geste des Opfers übernimmt, aber nicht um zu beten, sondern um die Glut der Erwartung zu kühlen! »Da er augenblicklich keine anderen Blößen hat, drückt er nur Gesicht und
Hände gegen die Steine; wo alles friert, glüht Schmar.« Kafkas Prosa läßt sich stilistisch als die Tendenz verstehen, die
Einfalt des Sprichworts zu erreichen, in welcher die Sprache
das Alte, das bis zur Tautologie Selbstverständliche zu sagen
vermag:[3] das Neue, das Glühen Schmars vor einem Morde.
In der retardierenden Szene an der Grenze, wo die Gassen
sich schneiden, wird die Grenze zwischen zwei Gassen zu der
zwischen Leben und Tod. Das Fortschreiten der Handlung
wie ihr jeweiliger Symbolgehalt wird in dieser Geschichte
durch eindrucksstarke Stellungen bezeichnet. Ein noch Leben-
der tastet förmlich, ahnungslos, in das Gebiet des Todes vor.
Es gibt aber in der Welt der Wahrheit keine Vorzeichen. »Eine
Laune. Der Nachthimmel hat ihn angelockt, das Dunkelblaue
und das Goldene.« Hier ist das abgebrochene Satzgebilde
schon nicht mehr die groteske »Laune« des Autors, sondern
der Ausdruck für das zugleich Bodenlos-Nichtige und Ab-
gründig-Schicksalsvolle des Augenblicks. Der auf die »Laune«
folgende Satz ragt steil in die Höhe, von der er mit irdischer
Einfalt aussagt. Das Blaue könnte an »jene Feuer in dem
Blauen« denken lassen, von denen Goethe im »Divan« singt,
es ist aber hier nicht ohne Absicht dunkelblau. Das Goldene
ist nur golden, und es hat eine verborgene Entsprechung im
»Bericht an eine Akademie«. Der gefangene Affe greift zu
dem »Ausweg«, ein Mensch zu werden. Er spricht den Satz:
»Ich stamme von der Goldküste«. Der Rezitator Ludwig

Hardt, der Stücke aus Kafka in sein »Vortragsbuch« (1924) aufgenommen hat, bemerkt in einer Fußnote zu diesem Satz: »Es sei dem Herausgeber gestattet, der Hörerin zu gedenken, die am ergreifendsten in dieser Dichtung den Satz fand: Ich stamme von der Goldküste.« Ein geographischer Begriff wird zum wesentlichen Wort, und das Gold leuchtet auf. Hier oder im Scheinen des Mondes mit seiner »Natürlichkeit und Ruhe« im letzten Kapitel des »Prozesses« hält die Schönheit den Rest des Raumes, den Kafka ihr als ganzen so bewußt entzieht. Es ist die Schönheit des Gestirns, das nicht hilft und da ist. Wie der Mond über die Stätte leuchtet, wo ein Mensch die Vollstreckung des Urteils erfährt, so leuchtet der Sternenhimmel über einen Mord. Er macht den Unterschied der Tötung dort und hier sinnfällig. Wese wird von dem Sternenhimmel »angelockt«, keineswegs verführt. Die magische Welt, in der solche Verführung möglich war, ist versunken. Goethes »Fischer« glaubte doch zu wissen, *wer* ihn in das Wasser zog; Weses Verhältnis zur Natur ist bestimmt durch bare Unwissenheit. Das Dunkelblaue und das Goldene – »unwissend blickt er es an, unwissend streicht er das Haar unter dem gelüpften Hut; nichts rückt dort oben zusammen, um ihm die allernächste Zukunft anzuzeigen; alles bleibt an seinem unsinnigen, unerforschlichen Platz«. Die Darstellung der Verlorenheit des Menschen im Kosmos wird durch den in seiner Mischung aus Witz und Verzweiflung sprichwortnahen Satz abgeschlossen: »An und für sich sehr vernünftig, daß Wese weitergeht, aber er geht ins Messer des Schmar«. Die Kluft zwischen Vernunft und Schicksal leuchtet auf; nicht das Schicksal tötet den Menschen, sondern seine Vernunft. Sie ist das Einzige, was er hat, Schicksal ein leerer Name, aber den Trost, sie zu besitzen, muß er mit dem Tode bezahlen. Also geht Wese weiter, und Schmar tötet ihn, indem er ihn mit einer geradezu Nestroyschen Phrase anruft: »Wese! vergebens wartet Julia!« Möglich wäre es, daß dieser Name von Shakespeare genommen ist, dann wäre Wese Romeo. Die Ironie in ihrer Verstecktheit wäre Kafka zuzutrauen. Dann wird der Mord beschrieben: »Und rechts in den Hals und links in den Hals und drittens tief in den Bauch sticht Schmar. Wasserratten, aufgeschlitzt, geben einen ähnlichen Laut von sich wie Wese«. Stilistisch ist es meisterhaft, wie durch die Wiederholung von »Hals« und durch die Hinzufügung »drittens« das Sachgemäße des Vorgangs – an einem Opfertier – sich ausdrückt. Auch tritt dadurch, daß die Wasserratten mit Wese verglichen werden, die Herabsetzung Weses auf das Opfertier schrecklich hervor: der Mensch sinkt herunter auf ein Vergleichsobjekt. Die Stelle ist als Schilderung eines Mordes in dem Grade komisch, in dem sie die Realität erfaßt, die hinter dem jeweils trostlosen Geschehen sich eher verbirgt als vorwagt. Schmars Monolog, Klage zugleich und Frage, gibt Aufschluß über sein Motiv. »Seligkeit des Mordes! Erleichterung, Beflügelung durch das Fließen des fremden Blutes!« Da er kein anderes Motiv hatte als eben dieses, darf er sein Opfer sofort beklagen: »Wese, alter Nachtschatten, Freund, Bierbankgenosse, versickerst im dunklen Straßengrund«. Der Mörder, der so klagen kann, scheint sich als der Vollstrecker eines fremden Willens zu fühlen, der stärker war als er, ja schlechterdings unabhängig von ihm. Nun aber fragt er, und erst hier wird die Frage hörbar, die Kafka selbst stellt, Schmar fragt dies: »Warum bist du nicht einfach eine mit Blut gefüllte Blase, daß ich mich auf dich setzte und du verschwändest ganz und gar«. Die Wahnvorstellung, den Toten verschwinden machen zu können, entspringt nicht der Angst vor Verfolgung, sondern der Angst vor der Schuld. »Nicht alles wird erfüllt, nicht alle Blütenträume reiften, dein schwerer Rest liegt hier, schon unzugänglich jedem Tritt. Was soll die stumme Frage, die du damit stellst?« Das sind, in Prosa, Verse. Sie klingen wie aus Hamlets Rede, als er die Leiche des Polonius wegschleppt. Auch ist dieses das einzige Mal, daß bei Kafka ein Zitat vorkommt. Zitate, als notwendiges Ingrediens des satirischen Stils, werden von Karl Kraus mit Meisterschaft verwendet; die objektive Ironie bei Kafka, die keiner historisch-politischen sondern einer metaphysischen Weltbetrachtung entspringt, läßt sie eigentlich nicht zu. Darum haben die Blütenträume an jener Stelle nicht mehr den goethesch-prometheischen Eigenwert, eher sind sie eine lächerliche Floskel, die das eigene Tun des Mörders parodistisch entlarvt. Die Frage, die der Mord stellt, läßt sich so ausdrücken: Ist die Existenz des Mörders jenseit seiner geschehenen Tat möglich? Ist die Schuld, die Schmar eskamotieren möchte, falls er sich auf den Toten setzen könnte, etwas von den Menschen zu ihrem Schutz Erfundenes, dem der starke Einzelne sich entzöge, oder ist sie ursprünglich da und wirksam, auch ohne jede rächende und strafende Instanz?

Diese Frage wird in der nächsten Szene weitergetrieben. »Pallas, alles Gift durcheinanderwürgend in seinem Leib, steht in seiner zweiflügelig aufspringenden Haustür.« Welch eine bühnenmäßige Regie des Satzes! Welch eine Magie der Leidenschaft, unter deren Stoß die zweiflügelige Haustür von selbst aufspringt! Welch eine Stellung! Welch ein Stehn! Was bedeutet das »Gift«, das Pallas in seinem Leibe durcheinanderwürgt? Stellt Schmar die absolute Tat dar, so Pallas die absolute Beobachtung. Die Grenze zwischen beiden heißt für beide: Schuld. Den Täter läßt sie nicht leben jenseit seiner Tat, den Betrachter hindert sie, nachdem die Tat geschehen ist, am letzten Erkennen: anstatt das Schweigen in dem notwendigen aber sinnlosen Ablauf zu usurpieren, müßte er etwas tun. Er tut nichts, er beobachtet. Er sagt in sechs Worten eines gezählten Stils: »Schmar! Schmar! Alles bemerkt, nichts übersehen«. Diese Kürze ist mehr als sprachliche Prägnanz, es ist die verborgene Rede dessen, der etwas gesehen hat und das Gesehene *wirklich* sagen will. Daß Pallas nichts »übersehen« hat, es bezieht sich auf die Schuld, die heimlich in Schmar aufgestiegen ist. »Pallas und Schmar prüfen einander. Pallas befriedigt's, Schmar kommt zu keinem Ende.« Pallas sieht die Schuld in Schmar; Schmar weiß nicht genau, ob Pallas sie sieht. Aber der Sieg der auch Gerechtigkeit enthaltenden Betrachtung über eine die Gerechtigkeit zerstörende Tat scheint in der Kürze dieser gegenseitigen Prüfung in zwei Sätzen zweifellos.

Schmar allein vor dem Mord, Schmar mit Wese, Schmar allein nach dem Mord, Schmar mit Pallas – es fehlt noch die letzte Hauptperson: Frau Wese. »Frau Wese mit einer Volksmenge zu ihren beiden Seiten eilt mit vor Schrecken ganz gealtertem Gesicht herbei. Der Pelz öffnet sich, sie stürzt über Wese, der nachthemdbekleidete Körper gehört ihm, der über dem Ehepaar sich wie der Rasen eines Grabes schließende Pelz gehört der Menge.« Frau Wese ist in der gleichen Kleidung, eigentlich nackt, wie damals – eine unmeßbare Zeit ist vergangen, wenn ein Mensch gestorben ist, und wären es nur Minuten –, als sie, im Fuchspelz ihren Mann erwartend, das Glockenzeichen hörte und ach so anders deutete. Dies alles geschieht vor Schmar, um ihn vor sich selbst zu denunzieren: daß Liebe bis in den Tod möglich ist und daß nicht Wese, der Tote, daß Schmar, der Mörder, ausgeschaltet sei, sinnlos in einer Tat, die nichts getan hat. Der Pelz gehört der Menge. Sie bewahrt das Geheimnis, das unter ihm sich abspielt, als entscheidender Zeuge gegen die Tat. Der Schlußsatz: »Schmar, mit Mühe die letzte Übelkeit verbeißend, den Mund an die Schulter des Schutzmanns gedrückt, der leichtfüßig ihn davonführt« wird nun auch sprachlich klar. Das Partizip des Präsens ist der Ausdruck für die *Stellung* des Mörders, die wichtiger ist als was er noch sagen oder tun könte. Statuarisch wird seine Schuld verewigt, er beichtet der Schulter des Schutzmanns, nicht das moralische, das geistige Scheitern beichtet er. Das Verbum, ihm genommen, wird dem Schutzmann, diesem ebenfalls sinnlos tätigen Menschen, gewährt. Er überliefert einen anderen als Schmar, den schon Gerichteten, dem Rechte.

Geld und Güte
Der Kübelreiter

Kafkas dichterische Phantasie stellt mit einem mächtigen Ansprung Wahrheit dar, aber so groß ist in dieser Geschichte aus »Beschreibung eines Kampfes«, im Gegensatz etwa zu »Vor dem Gesetz«, der Sprachtrieb, daß er nicht vermag, hinter das Wahre, das er ausdrückt, in das sprachlose Schweigen zurückzusinken. Mit der Eigenbedeutung der Sprache hängt es zusammen, daß hier, während anderswo für den Denkstil Kafkas der *Übergang* vom Wahren zum Falschen, vom Falschen zum Wahren in dem gleichen Gegenstande bezeichnend ist, die Darstellung überall auf *absolute* Sachverhalte zielt.

Mit einem von Leidenschaft durchbebten Satzgebilde beginnt es: »Verbraucht alle Kohle; leer der Kübel; Kälte atmend der Ofen; das Zimmer vollgeblasen von Frost; vor dem Fenster Bäume starr im Reif; der Himmel ein silberner Schild gegen den, der von ihm Hilfe will«. So stark sind die Worte der Kälte gesetzt, daß man schließlich zu fühlen glaubt, wie einer Metapher *wirklich* der silberne Schild *gegen* die Hilfe entspringt. Nach solcher Einleitung glaubt man auch was folgt zu verstehen: »Ich muß Kohle haben; ich darf doch nicht erfrieren; hinter mir der erbarmunglose Ofen, vor mir der Himmel ebenso, infolgedessen muß ich scharf zwischendurch reiten und in der Mitte beim Kohlenhändler Hilfe suchen«. Wir sind in einer Welt des Wahns. Sie hat Realität. Niemand vermag zu sagen, ob nicht so für Menschen die Realität aussehen müßte. In der Geschichte »Das Ehepaar« muß die Realität hinter unscheinbaren Vorgängen erahnt werden; hier ist gewaltsam eine Kluft aufgerissen. Wir sehen die Welt der absoluten Kälte, des absoluten Hungers, des absoluten Bösen. Schon die Maßbezeichnung ist ungeheuerlich: zwischen Ofen und Himmel die »Mitte« bildet: der Kohlenhändler; welcher in dieser Ortslage und in diesem Abstand zu dem Frierenden – dem die Welt auf diesen Abstand sich verengt – zu finsterer

Dimension erwächst. »Gegen meine gewöhnlichen Bitten aber ist er schon abgestumpft; ich muß ihm ganz genau nachweisen, daß ich kein einziges Kohlenstäubchen mehr habe und daß er daher für mich geradezu die Sonne am Firmament bedeutet.« Hier setzt ein Mensch alles auf eine Karte: auf die der Realität. Menschen, die mit Recht nicht in ihr leben, nicht in ihr leben können, bezeichnen sie als Wahn, er aber spricht es aus – und nur dies bedeutet das »Gleichnis« von der Sonne –, daß für ihn, der friert, nicht die Sonne am Himmel, sondern der Kohlenhändler auf der Erde die Sonne der Realität ist. Die Wärme spendet er, nicht jene. »Ich muß kommen wie der Bettler, der röchelnd vor Hunger an der Türschwelle verenden will und dem deshalb die Herrschaftsköchin den Bodensatz des letzten Kaffees einzuflößen sich entscheidet«; – das ist restlos unwirklich und absolut real. Der Nachweis, daß er keine Kohle mehr hat, genügt nicht; er muß beweisen, daß er verendet. Dann wird ihm nicht Hilfe, sondern der Bodensatz des letzten Kaffees, mit welchem identisch ist, was immer Armen gegeben wird. Nun aber folgt die letzte Steigerung der Vorstellung bis zur Beschwörung der Gerechtigkeit selbst: ... »ebenso muß mir der Händler, wütend, aber unter dem Strahl des Gebotes ›Du sollst nicht töten!‹ eine Schaufel voll in den Kübel schleudern.« Die Gerechtigkeit verlangt nicht, daß der Kohlenhändler gern tue, wozu sie ihn zwingt. Seine »Wut« ist bedeutungslos. Eine Welt jenseits der Ethik tut sich auf.

Es beginnt der Ritt. Er wird mit dem Satz eingeleitet: »Meine Auffahrt schon muß es entscheiden; ich reite deshalb auf dem Kübel hin«. Und doch ist dies kein Flug der Phantasie! Er steigt in die Lüfte, als gäbe es nur sie, Flügel kommen angeflogen, man ist kein Mensch mehr, sondern ein Vogel, man ist im Irrealen herrlich zuhause, als hätte man es gar nicht verlassen wollen, und man ist froh. Dieser Flug aber ist an die Welt gebunden, und weil der Kohlenhändler in der Realität lebt, wird man, ohne sie zu bejahen, ihn nie erreichen. So ist denn der Kübel das einzig erlaubte Pferd und Pegasus tot. »Als Kübelreiter, die Hand oben am Griff, dem einfachsten Zaumzeug, drehe ich mich beschwerlich die Treppe hinab«; – nicht auf das Bild dringt diese Darstellung, sondern auf die Realität, welche niemals so in das Bild eingehen könnte, daß sie in ihm verschwindet. In der Geschichte »Die Brücke« werden von dem Menschen, der als Brücke über dem Abgrund liegt, noch »Rockschöße« sichtbar, die der Unbekannte, der auf den Menschen springt, vor dem Sprunge ordnet. So wird der Sinn der Entscheidung, die der Sprecher mit der richtigen »Auffahrt« verbindet, deutlicher. Aber warum fährt er »auf«, warum fährt er nach oben? Im Sinne der Gleichsetzung mit der Sonne am Firmament muß er den Kohlenhändler dort vermuten, wo alles Göttliche vom Menschen gedacht wird –: oben. Welch eine Ironie, daß er, um dieses Ziel zu erreichen die Treppe *hinab* muß! Und welche Steigerung der Ironie in den folgenden Sätzen: ... »unten aber steigt mein Kübel auf, prächtig, prächtig; Kamele, niedrig am Boden hingelagert, steigen, sich schüttelnd unter dem Stock des Führers, nicht schöner auf. Durch die festgefrorene Straße geht es in ebenmässigem Trab; oft werde ich bis zur Höhe der ersten Stockwerke gehoben; niemals sinke ich bis zur Haustüre hinab. Und außergewöhnlich hoch schwebe ich vor dem Kellergewölbe des Kohlenhändlers, in dem er tief unten an seinem Tischchen kauert und schreibt; um die übergroße Hitze abzulassen, hat er die Tür geöffnet«. In dieser Beschreibung wird es noch nicht so deutlich wie in dem bitteren, im Gespräch mit dem Kohlenhändler hingeworfenen Wort – von dem Kübel, der so leicht sei, daß er schon auf ihm reiten könne –: die Auffahrt war höchstens die Treppe hinab ein Flug, nun ist sie ein Gehobenwerden wie das der einen Waagschale, wenn das volle Gewicht auf der anderen liegt. Aber erlebt wird dieses Bild noch positiv, besser: das Negative wird positiv erlebt. Daher das schöne Bild von den Kamelen, das den Orient herzaubert, in seiner Schönheit und in seiner

Grausamkeit, und das vergeht vor der Wirklichkeit. Furchtbar anders ist alles geworden. Das transzendente Oben ist der eisige Ort dessen, der wirklich friert, und tief unten im Keller sitzt kraft ungerechten aber realen Durchbruchs durch die Konvention des Göttlichen der Kohlenhändler und schreibt, die Tür geöffnet, um die große Hitze abzulassen. So grausam liegen die Sphären sich gegenüber: die Wärme der Kälte, das Leben dem Tode. Gibt es eine Vermittlung?

Nun beginnt das Gespräch. »›Kohlenhändler!‹ rufe ich mit vor Kälte hohlgebrannter Stimme, in Rauchwolken des Atems gehüllt [– die, wie man hinzufügen darf, das Bild der Wärme vermitteln, aber nicht sie selbst –], ›bitte, Kohlenhändler, gib mir ein wenig Kohle. Mein Kübel ist schon so leer, daß ich auf ihm reiten kann. Sei so gut. Bis ich kann bezahle ich's.‹« Hier findet sich die schon erwähnte Maßbestimmung der Leere wie auch der Kausalzusammenhang der Bitte mit ihr, ein neues Beispiel für den Gebrauch des Absoluten. »Der Händler legt die Hand ans Ohr. ›Hör ich recht?‹ fragte er über die Schulter weg seine Frau, die auf der Ofenbank strickt, ›hör ich recht? Eine Kundschaft?‹« Für den Kohlenhändler bedeutet die Kundschaft, wie er für den Kübelreiter, die Sonne am Firmament. Der Kübelreiter muß um eine Schaufel Kohle buchstäblich sich Gehör verschaffen, und selbst das wird ihm mißlingen. Die Frau nämlich hört ihn nicht. In Wahrheit verhält es sich tiefer und anders. Der Kohlenhändler wäre vielleicht geneigt, wenn er hörte, was jener sagt; er ist es nicht, denn er hört der Stimme nicht den Inhalt des Gesagten ab, sondern nur, daß eine Kundschaft da ist, die etwas haben will, was sie bezahlt; daß er wenigstens dies hört, deutet an, daß er nicht ganz böse ist. Der Gerechtigkeit im tödlichen Gegensatze zu der falschen Hoffnung des Erfrierenden unzugänglich – denn der vertraut auf den Kohlenhändler, als wäre er Gott –, wäre es doch möglich, daß er einer Kundschaft Kohle gäbe, ohne »gleich« das Geld für sie zu erhalten. Die Frau aber will *nichts* gehört haben, eben *weil* sie gehört hat, daß er bezahlen werde, wenn er es könne: er existiert nicht. Die Frau ist zweifellos böse, aber ebenso zweifellos ist dieses Böse im Einklang mit der Realität der Welt, als von welcher der Mann um ein so geringes sich abhebt, daß kein Raum bleibt für den Sprung ins Dunkel, um einem Menschen zu helfen. Menschen vermögen es nicht; Gott schweigt; andere Realität zu setzen als die in der Welt gegebene, ist sinnlos. Das Gespräch dieser drei Menschen, die das traurige Menschenmaß der Welt erschöpfend darstellen, die absolute Armut, das absolute Böse und das relative Gute, endet damit, daß die Frau den Mann hindert, hinauszugehen. Sie geht selbst. Das letzte Wort der »Güte« war: »Dann nenn' ihm aber alle Sorten, die wir auf Lager haben; die Preise rufe ich dir nach«.

Der Kübelreiter erkennt, daß sie ihn sieht; sie sieht ihn nicht. Seine Bitte ertönt in dem durch das Semikolon gegliederten Maß der Verzweiflung. »›Frau Kohlenhändler‹, rufe ich, ›ergebenen Gruß; nur eine Schaufel Kohle; gleich hier in den Kübel; ich führe sie selbst nach Haus; eine Schaufel von der schlechtesten. Ich bezahle sie natürlich voll, aber nicht gleich, nicht gleich‹.« Der letzte Satz, den er inhaltlich schon einmal gesagt hat, klingt hier rhythmisch, wie denn auch vorher der Kohlenhändler – in dem »es ist, es ist jemand« – rhythmisch gesprochen hatte. Der Dichter läßt den Kübelreiter kommentieren: »Was für ein Glockenschlag sind die zwei Worte ›nicht gleich‹ und wie sinnverwirrend mischen sie sich mit dem Abendläuten, das eben vom nahen Kirchturm zu hören ist«. Mit der Gewalt des Glockenläutens, das positiv gemeint ist, wirkt negativ auf die Kohlenhändlerin dieses ›nicht gleich‹. Mehr noch als die Kohlenhändlerin, die dieses ›nicht gleich‹ hört, bestätigen die Glocken, gerade in dieser Gleichzeitigkeit, daß es, wenn auch vielleicht Gott und das Gute, für die Menschen keine Erlösung gibt. Der Kübelreiter bettelt nicht, er will bezahlen, selbst er, aber »nicht gleich«. Die Frau, die in der Antwort an ihren aus dem Zimmer heraus fragenden Mann nichts sehen und hören will, weht den

Kübelreiter mit ihrer Schürze weg, so leicht ist er! Nun sagt
er sein letztes Wort, bevor er sich »in die Regionen der Eis-
gebirge« verliert, »auf Nimmerwiedersehen«, er sagt: »Du
Böse, du Böse! Um eine Schaufel von der schlechtesten habe
ich gebeten und du hast sie mir nicht gegeben«.

Das Mißverhältnis zwischen der göttlichen Gerechtigkeit
und der irdischen Realität – deren Identität unsicher, aber,
auch wenn sie bestände, Menschen verschlossen ist – ist das
letzte Absolute, das mit dem Ausgang dieser Geschichte übrig
bleibt. Der Dichter hat sie geschrieben, nicht aus seiner eigenen sozialen Lage heraus, selbst wenn auch er im Prager
Kriegswinter 1917 gefroren hat, sondern weil er unabhängig
von Armut und selbst vom Krieg die geistige Lage der Welt
so tief durchdrang, daß er sie schreiben mußte.

Die Hilfe
Der Riesenmaulwurf

Die Erzählung steht in »Beschreibung eines Kampfes« und
beginnt damit, daß in einem Dorf abseits der Stadt ein Riesenmaulwurf gesichtet wurde. Dieses Tier, dessen einmaliges
Erscheinen ein alter Dorfschullehrer in einer Schrift beschreibt
und das er einem Gelehrten, um ihn von der Wichtigkeit dieser Entdeckung zu überzeugen, als zwei Meter hoch bezeichnet, kommt in der Erzählung selbst nicht vor, wie sie denn
auch in Kafkas Tagebüchern unter dem Titel »Der Dorfschullehrer« und nicht unter dem des Riesenmaulwurfs figuriert. Es ist daher falsch, sie in Zusammenhang mit Kafkas
Tiergeschichten zu bringen, wie es auch falsch ist, sie als eine
Satire auf die Wissenschaft zu verstehen. Diese Satire ist zwar
vorhanden und höchst wirksam dargestellt, aber sie geht über
in die tiefere Satire auf die menschliche Hilfe.

Der Kaufmann aus der Stadt, der die Vorgänge erzählt, ist
selbst nicht von der Wichtigkeit der Entdeckung überzeugt,

schreibt aber seinerseits eine Broschüre, um dem Lehrer in seinem aussichtslosen Kampfe zu helfen und die Ehrenhaftigkeit seiner Gesinnung einem uninteressierten Publikum darzulegen. Diese Hilfe zieht ihm die Feindschaft des Lehrers zu, denn dieser will Hilfe um der Sache willen, nicht wegen der Ehrenhaftigkeit seiner Motive, welche für ihn selbstverständlich ist. Der Riesenmaulwurf ist nur ein absichtlich grotesk gewähltes Objekt, um im Zusammenhang mit der Wissenschaft ein moralisches Problem zu entwickeln, das in dem Maß schärfer hervortritt, in dem der Kaufmann seine Hilfe für den Lehrer steigert und sein Interesse an der Sache verliert. Die Wichtigkeit einer einzelnen Entdeckung für die Wissenschaft hängt wesentlich von dem Entdecker ab und von der Kraft, sich selbst durchzusetzen. Die Sache untersteht, wie ein unerprobtes Kunstwerk, den chaotischen Gesetzen des persönlichen Geschmacks. Dieser ist unfähig, an die Sache ein begründetes Urteil zu knüpfen, er knüpft das positive Vorurteil an die Person, an den wirksamen Schein der Persönlichkeit.

Der Dorfschullehrer hat nichts dergleichen aufzuweisen, er hat vielmehr eine verborgene geistige Physiognomie. In einer sprichwörtlichen Zusammenfassung schlagen die Gewichte um, und er ist es, der von seinen Gegnern sagt, sie hätten sich wie alte Dorfschullehrer benommen, nicht er. Das nützt ihm aber nichts. Er ist arm, und als er von seinem ergebnislosen Besuch bei dem Gelehrten zurückkommt, empfangen ihn seine Frau und seine sechs Kinder auf der verschneiten Landstraße. Statt der traurigen Wirklichkeit ins Gesicht zu sehen, hat er Träume; sie knüpfen sich an das Auftreten des Kaufmanns in der Stadt. Die Bauern zählen nicht. Das Gerücht haftet am Einfluß. Dieser setzt den Zufall in Bewegung. Eine Stimme wächst zu zehn, zehn zu hundert Stimmen, und schon wird der Entdecker im Triumph in der Hauptstadt empfangen. Der Kaufmann weiß natürlich, daß dies alles Unsinn ist, daß in Wirklichkeit niemand sich für die Sache interessiert und daß die Zeitungen den Riesenmaulwurf schon halb vergessen haben und nur noch ungenau sich an die Vorgänge erinnern, und auch der Lehrer weiß genau, daß der Kaufmann so denkt. In einer landwirtschaftlichen Zeitung wird die Entdeckung schon in scherzhafter Form erzählt, und obwohl der Kaufmann die Zeitung vor dem Lehrer geheimhalten will, erfährt dieser doch davon, ist aber mit der ganzen Halsstarrigkeit seines Alters keineswegs entmutigt, sondern geht in einem Brief, der die Angelegenheit ins Moralische verschiebt, zum Angriff gegen den Kaufmann über und schreibt: »Die Welt ist schlecht und man macht es ihr leicht«. Der Kaufmann kommentiert diesen Satz so, als wollte der Lehrer sagen, »daß ich zu der schlechten Welt gehöre, mich aber mit der mir innewohnenden Schlechtigkeit nicht begnüge, sondern es der Welt auch noch leicht mache, das heißt, tätig bin, um die allgemeine Schlechtigkeit hervorzulocken und ihr zum Sieg zu verhelfen«. Diese Argumentation scheint sehr viel für sich zu haben und der Devise eines weisen Mannes zu entsprechen, der immer wieder im Leben gesagt haben soll: »Tu nichts Gutes, kommt nichts Schlimmes«.[4] Aber auch diese humoristische Erkenntnis widerlegt nicht die Tatsache, daß wir uns hier im Gebiet des Dämonischen befinden, wo das Gute als der unaufhebbare Gegensatz zum Schlimmen genau dieses hervorbringt. Das Gute als Mitte der Welt kann zwar dieselben negativen Wirkungen hervorbringen, wie etwa der Idiot bei Dostojewski, und doch wird dieser als der gute Mensch, der unfähig ist, das Böse zur Kenntnis zu nehmen, durch solche Wirkungen nicht widerlegt, er kann nur untergehen. Es gibt bei Kafka ein Dokument, das die Dämonie des Schlechten als Folge des Guten besonders deutlich zeigt, das ist der Brief an den Verleger Ernst Rowohlt aus den Tagebüchern vom 14. 8. 1912, als er ihm das Manuskript von »Betrachtung« schickt und dazu schreibt: »Hier lege ich die kleine Prosa vor, die Sie zu sehen wünschten; sie ergibt wohl schon ein kleines Buch. Während ich sie für diesen Zweck zusammenstellte, hatte ich manchmal die Wahl zwischen der Beruhigung meines Verantwortungsgefühls und der Gier, unter Ihren schönen Büchern auch ein Buch zu haben. Gewiß habe ich mich nicht immer ganz rein entschieden. Jetzt aber wäre ich natürlich glücklich, wenn Ihnen die Sachen auch nur so weit gefielen, daß Sie sie druckten. Schließlich ist auch bei größter Übung und größtem Verständnis das Schlechte in den Sachen nicht auf den ersten Blick zu sehen. Die verbreitetste Individualität der Schriftsteller besteht ja darin, daß jeder auf ganz besondere Weise sein Schlechtes verdeckt«. Wenn dieses »Schlechte« seinen Ort im Bereiche der Moralität hätte, so hätte gerade Kafka es durchschauen und überwinden können, denn ein wesentlicher Autor ist von Natur befähigt, das Verfehlte seiner Produktion, bevor es zur moralischen Verfehlung wird, durch Kritik als eine echte Kategorie der Kunst zu korrigieren. Kafka konnte nicht sehen, daß das Schlechte, das er in seinem eigenen Schreiben zu erkennen glaubte, in Wirklichkeit das Dämonische war, gegen welches es nur ein einziges Gegenmittel geben konnte: die Vernichtung des Geschriebenen. So aber setzte sich das Dämonische fort, auch nach dem Tode, denn nun wurde das Dämonische, als das im höchsten Grade Wirkungsvolle, das Große. Gerade diese Größe trübt den Blick dafür, daß das Dämonische in Kafka zwar an dem Guten scheitert, aber doch immer wieder durchbricht.

Was bei Kafka der Wille zur Vernichtung des Werkes war, ist in dem Kaufmann der Entschluß, sich aus dem Leben des Lehrers zurückzuziehen, da er ihm geschadet habe. Dieses Verhalten ist wiederum dämonisch, wie denn jedes Verhalten dämonisch genannt werden muß, in dem die Begründungen für das Gute und Richtige durch eine leichte Verschiebung des inneren Mechanismus zu Begründungen für das Schlechte und Falsche werden können. Moralisch wäre das Eintreten des Kaufmanns für den Riesenmaulwurf selbst gewesen. Das ist unmöglich, denn er hat keine echte Existenz, das Eintreten für ihn ist zu menschenfreundlichen, also in diesem Falle wesentlich unsachlichen Zwecken fingiert. Die eigentliche Verfehlung des Kaufmanns nimmt aber auch der Lehrer nicht zur Kenntnis: er ist mit dessen Rückzug einverstanden. Auch er ist dämonisch, auch er wollte im geheimsten Grunde seiner Seele nicht die Sache, sondern –: den Kaufmann, welcher ihm über die Sache hinweg zu Ruhm verhelfen soll. Es st schwer zu sagen, wer am Schluß dieser Erzählung – die unvollendet blieb, an deren Vollendung aber nicht viel gefehlt haben kann, so erschöpft scheinen alle Motive zu sein – dem anderen überlegen ist: der Kaufmann, der helfen will und in echter Sympathie mit dem armen Lehrer dessen Sache verrät und doch um das Falsche das er tut, genau weiß, ohne es hindern zu können; oder der Lehrer, der den Kaufmann bedenkenlos als Mittel verwendet. Schließlich aber sitzen die beiden Dämonischen sich gegenüber, ausgeleert, und können doch nicht voneinander fort. »›Ich bin starrköpfig‹, sagte ich. ›Findet Ihr an meinem Vorschlag vielleicht etwas auszusetzen?‹ ›Nein, gar nichts‹, sagte der Dorfschullehrer, und seine Pfeife dampfte schon. Ich vertrug den Geruch seines Tabaks nicht und stand deshalb auf und ging im Zimmer herum. Ich war es schon von früheren Besprechungen her gewöhnt, daß der Dorfschullehrer mir gegenüber sehr schweigsam war und sich doch, wenn er einmal gekommen war, aus meinem Zimmer nicht fortrühren wollte. Er hatte mich schon manchmal sehr befremdet; er will noch etwas von mir, hatte ich dann immer gedacht und ihm Geld angeboten, das er auch regelmäßig annahm. Aber weggegangen war er immer erst dann, wenn es ihm beliebte. Gewöhnlich war dann die Pfeife ausgeraucht, er schwenkte sich um den Sessel herum, den er ordentlich und respektvoll an den Tisch rückte, griff nach seinem Knotenstock in der Ecke, drückte mir eifrig die Hand und ging. Heute aber war mir sein schweigsames Dasitzen geradezu lästig. Wenn man einmal jemandem den endgültigen Abschied anbietet, wie ich es getan hatte, und dies vom andern als ganz richtig betrachtet wird, dann führt man doch das wenige noch gemeinsam zu Erledigende möglichst schnell zu Ende und bürdet dem andern nicht zwecklos seine stumme Gegenwart auf. Wenn man den kleinen zähen Alten von rückwärts ansah, wie er an meinem Tische saß, konnte man glauben, es werde überhaupt nicht möglich sein, ihn aus dem Zimmer hinauszubefördern.« Damit endet das Fragment. Die Darstellung ist von humoristischer und mehr als humoristischer Wahrheit. In der Ironie der Hilfe sind Kaufmann und Dorfschullehrer bis zur Untrennbarkeit vereinigt. Es scheint nichts zu fehlen, es sei denn daß der Riesenmaulwurf wiederkäme, der Verzicht des Kaufmanns auf die Hilfe überflüssig wäre und der Dorfschullehrer ein großer Mann würde, weil die Welt der Wissenschaft um einen Riesenmaulwurf bereichert ist, dessen Anblick manchen, wie es zu Anfang der Erzählung heißt, »vor Widerwillen getötet hätte«.

Die Tagebuchaufzeichnung vom 19. 12. 1915 welche auch Max Brods Anmerkung korrigiert (Beschreibung eines Kampfes S. 315), die Erzählung stamme aus den Nachkriegsjahren und verrate eine »beruhigtere Stimmung«, lautet: »Gestern den ›Dorfschullehrer‹ fast bewußtlos geschrieben, fürchtete mich aber, länger als bis dreiviertel zwei zu schreiben, die Furcht war begründet, ich schlief fast gar nicht, machte nur etwa drei kurze Träume durch und war dann im Büro in entsprechendem Zustand«. Und am 26. 12.: »Heute Abend fast nichts geschrieben und vielleicht nicht mehr imstande, den ›Dorfschullehrer‹ fortzusetzen, an dem ich jetzt eine Woche arbeitete und den ich gewiß in drei freien Nächten rein und ohne äußerliche Fehler fertiggestellt hätte, jetzt hat er, trotzdem er noch fast am Anfang ist, schon zwei unheilbare Fehler in sich und ist außerdem verkümmert«. Die Stelle ist kaum deutbar, da Kafka nicht sagt, wie weit er gekommen war, als er sie niederschrieb. Ebenso schweigt er über die beiden Fehler. Es scheint ihm in verbotener Weise nicht wichtig zu sein, darüber zu sprechen. Einer dieser Fehler könnte der sein, daß das eigentliche Thema durch die Satire auf die Wissenschaft verdeckt und nicht als geistiges Zentrum wahrgenommen wird. Dies wäre aber, hier wie im »Ehepaar« ein tiefsinniger Fehler, dessen Bedeutung man aus vielen Bildern von Breughel wie die »Kreuztragung« oder »Ikarus« sich klarmachen kann, wo das eigentlich Gemeinte in großartiger Verhüllung *nicht* im Zentrum steht.[6] Daß aber Kafka kurz nach fast bewußtlosem Schreiben über die Verkümmerung seiner Erzählung klagt, zeigt überzeugend, wie wenig auf Selbstaussagen von Künstlern über ihre Werke zu geben ist. Die Verkümmerung des moralischen Bewußtseins als Zersetzung menschlicher Hilfsbereitschaft und menschlicher Bereitschaft, Hilfe zu empfangen, ist selbst das große Thema dieser Erzählung, und Kafka führt es sinnvoll durch, was immer der Ausführung im befangenen Urteil des Künstlers gefehlt haben mag. Das Fehlende fehlt auch im Fragment nicht, wenn jeder Satz so auf den Mittelpunkt des Ganzen hin sich spannt, wie er diesem Mittelpunkt entspringt.[7]

Der Kaiser
Ein altes Blatt

Die Elemente, die ein Volk bilden – tägliche Arbeit, Verteidigung des Vaterlandes, der Kaiser, die Feinde, Gewalt – werden hier in einem beinahe systematischen Nebeneinander gezeigt. Der Erzähler, der berichtet, ist ein Schuster auf dem Platz vor dem kaiserlichen Palast. Er beginnt mit einer Klage: »Es ist, als wäre viel vernachlässigt worden in der Verteidigung unseres Vaterlandes. Wir haben uns bisher nicht darum bekümmert und sind unserer Arbeit nachgegangen; die Ereignisse der letzten Zeit machen uns aber Sorge«. Die Umstände der Verteidigung selbst interessierten diesen einfachen Mann gar nicht, der seiner Arbeit nachgeht und die Nomaden aus dem Norden nur in der Gestalt zur Kenntnis zu nehmen scheint, daß er eines Morgens, als er seinen Laden öffnet, in den Gassen nicht die eigenen Soldaten sieht, sondern eben jene. »Auf eine mir unbegreifliche Weise sind sie bis in die Hauptstadt gedrungen, die doch sehr weit von der Grenze entfernt ist. Jedenfalls sind sie also da; es scheint, daß jeden Morgen mehr werden«. Diese Sätze, die den Eindruck erwecken, daß gar kein Kampf stattgefunden habe, enthalten in Wirklichkeit eine Aussage über das Verhältnis der Gewalt zum Leben der Menschen. Die tägliche Arbeit nimmt ihnen gleichsam das Recht, sich zu der Gewalt anders als praktisch, im Wege der Anpassung zu verhalten, ohne daß sie den geringsten Versuch machen könnten, sich ihr zu widersetzen. Es gibt keinen Punkt der Zeit, wo die Gewalt nicht da wäre, und wer immer sie ausübt und in welcher Form immer, sie ist, als Gewalt, mit sich selbst identisch, sie ist souverän; die tägliche Arbeit ist voll von ihr. »Jedenfalls sind sie also da« – dem Krach der Gewalt lautlos zu begegnen, dieses Vermögen schlösse das Geheimnis der Existenz in sich, wenn so zu leben möglich wäre. Die Nomaden werden beschrieben, ihre Unreinheit, ihre Sprachlosigkeit, ihre Grausamkeit. »Aus diesem stillen, immer ängstlich rein gehaltenen Platz haben sie einen wahren Stall gemacht. Wir versuchen zwar manchmal aus unseren Geschäften hervorzulaufen und wenigstens den ärgsten Unrat wegzuschaffen, aber es geschieht immer seltener, denn die Anstrengung ist nutzlos und bringt uns überdies in die Gefahr, unter die wilden Pferde zu kommen oder von den Peitschen verletzt zu werden.« Ist das nicht der Stall des Augias noch einmal, aber in mythosferner Zeit, in welcher der Mensch ohne die Kraft des Herkules die Aufgabe des mythischen Heros nicht mehr zu erfüllen vermag?

Die letzte Konsequenz der Gewalt ist die, daß die Sprache überflüssig wird. »Sprechen kann man mit den Nomaden nicht. Unsere Sprache kennen sie nicht, ja sie haben kaum eine eigene. Unter sich verständigen sie sich ähnlich wie Dohlen. Immer wieder hört man diesen Schrei der Dohlen.« Sollte Kafka sich hier mit den Nomaden gleichsetzen? Es ist kaum glaubhaft. Dennoch muß erwähnt werden, daß die Dohle auf tschechisch »kafka« heißt und daß Kafka einmal zu Gustav Janouch sagt: »Ich bin eine Dohle – eine Kavka«. Und: »Verwirrt hüpfe ich zwischen den Menschen umher. Sie betrachten mich voller Mißtrauen. Ich bin doch ein gefährlicher Vogel, ein Dieb, eine Dohle. Eine Dohle, die sich danach sehnt, zwischen den Steinen zu verschwinden«. Wo keine Sprache aber der Wille zur Verständigung wäre, müßte wenigstens eine Zeichensprache in Kraft treten. Selbst auf diese verzichtet hier die Gewalt. Damit hat sie den höchsten Grad der Realität erreicht. »Unsere Lebensweise, unsere Einrichtungen sind ihnen ebenso unbegreiflich wie gleichgültig. Infolgedessen zeigen sie sich auch gegen jede Zeichensprache ablehnend. Du magst dir die Kiefer verrenken und die Hände aus den Gelenken winden, sie haben dich doch nicht verstanden und werden dich nie verstehen.« So verläuft das Bemühen derer, die es nötig haben, sich mit denen zu verständigen, in deren Hand sie gegeben sind. Von den Nomaden heißt es weiter: »Oft machen sie Grimassen; dann dreht sich das Weiße ihrer Augen und Schaum schwillt aus ihrem Munde, doch wollen sie damit weder etwas sagen noch auch erschrecken; sie tun es, weil es so ihre Art ist«. Die Gewalt ist Natur geworden; sie erweist sich im Verzicht auf jede Sinngebung, als Geste. Die Wirkung vollzieht sich nicht im Bereich der Sprache, wo der, welcher die Gewalt übt, und der, welcher sie leidet, in einem Rechtsverhältnis stehen, das die praktische Ungleichheit hinter der theoretischen Gleichheit der Partner verbirgt. »Was sie brauchen, nehmen sie. Man kann nicht sagen, daß sie Gewalt anwenden« – so sieht es der, welchen sie trifft. Die Gewalt tritt hier nicht als Sinn auf, sondern: nackt. Also verhält sich der Schuster zu ihr, als wenn sie gottgegeben wäre.

Die Nomaden verlangen Fleisch; man muß es ihnen liefern. Unvergleichlich ist die Zusammenfassung des Sachverhalts, wie unberechenbar so absolute Gewalt eingreift, in den Worten ausgedrückt: »Bekämen die Nomaden kein Fleisch, wer weiß, was ihnen zu tun einfiele; wer weiß allerdings, was ihnen zu tun einfiele, wenn sie täglich Fleisch bekommen«. Die Ungewißheit vor der Gewalt ist furchtbarer als jedes berechenbare Unglück. Was folgt klingt unglaublich. Ein Fleischer, der des Schlachtens sich überheben wollte, brachte eines Tages einen Ochsen: lebendig. »Das darf er nicht mehr wiederholen. Ich lag wohl eine Stunde in meiner Werkstatt platt auf dem Boden und alle meine Kleider, Decken und Polster hatte ich über mir angehäuft, nur um das Gebrüll des Ochsen nicht mehr zu hören, den von allen Seiten die Nomaden ansprangen, um mit den Zähnen Stücke aus seinem warmen Fleisch zu reißen. Schon lange war es still, ehe ich mich auszugehen traute; wie Trinker um ein Weinfaß lagen sie müde um die Reste des Ochsen.« Ludwig Klages berichtet in seinem Buch »Der kosmogonische Eros« (2. Aufl. 1926) dies: »Die Gemeinde der kretischen Dionysosmysten zerreißt mit den Zähnen und verschlingt noch blutig einen wirklichen Stier und trägt in einer Kiste das Herz davon«. Das ist ein kultischer Akt um der heilenden Kraft des Herzens willen. Bei Kafka ist es ein reales Bild der Grausamkeit. In seinem Werk läßt sich feststellen, daß die Phantasie Bilder der Realität prägt, die so über die Fassungskraft des Lesers wie über die des Schusters hinausgehen würden, wenn sie nicht doch in einem Zusammenhange ständen, der selbst sie ins Faßbare verwandelt.

»Wo aber Gefahr ist, wächst das Rettende auch.« So sagt Hölderlin. Wo die Gewalt, ihre Grenzen überschreitend, im lebendigen Fleische wütet, da heißt es: »Gerade damals glaubte ich den Kaiser selbst in einem Fenster des Palastes gesehen zu haben; niemals sonst kommt er in diese äußeren Gemächer, immer nur lebt er in dem innersten Garten; diesmal aber stand er, so schien es mir wenigstens, an einem der Fenster und blickte mit gesenktem Kopf auf das Treiben vor seinem Schloß«. Das ist die Ironie der Rettung, wenn der sie erstrebt »glaubte« zu sehen und es ihm »schien«, als wenn der

44

Kaiser am Fenster stände: mit gesenktem Kopf. Diese Haltung nehmen bei Kafka gerade die Oberen ein, auf deren lenkende Funktion diejenigen bezogen sind, welche der Lenkung bedürfen, denn den Abstand zu ihr zu verringern, dazu entschließen sie sich schwer. Ob aber die Oberen wahrhaft zu lenken verstehen, wird nicht restlos deutlich, und zwischen dem Zweifel und dem Glauben bleibt für negative und für positive Ahnungen Raum. Die Bedeutung der Gesten in Kafkas Werk hat Walter Benjamin als erster gesehen, mag auch die immer mögliche Fruchtbarkeit des Sinnes sie in den Schatten stellen. »Beschreibung eines Kampfes«, dieses sehr frühe Fragment, ist eine Fundgrube für Gesten, und die Gesten bei dem wirklichen Menschen Kafka hat Gustav Janouch überzeugend beschrieben.

Der Kaiser ist noch in der bedingten Sicherheit seines Erscheinens die Hoffnung dessen, dem zu hoffen die Gegenwart verbietet. In dem Prosagedicht »Die kaiserliche Botschaft«, das in den gleichen chinesischen Motivkreis gehört, ist die dialektische Spannung zwischen dem Untertan und dem Kaiser der eigentliche Gegenstand der Handlung. Es gehört als »Sage« in das Fragment »Beim Bau der chinesischen Mauer«, und Kafka fügt hier dem Text, welchen er ohne Erklärung in sein Buch »Ein Landarzt« aufgenommen hat, hinzu: »Genau so, hoffnungslos und hoffnungsvoll, sieht unser Volk den Kaiser«. An einer anderen Stelle aber steht in der »Sage« der Satz, der auch den letzten Schimmer von Hoffnung in Frage stellt: »Wenn man aus solchen Erscheinungen folgern wollte, daß wir im Grunde gar keinen Kaiser haben, wäre man von der Wahrheit nicht weit entfernt«, und eben diese Wahrheit läßt der aus dem Zusammenhang gerissene Druck der »Kaiserlichen Botschaft« im »Landarzt« nicht mehr erkennen. Es steht nirgends bei Kafka, aber mit einem gewissen Recht könnte man sagen, daß die Widersprüche der Realität des Kaisers sich ausgleichen in der Erkenntnis, daß gerade seine Realität sich als Nichtsein bekundet. Immerhin enthält, worauf Margarete Susman hingewiesen hat[8], jenes Bild der Loge des Präsidenten der Vereinigten Staaten in dem Naturtheater von Oklahoma aus »Amerika« die Medaillons der früheren Präsidenten, von denen eines beschrieben wird: »Er hatte eine auffallend gerade Nase, aufgeworfene Lippen und unter gewölbten Lidern starr gesenkte Augen«. Die gesenkten Augen, wenn auch ohne das Starre, das ist die Haltung des Kaisers, von dem der Schuster spricht. Mögen auch die aufgeworfenen Lippen und die gewölbten Lider des Präsidenten nichts Gutes bedeuten, gerade dies verhält sich im Naturtheater von Oklahoma vielleicht nicht benennbar anders, wenn auch die Loge mit ihrer Brüstung ganz aus Gold, wo man sich »kaum Menschen vorstellen« könnte, leer ist. Der Schuster aber glaubt wenigstens den Kaiser gesehen zu haben.

Der Bericht endet, wie er beginnt: mit einer Klage. »Wie wird es werden? fragen wir uns alle. Wie lange werden wir diese Last und Qual ertragen? Der kaiserliche Palast hat die Nomaden angelockt, versteht es aber nicht, sie wieder zu vertreiben!« Dies ist wahr. Wahr ist aber auch, daß der kaiserliche Palast für die Nomaden unzugänglich bleibt, sie können ihn weder berühren noch zerstören. »Das Tor bleibt verschlossen; die Wache, früher immer festlich ein- und ausmarschierend, hält sich hinter vergitterten Fenstern.« Anders aber ist die Lage der Schuster und Schneider. »Uns Handwerkern und Geschäftsleuten ist die Rettung des Vaterlandes anvertraut; wir sind aber einer solchen Aufgabe nicht gewachsen, haben uns doch auch nie gerühmt, dessen fähig zu sein. Ein Mißverständnis ist es, und wir gehen daran zugrunde.« Die entscheidende Auseinandersetzung zwischen dem Untertan und dem Kaiser, die dieses Mißverständnis aufklären könnte – von dessen Aufklärung wirklich alles abhängt, denn an Mißverständnissen braucht man nicht zugrunde zu gehen, sie könnten aufgeklärt werden – führt in das Gebiet der Geschichte, auf die noch das »Alte Blatt« des Titels, man weiß nicht ob hoffend oder verzweifelnd, deutet. Denn in alten Zeiten machte

man sich noch Gedanken über den Kaiser, von dem nicht fest-
stand, ob es ihn gab. Heute gibt es ihn. Seine Augen sind offen. Aber keine Lenkung! Die Augen des Kaisers von damals
sind gesenkt. In diesem Konflikt, den die Heutigen falsch sehen müssen, wurzelt die Schwermut.

Stufen des Wissens
Ein Besuch im Bergwerk

Diese Geschichte aus dem »Landarzt« scheint keiner Erklärung zu bedürfen. Die Vorgänge sind durchaus klar. In ein
Bergwerk kommen höhere Beamte; ein Arbeiter sieht sie und
berichtet, was er sieht. Zu erklären ist nicht das Einzelne, sondern das Ganze. Nicht ein Arbeiter sieht hier, sondern ein
einfacher Mensch, nicht ein einfacher, sondern ein unwissen-
der Mensch. Die absolute Trennung der Sphären – des Wissens und des Nicht-Wissens – wird dargestellt, und es mag am
Ende sich ergeben, daß sie nicht so absolut ist, wie es scheint.
Nicht nur dem Wissenden liegt diese Trennung im Blute, auch
dem Unwissenden, obwohl er von dem ihm zugänglichen
Wissen die Prägung der Person empfängt.
Im Anfang heißt es: »Wie jung diese Leute sind und dabei
schon so verschiedenartig! Sie haben sich alle frei entwickelt,
und ungebunden zeigt sich ihr klar bestimmtes Wesen schon
in jungen Jahren«. In diesem Ton scheint alles Ressentiment
als bestimmendes Gefühl im Verhältnis des Geringeren zum
Höheren getilgt. Soziale Schichtung erfüllt die Welt, in deren Irrealität wir leben, ohne eine andere zu erkennen; die
Hierarchie des Wissens regiert das Bergwerk, in welchem Kafka fähig und willens war die wahre Welt zu sehen, in der
alles anders ist. Zwei Beamte etwa lachen ständig, und der
Betrachtende meint: »Wie sicher müssen diese zwei Herren
ihrer Stellung sein, ja welche Verdienste müssen sie sich trotz
ihrer Jugend um unser Bergwerk schon erworben haben, daß

sie hier, bei einer so wichtigen Begehung, unter den Augen ihres Chefs, nur mit eigenen oder wenigstens mit solchen Angelegenheiten, die nicht mit der augenblicklichen Aufgabe zusammenhängen, so unbeirrbar sich beschäftigen dürfen. Oder sollte es möglich sein, daß sie, trotz allen Lachens und aller Unaufmerksamkeit, das, was nötig ist, sehr wohl bemerken? Man wagt über solche Herren kaum ein bestimmtes Urteil abzugeben«. Diese Charakteristik stehe für alle, als Bestätigung des grundsätzlich Gesagten.

Einen mächtigen Abschluß bildet die Schilderung des Dieners, dessen Unwissenheit zwar nicht der heilige Schatten des Wissens ist, aber dennoch in einem positiven Zwielicht leuchtet. »Hinter diesen zwei Herren ging der unbeschäftigte Diener. Die Herren haben, wie es bei ihrem großen Wissen selbstverständlich ist, längst jeden Hochmut abgelegt, der Diener dagegen scheint ihn in sich aufgesammelt zu haben.« Der Betrachter ist »unbeschäftigt«, weil der Besuch im Bergwerk eine künstliche Pause in der ihn restlos definierenden Arbeit bewirkt; unbeschäftigt zu sein ist die Funktion des Dieners. Er steht in der Mitte zwischen den Unwissenden, die ihn ignorieren, und den Wissenden, die ihn nicht entbehren können. In einem tiefen Bilde, welches dazu völlig in der Sphäre des Dieners bleibt, wird nun die Relativität des Wissens, insofern als es an Grenzen gebunden ist, erhellt. Es ist selbstverständlich, daß die Herren bei ihrem Wissen allen Hochmut abgelegt haben, es ist nicht minder selbstverständlich, daß der Diener ihn einsammelt, und da er mit den Wissenden geht, ist die Grenze eben ihres Wissens gesetzt: sie können ihren Hochmut nicht tilgen, sie können ihn nur verschieben. Daß aber der Diener den Wissenden sich zugehörig fühlt, bestätigt der Betrachter in der tiefen Art seines Sehens. »Die eine Hand im Rücken, mit der andern vorn über seine vergoldeten Knöpfe oder das feine Tuch seines Livreerockes streichend, nickt er öfters nach rechts und links, so als ob wir gegrüßt hätten, und er antwortete, oder so, als nehme er an, daß wir gegrüßt hätten, könne es aber von seiner Höhe aus nicht nachprüfen. Natürlich grüßen wir ihn nicht, aber doch möchte man bei seinem Anblick fast glauben, es sei etwas Ungeheures, Kanzleidiener der Bergdirektion zu sein.« Hier wird der Sinn des Ganzen deutlich. Dem vom Nichtwissen begrenzten Wissen des Wissenden entspricht das vom Wissen begrenzte Nichtwissen des Betrachters. Dieser erkennt, daß der Diener ohne Wissen ist, und erkennt auch, daß die *Macht* des Wissens ihn erhebt! Darum spricht seine Ironie die Wahrheit über den Diener aus und nimmt sie sofort zurück. »Hinter ihm lachen wir allerdings, aber da auch ein Donnerschlag ihn nicht veranlassen könnte, sich umzudrehen, bleibt er doch als etwas Unverständliches in unserer Achtung.«

Die dialektische Bewegung des Betrachters ist Unwissenheit, Wissen, Begrenzung des Wissens. Die dialektische Bewegung der Wissenden ist Wissen, Nichtwissen und statt Weisheit: Autorität. Diese Stufenfolge wird von Kafka mit furchtlosem Blick gesehen und dargestellt. Die Autorität – das Wort wird von Kafka nicht gebraucht – bleibt sich geheimnisvoll gleich, ob in »Elf Söhne« der Wissende urteilt, ob hier der Unwissende betrachtet.

Der Vater
Elf Söhne

Der Vater, der hier spricht – zwischen »Die Sorge des Hausvaters« und »Ein Brudermord« – liebt seine Söhne, und er übt Kritik. Liebe dieser Art und Kritik schließen sich nicht nur nicht aus, sondern sie bedingen sich geradezu. Die Liebe des Vaters ist Sorge, Kritik, Erkenntnis, kaum Hilfe. In einer Welt, deren mitgegebener Sinn für den Menschen Unglück bedeutet, ist Hilfe nicht möglich, kann Liebe nicht erlösen. Der Eros, der im Scheine der Möglichkeit erstrahlt, helfen zu können, wird in seiner einzig sichtbaren Aufgabe dargestellt:

den Menschen weiterhin in jene Niederung zu verstricken, der er sich zu entringen wähnt. Die Frau verführt; die Liebe des Mannes läuft leer.

Wie dieses Denken der inneren Komplikation dessen, was wir in naiver Vereinfachung Welt nennen, durchaus entspricht, zeigt schon die Charakteristik des ersten Sohnes. »Der erste ist äußerlich sehr unansehnlich, aber ernsthaft und klug; trotzdem schätze ich ihn, wiewohl ich ihn als Kind wie alle andern liebe, nicht sehr hoch ein.« Der Satz beginnt mit einer Negation, welcher eine Position folgt. Dann kommt eine Einschränkung, welche durch eine zweite Einschränkung unterbrochen wird, die wiederum etwas Positives aussagt; dieses Positive bezieht sich aber nur auf das Verhältnis des Vaters zum Sohn, nicht auf diesen selbst. Es ist übrigens einer der seltenen Fälle bei Kafka, wo die Liebe deutlich ausgesprochen wird, aber schon hier sieht man die ironische Spannung zwischen Liebe und Erkenntnis. Das Verfahren dieses Denkens leuchtet auf und trifft. Es ist nicht in das Belieben des Menschen gestellt und seines Interesses – auf dem die ganze Macht und Ohnmacht der Menschheit beruht –, negative und positive Aussagen zu machen. Das Negative und das Positive haften den Dingen selbst an, bald so, bald anders: was wir verneinen bejahen wir; was wir bejahen verneinen wir. Es heißt dann weiter: »Sein Denken scheint mir zu einfach. Er sieht nicht rechts noch links und nicht in die Weite; in seinem kleinen Gedankenkreis läuft er immerfort rundum oder dreht sich vielmehr«. Dieser Sohn, über den am wenigsten gesagt wird, braucht seinen Brüdern nicht unebenbürtig zu sein. Es heißt, er sei ernsthaft und klug; das ist sehr viel. Daß er in seinem kleinen Gedankenkreise (über den inhaltlich nichts gesagt wird) immerfort sich dreht, hätte er mit den größten Menschen gemeinsam, wenn ihm nicht etwas fehlte, was bei der Wortkargheit gerade dieser Charakteristik eben nur aus dem Umstande geschlossen werden kann, daß der Vater dieses Kind, obwohl er es wie alle anderen liebt, nicht hoch einschätzt. Die Hervorhebung dieses Fehlenden erweist, wie wenig unter solchen Voraussetzungen die Liebe bedeutet. Bedeutete sie mehr, so müßte sie die Verwandlung des Sohnes und sogar die des Vaters zur Folge haben.

Im Gegensatz zu dem sich um sich selbst drehenden ersten Sohn heißt es von dem zweiten: »Der Zweite ist schön, schlank, wohlgebaut; es entzückt, ihn in Fechterstellung zu sehen. Auch er ist klug, aber überdies welterfahren; er hat viel gesehen, und deshalb scheint selbst die heimische Natur vertrauter mit ihm zu sprechen als mit den Daheimgebliebenen«. Es sind zunächst lauter biologische Werte, die dieser Sohn vor dem ersten voraus hat. Zu dessen Klugheit besitzt er eine Erfahrung von der Welt, die seiner Beziehung zur Natur Tiefe zu geben scheint. Dieser Vorzug wird noch gesteigert: er verdankt ihn nicht nur seinen »Reisen«, also der Welt, sondern vor allem sich selbst. In dem Bilde von seinem »geradezu wild beherrschten Kunstsprung ins Wasser« wird diese Eigenmacht im Gegensatz zu der Ohnmacht des »Nachahmers« bewundernd festgehalten. Und doch ist das Verhältnis des Vaters selbst zu diesem Kind, über das er eigentlich »glückselig« sein müßte, nicht »ungetrübt«. »Sein linkes Auge ist ein wenig kleiner als das rechte und zwinkert viel; ein kleiner Fehler nur, gewiß, der sein Gesicht sogar noch verwegener macht, als es sonst gewesen wäre, und niemand wird gegenüber der unnahbaren Abgeschlossenheit seines Wesens dieses kleinere zwinkernde Auge tadelnd bemerken. Ich, der Vater, tue es.« Hier tritt der Fehler, gerade durch die positive Einschränkung dieses verwegeneren Aussehens, maßlos hervor und steigert diesen Vater, der sieht, wo anderen gar keine Möglichkeit des Sehens gegeben wäre, ins Außermenschliche. Und wie als ob der Vater selbst das Bedürfnis spürte, ins Menschliche zurückzubiegen, wird das im Blute des Sohnes irrende »Gift«, für das dieser physiognomische Fehler steht und das ihn, den Sohn, unfähig macht, »die mir allein [– da ist er wieder, der gewaltige Vater! –] sichtbare Anlage seines

Lebens rein zu vollenden«, zu positivem Ausgang gewendet. Gerade dieses Gift macht ihn »zu meinem wahren Sohn, denn dieser Fehler ist gleichzeitig der Fehler unserer ganzen Familie und an diesem Sohn nur überdeutlich«. Daß der Vater, der so versöhnlich schließt, mit dem Vater, der diesen Fehler überhaupt sieht, nicht notwendig identisch ist, mag an einem Kontrast deutlich werden, kraft dessen ein Fehler, der hier als überdeutlich erscheint, eben noch so geringfügig war, daß nur der Vater ihn sah. Wenn Ludwig Hardt eine mündliche Äußerung Kafkas mitteilt, er habe in dem oben zitierten Satz »es entzückt, ihn in Fechterstellung zu sehen« auch an das Zücken eines Schwertes gedacht[9], dann wird es vollends klar, wie der Standort der Betrachtung wechselt, der niedere oft blitzartig in den höheren übergeht oder dieser in jenen, und so bleibt es fraglich, ob ein positiver Ausgang, unter so bedenklichen Umständen erreicht, nicht auch etwas anderes bedeuten kann als die Worte sagen.

Ob der dritte Sohn wirklich Sänger ist, bleibt dahingestellt; physiognomisch wird er als ein solcher, mit negativem Akzent, geschildert. »Es ist die Schönheit des Sängers: der geschwungene Mund; das träumerische Auge; der Kopf, der eine Draperie hinter sich benötigt, um zu wirken; die unmäßig sich wölbende Brust; die leicht auffahrenden und viel zu leicht sinkenden Hände; die Beine, die sich zieren, weil sie nicht tragen können. Und überdies: der Ton seiner Stimme ist nicht voll; trügt einen Augenblick; läßt den Kenner aufhorchen; veratmet aber kurz darauf.« Negativer, bis auf die Beine herunter, läßt sich kaum ein Mensch physiognomisch beschreiben. Hier folgt im Text ein Gedankenstrich; dieser ist allerdings besonders notwendig, um den nächsten Gedanken vorzubereiten. Es heißt nun: »Trotzdem im allgemeinen alles verlockt, diesen Sohn zur Schau zu stellen, halte ich ihn doch am liebsten im Verborgenen«. Was bis jetzt von diesem Sohne gesagt wurde, war so ironisch, daß die Zurschaustellung nur vom Blickpunkt der Gesellschaft aus oder des Publikums als sinnvoll erscheint. Aber warum der Vater ihn im Verborgenen halten will, erfahren wir eigentlich gar nicht, wenigstens nicht direkt. Es kommt nun, nach einem Semikolon, etwas wahrhaft Anderes, eine unentwirrbare Verstrickung von Positivem, das negativ, von Negativem, das positiv ist. »Er selbst drängt sich nicht auf, aber nicht etwa deshalb, weil er seine Mängel kennt, sondern aus Unschuld. Auch fühlt er sich fremd in unserer Zeit; als gehöre er zwar zu meiner Familie, aber überdies noch zu einer andern, ihm für immer verlorenen, ist er oft unlustig und nichts kann ihn aufheitern.« Schillernd von Bedeutung ist hier die Unschuld, die bei einem anderen Sohn wenn nicht hoffnungsvoll so doch wenigstens nicht hoffnungsleer erstrahlen wird. Da dieser Sohn von selbst im Sinne des Vaters zu handeln scheint, gewinnt die Verlokkung, ihn zur Schau zu stellen, einen halbwegs positiven Sinn; die Grenze des Sohnes liegt eben in seiner Unschuld. Diese Unschuld ermangelt der Erkenntnis, und der Vater möchte ihn vielleicht darum im Verborgenen halten, weil ihm sein Positives nicht positiv genug wäre. Die Traurigkeit, die rätselhafte Undeutlichkeit darüber, wer dieser Sohn hinter dem, als der er erscheint, eigentlich ist, die Zugehörigkeit zu einer »andern« Familie, die ihm für immer verloren ist, lassen ihn als einen Artgenossen jener Sängerin Josefine erscheinen, deren Drang nach Anerkennung unter dem Volk der Mäuse in einem förmlichen Bacchanal von Ironie zugleich widerlegt und bestätigt wird, wie sie auch nicht zufällig Josefine heißt. Kafka mag sich in ihr wie in jenem Sohn selbst dargestellt haben, als Josef K. Daß Künstlertum sich negativ als Ästhetizismus auswirkt, hat für Kafka seinen Grund darin, daß alles Erhabene in unserer Welt verzerrt wirkt. Es ließe sich eine Welt denken, in der die Anlagen dieses Sohnes sich rein hätten entfalten können. Es ist ihm nicht gegeben. Daher der Hang zu einer Traurigkeit, die zu überwinden Kafka selbst noch an den hoffnungsfernsten Stellen seines Werkes bemüht ist.

»Mein vierter Sohn ist vielleicht der umgänglichste von allen. Ein wahres Kind seiner Zeit, ist er jedermann verständlich, er steht auf dem allen gemeinsamen Boden, jeder ist versucht, ihm zuzunicken.« Es gehört zum Wesen dieser väterlichen Art der Betrachtung, daß sie es verschmäht, hinterhältig zu sein. Jedes Wort ist wahr, aber den Hinterhalt des üblichen Menschenurteils über Menschen ersetzt sie durch die Fähigkeit, die Grenze zu sehen, die jeder Wahrheit gesetzt ist. Der Übergang an jeder Grenze geht ins Gegenteil. »Vielleicht durch diese allgemeine Anerkennung gewinnt sein Wesen etwas Leichtes, seine Bewegungen etwas Freies, seine Urteile etwas Unbekümmertes.« Das »vielleicht« bereitet schon den Abstieg vor. Aber noch heißt es: »Manche seiner Aussprüche möchte man oft wiederholen, allerdings nur manche, denn in seiner Gesamtheit krankt er doch wieder an allzu großer Leichtigkeit«. Hier liegt ein Sprung vor, und es scheint, als wenn es gar keiner Worte bedürfe, um jenes »Leichte«, das eben noch schön und menschlich klang, als das erscheinen zu lassen, was es in Wahrheit ist: allzu leicht. Nun aber schließt das Ganze mit einem vernichtenden Bilde ab, dem wahren Gegensatz zu dem »wild beherrschten Kunstsprung« des zweiten Sohnes. »Er ist wie einer, der bewunderswert abspringt, schwalbengleich die Luft teilt, dann aber doch trostlos im öden Staube endet, ein Nichts.« Der Übergang, von dem jedes Wort bei Kafka durchtränkt zu sein scheint, ist hier im Bilde dem Bewußtsein eingeprägt. Der Schlußsatz wirkt wie das Siegel der Echtheit: »Solche Gedanken vergällen mir den Anblick dieses Kindes«. Es ist wohl sinngemäß, fortzufahren: das mein Kind ist und das ich wie alle meine Kinder liebe. Aber er sagt es nicht!

»Der fünfte Sohn ist lieb und gut, versprach viel weniger, als er hielt; war so unbedeutend, daß man sich förmlich in seiner Gegenwart allein fühlte; hat es aber doch zu einigem Ansehen gebracht.« Das Wort »Ansehen«, durch ein unbestimmtes Attribut eingeschränkt, befremdet. Das Negative und das Positive sind in diesem Urteil vertauscht. Nicht daß das Negative durch Sentimentalität gemildert würde, sondern das Positive steht verdeckend vor dem Negativen, so daß wir nicht dieses sehen, sondern jenes. Der Vater fährt fort: »Fragte man mich, wie das geschehen ist, so könnte ich kaum antworten«. Selbst ich, wäre vielleicht sinnvoller. Aber er gibt Antwort, und diese Antwort ist mächtig, denn er sagt: »Unschuld dringt vielleicht doch noch am leichtesten durch das Toben der Elemente in dieser Welt, und unschuldig ist er«. Der Satz erklingt heilsgewaltig, und man denkt an Karl Rossmann in »Amerika«. Was tut es, daß der Vater sein Lob doch wieder einschränkt, mit den Worten: »Vielleicht allzu unschuldig. Freundlich zu jedermann. Vielleicht allzu freundlich«. Man fühlt, daß hier doch niemals, im Übergang, jener Tiefstand des Urteils über den vierten Sohn erreicht würde. Weil der Vater dies weiß, veranlaßt das Bedürfnis nach weiterer Einschränkung des Lobes ihn geradezu, die Methode des Übergangs durch die Dialektik zu ersetzen. Abschließend stellt er die folgende Überlegung an: »Ich gestehe: mir wird nicht wohl, wenn man ihn mir gegenüber lobt. Es heißt doch, sich das Leben etwas zu leicht machen, wenn man einen so offensichtlich Lobenswürdigen lobt, wie es mein Sohn ist«. Das Licht selbst wird zum Schatten.

Dagegen erzeugt der Schatten den Schein des Lichts in dem sechsten Sohn. »Mein sechster Sohn scheint, wenigstens auf den ersten Blick, der tiefsinnigste von allen. Ein Kopfhänger und doch ein Schwätzer. Deshalb kommt man ihm nicht leicht bei. Ist er am Unterliegen, so verfällt er in unbesiegbare Traurigkeit; erlangt er das Übergewicht, so wahrt er es durch Schwätzen.« Diese Charakteristik trifft den Melancholiker ins Herz. Zwischen Trauer und Geschwätz knüpft die Schwermut ihr Gewebe. In dem Prosagedicht »Das Gassenfenster« aus »Betrachtung« ist dieser Kampf echt entschieden. Es lautet: »Wer verlassen lebt und sich doch hie und da irgendwo anschließen möchte, wer mit Rücksicht auf die Veränderungen der Tageszeit, der Witterung, der Berufsverhältnisse und dergleichen ohne weiteres irgendeinen beliebigen Arm sehen will, an dem er sich halten könnte, – der wird es ohne ein Gassenfenster nicht lange treiben. Und steht es mit ihm so, daß er gar nichts sucht und nur als müder Mann, die Augen auf und ab zwischen Publikum und Himmel, an seine Fensterbrüstung tritt, und er will nicht und hat ein wenig den Kopf zurückgeneigt, so reißen ihn doch unten die Pferde in ihr Gefolge von Wagen und Lärm und damit endlich der menschlichen Eintracht zu«. In der Eintracht wird die Schwermut zur Gesundheit; die Gesundheit macht das Kranke an der Schwermut produktiv. Sie heilt von der Todsünde der Acedia, der Trägheit, die Walter Benjamin in Hamlet als der Melancholie verschwistert erkannt hat.[10] So fährt der Vater fort: »Doch spreche ich ihm eine gewisse selbstvergessene Leidenschaft nicht ab; bei hellem Tag kämpft er sich oft durch das Denken wie im Traum. Ohne krank zu sein – vielmehr hat er eine sehr gute Gesundheit – taumelt er manchmal, besonders in der Dämmerung, braucht aber keine Hilfe, fällt nicht. Vielleicht hat an dieser Erscheinung seine körperliche Entwicklung schuld, er ist viel zu groß für sein Alter. Das macht ihn unschön im ganzen, trotz auffallend schöner Einzelheiten, zum Beispiel die Hände und Füße. Unschön ist übrigens auch seine Stirn; sowohl in der Haut als in der Knochenbildung irgendwie verschrumpft«. Kafka könnte hier auch sich selbst geschildert haben. Daß er groß war – vielleicht »viel zu groß« –, ist so bezeugt, wie daß er, nach Gustav Janouch, eine »auffallend schmale Stirn« hatte.

Die Charakteristik des siebenten Sohnes bringt in einem Pandämonium von Übergängen die Undeutbarkeit des Menschen als einer leiblich-geistigen Einheit erschreckend zu Bewußtsein. »Der siebente Sohn gehört mir vielleicht mehr als alle andern. Die Welt versteht ihn nicht zu würdigen; seine besondere Art von Witz versteht sie nicht.« Man sollte meinen, daß dies ein Lob sei, es gewinnt aber zunächst den entgegengesetzten Anschein, und dieser Anschein ist wie jedes Wort des Vaters der Wahrheit näher als dem Schein. »Ich überschätze ihn nicht; ich weiß, er ist geringfügig genug; hätte die Welt keinen andern Fehler als den, daß sie ihn nicht zu würdigen weiß, sie wäre noch immer makellos.« Solcher Gegenüberstellungen von der Gewalt der Welt und der menschlichen Nichtigkeit ist Kafkas Werk voll, mit der Besonderheit, daß die Welt von Sentimentalität frei und die Nichtigkeit unerkennbar ist. Das Entscheidende wird in einem Zwischensatz gesagt, der den eigentlichen Gedankengang nur unterbricht, nicht aufhebt. Der Vater nimmt den gleichsam biologischen Gedankengang wieder auf, mit dem er begann. »Aber innerhalb der Familie möchte ich diesen Sohn nicht missen. Sowohl Unruhe bringt er, als auch Ehrfurcht vor der Überlieferung, und beides fügt er, wenigstens für mein Gefühl, zu einem unanfechtbaren Ganzen.« Wie schön ist das! Es scheint das Höchste zu sein, was sich von einem Menschen sagen läßt, und derselbe Vater sagt es, der seinen Sohn nicht überschätzt. Als wäre er gar nicht der Vater, dessen umfassende Urteilskraft unfehlbar ist, macht er sofort in dem »wenigstens für mein Gefühl« eine neue Einschränkung, und es ist sehr wohl möglich, daß auch dieses Urteil gleichsam in der Luft schwebt und daß sein Sinngehalt nach dem flüchtigen Aufglänzen eines schönen Scheines verfliegt. Darauf deutet die Fortsetzung: »Mit diesem Ganzen weiß er allerdings selbst am wenigsten etwas anzufangen; das Rad der Zukunft wird er nicht ins Rollen bringen«; [noch ehe der Satz sein Ende erreicht hat, tritt ein neuer Übergang ein] – »aber diese seine Anlage ist so aufmunternd, so hoffnungsreich; ich wollte, er hätte Kinder und diese wieder Kinder«. Dies wären die Anlagen, die den Vater zum Stammvater machen und die Kluft zwischen der biologischen Sinnlosigkeit und dem geistigen Sinn der Menschheit schließen würden. Aber – und darin drückt sich die eigentliche Trauer des Vaters aus – nun heißt es: »Leider scheint sich dieser Wunsch nicht erfüllen zu wollen«. Selbst diese Trauer muß genauerer Erkenntnis weichen. »In einer mir zwar begreiflichen, aber ebenso unerwünschten Selbstzufriedenheit, die allerdings in großartigem Gegensatz zum Urteil seiner Umgebung steht, treibt er sich allein umher, kümmert sich nicht um Mädchen und wird trotzdem niemals seine gute Laune verlieren.« Das ist der »Witz«, von welchem es am Anfang hieß, daß die Welt ihn nicht verstehe. Aber dahinter steckt Tieferes. Der Vater begreift die Selbstzufriedenheit des Sohnes, und sie ist ihm zugleich unerwünscht. Deutlicher kann die Kluft, die zu schließen der Vater noch eben für möglich hielt, nicht bezeugt werden. Hier wird an das Geheimnis gerührt; wie auch in der nächsten Charakteristik.

Da geht es um den verlorenen Sohn, der nicht zurückkehrt, ja mehr als dies, es geht um die Sorge des Vaters. »Mein achter Sohn ist mein Schmerzenskind, und ich weiß eigentlich keinen Grund dafür. Er sieht mich fremd an, und ich fühle mich doch väterlich eng mit ihm verbunden.« Die volle Heillosigkeit der Liebe spricht aus diesen Worten, und das so natürlich, so harmlos gesetzte Wort »fremd« wirkt so stark, als lege es Zeugnis ab für die Verwandlung eines Urverhältnisses: die Liebe höret nimmer auf, aber sie verrückt die Fremdheit um keinen Fußbreit. »Die Zeit hat vieles gut gemacht; früher aber befiel mich manchmal ein Zittern, wenn ich nur an ihn dachte.« Die Sorge des Vaters weiß, daß selbst sie nicht zu helfen vermag; der Anfang des Satzes ist bei seiner Leere an konkretem Gehalt – denn was könnte je die Zeit »gut« machen? – ironisch: einmal hört auch der Vater auf zu zittern. »Er geht seinen eigenen Weg; hat alle Verbindungen mit mir abgebrochen; und wird gewiß mit seinem harten Schädel, seinem kleinen athletischen Körper – nur die Beine hatte er als Junge recht schwach, das mag sich inzwischen schon ausgeglichen haben – überall durchkommen, wo es ihm beliebt.« Es ist die Schilderung des verlorenen Sohnes, der eigentlich keines Vaters bedarf, und doch liebt ihn der Vater; ja so sehr scheint er ihn noch zu lieben, daß er den biologischen Fehler der schwachen Beine, den er beim dritten Sohn negativ betont, hier, obwohl er Genaueres nicht darüber zu sagen vermag, auszugleichen bemüht ist. »Öfters hätte ich Lust, ihn zurückzurufen, ihn zu fragen, wie es eigentlich um ihn steht, warum er sich vom Vater so abschließt und was er im Grunde beabsichtigt, aber nun ist er so weit und so viel Zeit ist schon vergangen, nun mag es so bleiben, wie es ist«. Die Charakteristik dieses Sohnes ist auffallend frei von dem, was früher als Übergang bezeichnet wurde, so daß sie in einem besonderen Grade positiv zu sein scheint. Aus der Wendung freilich »wie es um ihn steht« geht doch hervor, daß nicht alles über ihn gesagt ist. Der feierliche Ernst der Auseinandersetzung, der auch aus den Worten »vom Vater« spricht, läßt nicht mehr den zweideutigen Trost zu, daß die Zeit manches »gut« gemacht habe, sondern nur die Feststellung, daß sie »vergangen« ist. Das ist eine harte Feststellung. Wie wäre ohne solche Härte auch der Schluß möglich! »Ich höre, daß er als der einzige meiner Söhne einen Vollbart trägt; schön ist das bei einem so kleinen Mann natürlich nicht.« Die Rache des Vaters an dem Sohn, der sich ihm entzogen hat, eingeschrumpft auf ein negatives Geschmacksurteil über seinen Bart, an dessen ihm übermitteltes Bild (»ich höre«) er sich klammert! In Wirklichkeit aber geht es weder um Rache noch Geschmack, sondern um Urteil. Der Sohn hört dieses Urteil nicht, aber in der Erzählung »Das Urteil« nimmt der Sohn sogar das Urteil des wahnsinnigen Vaters an.

Über den neunten Sohn spricht der Vater anfangs in dem gleichen Ton: »Mein neunter Sohn ist sehr elegant und hat den für Frauen bestimmten süßen Blick, so süß, daß er bei Gelegenheit sogar mich verführen kann, der ich doch weiß, daß förmlich ein nasser Schwamm genügt, um all diesen überirdischen Glanz wegzuwischen.« So zu sprechen ist in einem genauen Sinne nicht mehr menschlich, und damit ist der Standpunkt dieses Vaters bezeichnet, in einem Bereich, wo Grausamkeit und Güte lückenlos ineinander übergehen: der

Übergang ist für Kafka die Methode, die dem unbestimmten Wesen des Menschen gerecht wird. Es ist daher nicht verwunderlich, daß dieser Bericht nun umschlägt. »Das Besondere an diesem Jungen aber ist, daß er gar nicht auf Verführung ausgeht; ihm würde es genügen, sein Leben lang auf dem Kanapee zu liegen und seinen Blick auf die Zimmerdecke zu verschwenden oder noch viel lieber unter den Augenlidern ruhen zu lassen.«[11] Nach der vernichtenden Einleitung spricht die vertrauliche Bezeichnung »Junge« statt der überall angewandten, sanft distanzierenden »Sohn« für eine Nähe, die eben noch unvorstellbar zu sein schien. Nimmt man eine so unscheinbare Nuance ernst, so zeugt auch sie dafür, daß das Urteil des Vaters hier milder ist als bei der Schwermut des sechsten Sohnes. »Ist er in dieser von ihm bevorzugten Lage, dann spricht er gern und nicht übel; gedrängt und anschaulich; aber doch nur in engen Grenzen; geht er über sie hinaus, was sich bei ihrer Enge nicht vermeiden läßt, wird sein Reden ganz leer. Man würde ihm abwinken, wenn man Hoffnung hätte, daß dieser mit Schlaf gefüllte Blick es bemerken könnte.« Diese Charakteristik, die weniger negativ endet, als sie beginnt, ist antiphysiognomisch. Alle physiognomische Darstellung bei Kafka – und das gehört zu der entscheidenden Ironie seines Werkes – trügt. Das kompliziert sich in der Schilderung des zehnten Sohnes.

»Mein zehnter Sohn gilt als unaufrichtiger Charakter. Ich will diesen Fehler nicht ganz in Abrede stellen, nicht ganz bestätigen.« Nicht sagt der Vater wie sonst, wie er über seinen Sohn denkt, wobei im Sehen von außen nach innen ein Wirbel von Möglichkeiten sich darbietet, sondern ein Urteil der Welt wird auf seine Richtigkeit geprüft. Es scheint, daß es ihm leichter ist, selbst zu urteilen, als über die Richtigkeit des Urteils der Welt zu entscheiden, denn ihr kommt in Kafkas Denken absolute Geltung zu. Die folgende physiognomische Beschreibung, die einen »Heuchler« erkennen läßt, kann ebenso fortbleiben wie die Widerlegung dieses Bildes durch die

Rede des Sohnes. Beides, so prägnant es ist, trägt im einzelnen nichts Neues bei. Dann aber heißt es: »Viele, die sich sehr klug dünken und die sich, aus diesem Grunde, von seinem Äußern abgestoßen fühlten, hat er durch sein Wort stark angezogen«. Dieser hinterhältige Satz mag den Sinn haben, daß die vielen, die sich sehr klug dünken, noch über den gegenwärtigen Anlaß hinaus, in Wirklichkeit gar nicht klug sind. Die Warnung, physiognomische Eindrücke nicht zu überschätzen, obwohl sie jeder Mensch mit subjektiver Notwendigkeit hat, wird an ihren Folgen gezeigt. Wer auf den physiognomischen Eindruck baut, verfällt oft dem Wort und gerät so in den schlimmeren Irrtum. »Nun gibt es aber wieder Leute, die sein Äußeres gleichgültig läßt, denen aber sein Wort heuchlerisch erscheint. Ich, als Vater, will hier nicht entscheiden, doch muß ich eingestehen, daß die letzteren Beurteiler jedenfalls beachtenswerter sind als die ersteren.«[12] Die Ablehnung einer Entscheidung mit dem »Ich als Vater« kommt aus dem Munde dessen, der sonst, als Vater, sich nicht scheut, das Verwerfende auszusprechen. Urteil und Entscheidung fallen auseinander. Der Vater setzt schweigend die Gerechtigkeit. Die einen erkennen den Heuchler am Gesicht und irren sich, weil sie ihn im Wort nicht erkennen; die anderen durchschauen ihn im Wort, und ihnen gibt der Vater Recht. Das Wesen des Menschen ist im Gesicht offenbar und in der Sprache verborgen; er kann, weil alles Offenbarwerden für Menschen Schein ist, nur in der Sprache wesenhaft erkannt werden.

Der elfte Sohn führt in eine Höhe, die die Dichtung im Sinne der Wahrheit abschließt. »Mein elfter Sohn ist zart, wohl der schwächste unter meinen Söhnen; aber täuschend in seiner Schwäche; er kann nämlich zu Zeiten kräftig und bestimmt sein, doch ist allerdings selbst dann die Schwäche irgendwie grundlegend.« Wirklich waren die anderen Söhne, wie immer im einzelnen verschieden und von Schwächen durchsetzt, in einem bestimmten Grade stark. »Es ist aber keine beschämende Schwäche, sondern etwas, das nur auf diesem unserm Erdboden als Schwäche erscheint. Ist nicht zum Beispiel auch Flugbereitschaft Schwäche, da sie doch Schwanken und Unbestimmtheit und Flattern ist?« Die Schwäche als positiver Wert wird der Stärke entgegengestellt und damit das Problem des siebenten Sohnes, den auch die Welt nicht zu würdigen weiß, noch einmal dargestellt. Von Erlösung scheint hier die Rede zu sein. »Etwas derartiges zeigt mein Sohn. Den Vater freuen natürlich solche Eigenschaften nicht; sie gehen ja offenbar auf Zerstörung der Familie aus.« Der Vater wehrt sich: die Familie ist mehr als die Erlösung. Nun beginnt das imaginäre Gespräch, in dem eigentlich keiner spricht. »Manchmal blickt er mich an, als wollte er mir sagen: ›Ich werde dich mitnehmen, Vater‹.« Etwas Unbestimmtes und Dunkles klingt in diesem Mitnehmen an. »Dann denke ich: ›Du wärst der Letzte, dem ich mich vertraue‹. Und sein Blick scheint wieder zu sagen: ›Mag ich also wenigstens der Letzte sein‹.« Die Abwehr wird mit ihren eigenen Worten widerlegt: das letzte Wort behält der Sohn, der den Vater mitnehmen will. Auf dem Wege der Erlösung? Erlösung des Vaters durch den Sohn? Wie als ob der Vater das allerletzte Wort, welches ja doch er hat, im Schweigen vernichten wolle, sagt er, zwischen diesem und den anderen Söhnen keinen grundsätzlichen Unterschied machend, nichts als: »Das sind meine elf Söhne«. So lautet das Schlußwort, und der Sinn des Ganzen ist versiegelt.

Der verlorene Sohn
Heimkehr

Der verlorene Sohn, der in der Fremde sich von Trebern nährt, empfindet Reue und kehrt ins Vaterhaus zurück. Er bittet den Vater, ihn als den letzten seiner Tagelöhner im Hause wohnen zu lassen. Der Vater gibt ihm ein Kleid, Schuhe, einen Ring und schlachtet ein gemästetes Kalb, denn er ist fröhlich über die Heimkehr des totgeglaubten Sohnes; die Klage des ältesten Sohnes, der immer alle Gebote erfüllt hat, ohne daß der Vater ihn je wie den Heimgekehrten geehrt hätte, zählt nicht. Dies ist das Urverhältnis, in dem alle Teile intakt sind und das Ganze auch. Der verlorene Sohn in André Gides »Le retour de l'enfant prodigue« kehrt nicht zurück, weil er bereut, sondern weil er schwach wurde. In der Nacht nach seiner Ankunft verläßt der jüngste Sohn – den das Neue Testament nicht kennt – das Haus, und der verlorene Sohn sagt ihm als letztes Wort des Abschieds, er möge *nicht* zurückkehren. Hier wird das Urverhältnis zu einem Verhältnis der Empörung, ohne im Ganzen der Zeit und der möglichen Verwandlung seine Identität preiszugeben. Rilke erzählt im »Malte Laurids Brigge« das Gleichnis so, daß der verlorene Sohn das Elternhaus verläßt, weil er sich als zuviel geliebt empfindet. Hier ist das Urverhältnis verkehrt. Hofmannsthal schreibt im »Buch der Freunde« den Satz nieder: »Es gehört Glaubenskraft (Genialität) dazu, die dargebrachte Liebe zu erfassen«. Bei Kafka ist das Urverhältnis wahrlich zerschlagen, die Musik der Welt nach seiner eigenen Aussage abgebrochen, aber die Teile selbst sind intakt und sehnen sich in dunkler aber mutiger Trauer nach ihrer Wiedervereinigung. Gerade hier bewährt sich seine dichterische Kraft, während sie so oft im Dienste der Wahrheit sich zersetzt.

In dem Prosastück »Heimkehr« aus »Beschreibung eines Kampfes« kommt es zu keiner eigentlichen Heimkehr mehr. Sie findet *vor* der elterlichen Küche statt. Dort steht der Sprecher, »des alten Landwirts Sohn«, den niemand sieht noch wiedersehen wird, und sagt, was er empfindet. »Ich bin zurückgekehrt, ich habe den Flur durchschritten und blicke mich um. Es ist meines Vaters alter Hof. Die Pfütze in der Mitte. Altes, unbrauchbares Gerät, ineinanderverfahren, verstellt den Weg zur Bodentreppe. Die Katze lauert auf dem Geländer. Ein zerrissenes Tuch, einmal im Spiel um eine

Stange gewunden, hebt sich im Wind.« Er sieht alles, und es scheint so zu sein, wie er es verließ: die Pfütze in der Mitte. Das ist »die Mitte der Welt, hochgeschüttet voll ihres Bodensatzes«, die den Boten verhindert, die »kaiserliche Botschaft« abzugeben. »Ich bin angekommen. Wer wird mich empfangen? Wer wartet hinter der Tür der Küche? Rauch kommt aus dem Schornstein, der Kaffee zum Abendessen wird gekocht.« Auch alle, die er geliebt hat, sind hinter der Tür versammelt. »Ist dir heimlich, fühlst du dich zu Hause? Ich weiß es nicht, ich bin sehr unsicher. Meines Vaters Haus ist es, aber kalt steht Stück gegen Stück, als wäre jedes mit seinen eigenen Angelegenheiten beschäftigt, die ich teils vergessen habe, teils niemals kannte.« Er beginnt nachzudenken, ob er wirklich zuhause ist. Er hat zwei Eindrücke. Das Alte ist da, aber es ist nicht dasselbe. Ihm fehlt die Kraft, den neuen Eindruck, wie kalt Stück neben Stück auch stehe, zum alten zu erheben, wo warm ein Ganzes gestanden hatte. Der zweite Eindruck ist noch schlimmer: er hat schon damals teilweise nicht im Ganzen gelebt, zum andern Teile hat er es vergessen; er ist aus dem Zusammenhange des Ganzen ausgebrochen, er ist fremd. »Was kann ich ihnen nützen, was bin ich ihnen und sei ich auch des Vaters, des alten Landwirts Sohn.« In dieser Frage ohne Trost liegt das Schwergewicht der Betonung auf dem Nutzen, nicht auf dem Sein, dem die Liebe antworten würde. Es ist antik gedacht und sogar, in einem antiexistentiellen Sinne, modern: mehr als die Liebe, die zur Nachsicht führt, ist der Nutzen der Person, der Liebe erzeugen könnte. »Und ich wage nicht, an der Küchentür zu klopfen, nur von der Ferne horche ich, nur von der Ferne horche ich stehend, nicht so, daß ich als Horcher überrascht werden könnte. Und weil ich von der Ferne horche, erhorche ich nichts, nur einen leichten Uhrenschlag höre ich oder glaube ihn vielleicht nur zu hören, herüber aus den Kindertagen.« Wie immer der denkende Mensch verdammt sei, nicht im Ganzen zu leben, dieses Ganze war in der Kindheit dennoch da; das Gedicht von dem

leichten Uhrenschlage, in den einfachsten Prosaworten, bezeugt es.

Nun beschließt die Dialektik des Geheimnisses die Klage dessen, der die volle Kraft der Freude sich versagt. »Was sonst in
der Küche geschieht, ist das Geheimnis der dort Sitzenden, das
sie vor mir wahren. Je länger man vor der Tür zögert, desto
fremder wird man. Wie wäre es, wenn jetzt jemand die Tür
öffnete und mich etwas fragte. Wäre ich dann nicht selbst wie
einer, der sein Geheimnis wahren will.« Indem die Fragezei-
chen hinter den Fragen schon fehlen, scheint die dämonische
Sicherheit des Fremden zu behaupten, daß die Liebe ihn *nicht*
erkennen, sondern daß sie fragen würde, *wer* er sei, und dann
hätte er keine Antwort. Die tiefste Wirkung, die von diesem
Gedicht in Prosa ausgeht, scheint darin begründet, daß zwar
das Geheimnis das Geheimnis bewahren, daß aber die Sprache
das Schweigen brechen will. Ist nun der verlorene Sohn verloren oder gerettet? Wir wissen es nicht.

Gott

I

Zu den großen Dokumenten des klassischen deutschen Zeit-
alters gehört Jean Pauls Traum aus dem »Siebenkäs«: Rede
des toten Christus vom Weltgebäude herab, daß kein Gott
sei. Mit diesem Traum, welcher ursprünglich als ein Traum
des toten Shakespeare gedacht war, wollte der Dichter den
Atheismus als Lehre nicht eigentlich bekämpfen. Er wollte darstellend bekämpfen, was er von atheistischen Keimen
trotz reinsten Glaubens an Gott und die Natur selbst in seiner Seele fühlte, wie denn Folgendes aus seiner Jugend berichtet wird: »Einst tritt seine Speisewirtin Christiane Stumpf
zu ihm ins Zimmer und findet ihn bleich, mit verstörter Mie-
ne am Fenster stehn. Sie ruft ihn an, aber erst beim dritten
Male erwacht er wie aus einem hypnotischen Schlaf und dankt

der Frau mit aufgehobenen Händen, daß sie ihn durch ihr Dazwischentreten vor dem Ausbruch des Wahnsinns gerettet habe«.[13] Jean Paul sagt in dem Vorbericht zu seinem Traum: »Die Menschen leugnen mit ebenso wenig Gefühl das göttliche Dasein, als die meisten es annehmen«. Und weiter: »Man kann zwanzig Jahre lang die Unsterblichkeit der Seele glauben – erst im einundzwanzigsten, in einer großen Minute erstaunt man über den reichen Inhalt dieses Glaubens, über die Wärme dieser Naphtaquelle«. Den gleichen Gedanken drückt der Dichter theoretisch, in eben diesem Vorbericht, so aus: »Das ganze geistige Universum wird durch die Hand des Atheismus zersprengt und zerschlagen in zahllose quecksilberne Punkte von Ichs, welche blinken, rinnen, irren, zusammen- und auseinanderfliehen, ohne Einheit und Bestand. Niemand ist im All so allein, als ein Gottesleugner – er trauert mit einem verwaisten Herzen, das den größten Vater verloren, neben dem unermeßlichen Leichnam der Natur, den kein Weltgeist regt und zusammenhält, und der im Grabe wächset; und er trauert so lange, bis er sich selber abbröckelt von der Leiche. Die ganze Welt ruhet vor ihm, wie die große halb im Sande liegende ägyptische Sphinx aus Stein; und das All ist die kalte eiserne Maske der gestaltlosen Ewigkeit«. Die Blasphemie, die darin wurzeln könnte, daß Jean Paul den Stifter des Christentums die Frage nach dem Dasein Gottes stellen und diese Frage verneinen läßt, wird dadurch voll ausgewogen, daß er, paradox gesprochen, gerade dies tut: er schreitet träumend bis an das Ende seiner Vision vor, wo die Welt unterzugehen droht, wenn aus dem Munde dessen, der doch »Gottes Sohn« ist, die bange Klage ertönt: »Wie ist jeder so allein in der weißen Leichengruft des Alls und kein lebendiger Vater!« – aber der Träumer erwacht in den Sommerabend, und seine ganze Seele jauchzt, wieder Gott anbeten zu dürfen.

Was bedeutet nun die Möglichkeit eines solchen Erwachens? Jean Paul beschränkt sich auf den Traum; die Welt bleibt unangetastet, rein, Natur, Idylle. Die Idylle ist die Wurzel, auf welcher der im 19. Jahrhundert beginnende europäische Pessimismus noch zu blühen vermag. Sie hat sich in Leopardis Lyrik und in Schopenhauers Prosa verewigt. Leopardi, der es in einem Gedicht an sich selbst nackt aussprach, daß die Welt »Kot« sei – ein Urteil, das nur aus gesunkenem Bewußtsein von der Realität erklärbar ist –, erreicht in seinen lyrischen Schöpfungen eine Vollendung, die der Hölderlins nahe ist. Dieser lebte zwar auch am Ende seines Lebens »nicht mehr gerne«, aber er war niemals geistig so sehr getrübt, daß er die Welt als Kot hätte ansehen können. Schopenhauer, auf den die Konvention des modernen Pessimismus zurückgeht, hat in dem Kapitel von der »Bejahung und Verneinung des Willens zum Leben« aus der »Welt als Wille und Vorstellung« die folgenden Sätze niedergeschrieben: »Gegen die mächtige Stimme der Natur vermag die Reflexion wenig. Auch in ihm [will sagen: in dem Menschen] wie im Tiere, das nicht denkt, waltet als dauernder Zustand jene, aus dem innersten Bewußtsein, daß er die Natur, die Welt selber ist, entspringende Sicherheit vor, vermöge welcher keinen Menschen der Gedanke des gewissen und nie fernen Todes merklich beunruhigt, sondern jeder dahinlebt, als müsse er ewig leben; was so weit geht, daß sich sagen ließe, keiner habe eine eigentlich lebendige Überzeugung von der Gewißheit seines Todes, da sonst zwischen seiner Stimmung und der des verurteilten Verbrechers kein so großer Unterschied sein könnte«.

Was Schopenhauer, der ein von dunklen Gedanken freies Privatleben führte, sich nicht vorstellen konnte, weil zwar sein philosophisches Denken ihn in den Pessimismus stieß, die allgemeinen Bedingungen der Epoche ihm aber noch erlaubten, in der großartigen Idylle der Kultur zu verharren, deren Mittelpunkt Goethe war und an welcher er Anteil hatte durch seine edle Prosa – jene Stimmung des verurteilten Verbrechers wird ein Jahrhundert später das große Thema der geschichtlichen, ökonomischen und religiösen Krise. Kafka ist der Dichter der»kleinen« Geschichte »Ein Traum« aus dem »Landarzt«. Nicht der besondere Inhalt dieses Traumes ist zunächst entscheidend, sondern die Stelle, wo er stehen sollte. Der mit Namen genannte Träumer Josef K. ist der unbescholtene Bankbeamte aus dem »Prozeß«. Er wird von einem auf Dachböden tagenden Gericht angeklagt, das die Eigenschaften unbedingter Bestechlichkeit und unwiderlegbarer Autorität bruchlos in sich vereinigt, ohne seine Schuld zu kennen, und trotz aller seiner Bemühungen, gegen dieses Gericht sich zu verteidigen, schließlich zum Tode verurteilt und getötet. In Kafkas Welt der Bankbeamten und Zimmervermieterinnen, der Richter, die über den Gerichtstisch und den Angeklagten hinweg Frauen nachjagen, der Schloßbeamten, die einem reinen Mädchen unflätige Briefe schreiben – in dieser Welt der Söhne, die sich in Ungeziefer verwandeln, und der Väter, die ihre Söhne zum Tode des Ertrinkens verurteilen, ist nicht mehr Liebe, Schönheit, Musik vorhanden, sondern nur noch die völlige Leere. Aus dieser Leere kann man die Schönheit nicht mehr so beschwören wie Faust Helena, man kann höchstens unsicher sie sehen, wie in dem platonischen Höhlengleichnis die Urbilder der Dinge als Schatten an der Wand erscheinen. Der Schatten des Reinen und Heiligen, den die häßliche Realität unserer Weltzeit wirft, ist dennoch in rätselhaften Zeichen sichtbar, wie die letzten Farbenbilder am schon erbleichten Himmel für einen letzten Augenblick die untergegangene Sonne bezeugen. Dieser häßlichen Welt ist eine Beziehung auf Gott eingeboren. Diese Beziehung in jedem Fall genau zu bestimmen ist schwieriger als die Konvention der religiösen Deutung es wahrhaben will. Man müßte die Stellen zeigen, wo Jean Pauls »Punkte von Ichs« aus der zerschlagenen Welt nach dem verlorenen Mittelpunkte streben. Die Musik der Welt, die für Kafka in unserer Weltzeit zum ersten Male bis zum Grunde abgebrochen ist, war bei Jean Paul noch in einem solchen Grunde intakt, daß sie auch

in der Prosa als Poesie ertönte. Der Träumer vom Welt-
untergang erwacht Gott dankend in die mütterliche Natur.
Bei Kafka hat die Prosa, in welcher er nicht anders als Jean
Paul ausschließlich sich mitteilte, die Funktion, die zu ihrer
eigenen Leere erwachte Welt mit dem Mut zur Selbstzerstö-
rung unverhüllt auszusprechen. Diese Leere ist nun nicht mehr
einfach wie bei Jean Paul die Folge des Atheismus, sondern
der Atheismus ist selbst nur die Folge eines historischen Prozesses. Die Erlösungstendenz in Kafkas »Traum« ist unver-
kennbar. Doch nicht der Zweifel, wie bei Jean Paul, sondern
die Erlösung ist in den Traum verwiesen, welche in der
Wirklichkeit keinen Platz hat. Ja selbst im Traume stehen
sich noch die »undurchdringliche Tiefe«, die K. *unten* um-
fängt, und der Name, dessen Schrift ihn *oben* entzückt, als
getrennte Sphären gegenüber, die keine Beziehung zueinander haben.

Betrachtet man Kafkas »Traum« im einzelnen, so wird deutlich, daß er vom Tode handelt, von der Forderung, den Tod
in geistiger Freiheit und Zustimmung zu sterben, von der
Unfähigkeit des Menschen, es zu tun, von der Unfähigkeit
des »Künstlers«, ihm diese Aufgabe abzunehmen, von der
Gleichheit zwischen beiden, wie sie erkennbar wird in ihrer
gegenseitigen Verlegenheit und in einem Mißverstehen, das
beide nicht beheben können, von der Vollendung der Schrift
des Namens durch K.'s endliches Begreifen. So unmittelbar
diese Vorgänge die dargestellte Realität zu transzendieren
scheinen, so deutlich ist die Begrenzung des eigentlich Religiösen. Die Gleichheit der Partner, des Künstlers, der den Namen auf den Stein schreiben will, und K.'s, den die Goldbuchstaben geheimnisvoll anziehen, ohne daß er begriffe, daß
es sein eigener Name ist, der da geschrieben wird – diese
Gleichheit wird von dem Künstler, da auch er keinen anderen
»Ausweg« weiß, mit einem Akt der *Gewalt* durchbrochen: er
tritt vor Wut auf den Grabhügel, über den hinweg er geschrieben hatte, und K. begreift. Es leuchtet ein, daß dieser

Künstler nicht Gott ist, für welchen er doch bei vordergründiger Betrachtung gelten könnte, denn dieser Auffassung widerspricht die wütende Ungeduld des Künstlers. In dem Ertönen der Glocke und ihrem Abbrechen auf Befehl des Künstlers – dessen »Fuchteln« auf den Abschluß der Handlung durch Gewalt vordeutet – liegt die Abweisung des religiösen Trostes für den Sterbenden. Den Gestorbenen überlebt sein Name; dieser macht allen Trost gegenstandslos. Für den Sterbenden schnellt die Forderung der Erkenntnis selbst vor dem Tode ins Ungemessene, zugleich freilich ins Ironische empor und hinab: das Religiöse zersetzt sich.[14] »Unsere Rettung ist der Tod, aber nicht dieser«, so heißt es in einer Formulierung von höchster Ausdruckskraft. Die erlösende Erkenntnis, die Kraft zu der geforderten »Entscheidung« ist dem Menschen nur im Traum gegeben; Josef K. im »Prozeß« stirbt »wie ein Hund«.

Sieht man schon hier, daß die Zeit der Idylle endgültig vorüber ist, in der Schopenhauer die Bejahung des Willens zum Leben als ein zureichendes Motiv dafür ansah, den Tod nicht zu denken, um sich nicht selbst als ein verurteilter Verbrecher zu erscheinen, so gibt das Gleichnis vom »Gesetz« aus dem »Prozeß« den letzten Aufschluß darüber, was unsere Weltzeit einem um Wahrheit bemühten Menschen von eben dieser Wahrheit zu sagen erlaubt und verbietet und als wie völlig entwertet Begriffe wie Optimismus und Pessimismus heute erscheinen müssen. Kafkas erstaunlicher Stil, dem des Künstlers ähnlich, dessen Bleistift auf dem Grabstein Goldbuchstaben erzielt, vermag den ursprünglich dunkelsten Sachverhalt einfach und klar zu machen. Das Gespräch zwischen K. und dem Gefängnisgeistlichen im Dom im Anschluß an dieses Gleichnis hat nicht die Bedeutung eines Kommentars. Eher noch könnte der Roman im Bereich des Kommentars seine Stelle haben. Wirklich ist der Eindruck zwingend, daß die Romanform bei Kafka nur die Konvention ist, deren die Verfasser scholastischer Traktate oder Spinoza noch nicht bedürfen. Einem Autor wie Kafka entspricht also nicht so sehr der Kommentar, welcher vielleicht profanen Schriften selbst höchsten Ranges grundsätzlich unangemessen ist, als vielmehr das Gespräch, die mündliche Frage und Belehrung.[15]

Hier ist ein Hinweis auf Kafkas Stellung zum Judentum geboten, obwohl und gerade weil es in seinem noch von ihm selbst autorisierten Werk wie auch in den Romanen des Nachlasses nicht vorkommt. Im Jahre 1914 hat er in seinem Tagebuch die Sätze niedergeschrieben: »Was habe ich mit Juden gemeinsam? Ich habe kaum etwas mit mir gemeinsam und sollte mich ganz still, zufrieden damit, daß ich atmen kann, in einen Winkel stellen«. Diese Erkenntnis ist weder wahr noch falsch, es ist eine Erkenntnis persönlichen Unglücks und als solche ausweglos. Sie bedeutet nämlich, daß dann, wenn er etwas mit sich gemeinsam hätte, er auch mit Juden etwas gemeinsam hätte, während gleichzeitig dann, wenn er mit Juden etwas gemeinsam hätte, er der Aufgabe überhoben wäre, mit sich etwas gemeinsam zu haben. Zum mindesten wäre er dann außer jeder Gefahr, durch die unlösbaren Fragen seines privaten Lebens sein Verhältnis zum Judentum, zur Welt und zur Kunst zerstören zu müssen, anstatt es dreifach herrlich aufzubauen. Es ist daher im höchsten Grade mißlich, diesem Werk jüdische Inhalte zu entnehmen, wie auch alle protestantischen und katholischen Deutungen sich als unzutreffend erwiesen haben. Dagegen lassen sich aus Kafkas Judentum bei vorsichtiger Formulierung gewisse Rückschlüsse auf seinen Denk- und Sprachstil ziehen und von daher auch auf seine religiöse Haltung. Seine so einfache Schreibart kann und will nicht verbergen, daß sie überall da, wo Menschen in diesen Büchern sprechen – und sie sprechen viel –, als eine Diskussion auftritt, die möglicherweise von der talmudischen Diskussion im Wege der in einem Einzelnen bewußt gewordenen Fernerinnerung sich herleiten läßt.[16] Es handelt sich um die durchgehende Fiktion eines Traditionszusammenhangs, um die rhythmische Ablösung von Wort und Antwort,

Frage und Belehrung, Zweifel und Gewißheit, ohne daß allerdings in diesem Kreislauf ein Abschluß realisierbar wäre. Nirgends wird dies so deutlich wie in dem Gespräch über das Gleichnis vom Gesetz. Ginge man aber vom Stilistischen zum Inhaltlichen über, um das Gesetz, von dem hier mit so entscheidender Betonung die Rede ist, als das jüdische Gesetz zu deuten, so würde man an der Wahrheit des Gleichnisses vorbei ins Leere greifen, wo der »tatarische« Bart des Türhüters nicht für Kafkas Willen zeugen würde, das Gleichnis Gleichnis sein zu lassen, nicht weniger, aber auch nicht mehr. Es ist freilich wahr, daß Kafka besonders in seinen letzten Lebensjahren auf dem Wege über den Zionismus sich dem Judentum zuwandte und sogar Hebräisch lernte und daß Tagebücher und Briefe die Ausweglosigkeit des Judeseins bei ihm und anderen mit Trauer und Humor bekennen. Dennoch verbietet es sich, auf alle diese gedankenreichen Äußerungen einen entscheidenden Wert zu legen. Für die Formulierung des Religiösen, soweit es sich gerade nicht in objektivierbaren Ideen mitteilt, sondern in Gedanken, die in untrennbarem Zusammenhang mit der einmaligen Künstlerpersönlichkeit Franz Kafka stehen, scheint die kurze Aufzeichnung »Schreiben als Form des Gebetes« von tieferer Wesentlichkeit zu sein als alles, was er über das Judentum gedacht hat, ausgenommen vielleicht die Sätze: »Ich bin nicht von der allerdings schon schwer lastenden Hand des Christentums ins Leben geführt worden wie Kierkegaard und habe nicht den letzten Zipfel des davonfliegenden jüdischen Gebetmantels noch gefangen wie die Zionisten. Ich bin Ende oder Anfang«. Die Frage, ob Kafka Ende oder Anfang gewesen sei, löst sich in eine höhere Einheit auf: daß er ein großer Künstler war und daß er *unvorgedachte* Gedanken in der Richtung auf Gott zu gedacht hat, mit vollem Einsatz des Wissens, daß auf diesem Wege, will einer ihn in Wahrheit gehen, vieles zu verlieren und wenig zu gewinnen ist, obwohl dieses Wenige die Anstrengung lohnt.

Hat Kafka auf diesem Wege Gott nicht erreicht, so hat er die Welt niemals so weit entwertet, daß er sie auf eine transzendente Hoffnung hin fahren ließe. Darauf deutet der Roman »Amerika« als Kafkas künstlerisch bedeutendste Konzeption hin, wo im Schlußkapitel seine Spekulationen über die Realität des Paradieses Ausdruck finden. Diese Realität scheint identisch mit der gegebenen Welt zu sein. Ein Sprichwort variierend könnte man sagen, daß wo viel Schatten auch etwas Licht sei und daß Kafka den um den Sinn seiner Gedankenwelt Bemühten nicht ohne eine strenge Hoffnung in die hoffnungslose Realität entläßt. Es muß eine hohe Stunde gewesen sein, in der er die Sätze niederschrieb: »Wir wurden geschaffen, um im Paradiese zu leben, das Paradies war bestimmt, uns zu dienen. Unsere Bestimmung ist geändert worden; daß dies auch mit der Bestimmung des Paradieses geschehen wäre, wird nicht gesagt«.

2

Franz Rosenzweig sagt von dem heutigen Leser der Bibel: »Dieser Mensch ist kein Gläubiger, auch kein Ungläubiger. Er glaubt und zweifelt. Genauer: er hat Glauben oder Unglauben nicht, sondern Glaube und Unglaube geschehen ihm. Ihm liegt nichts ob, als dem Geschehen nicht davonzulaufen, und wenn es geschehen ist, ihm zu gehorchen. Das klingt beides, so lange man weit vom Schuß ist, wie nichts; es ist aber so schwer, daß wohl keiner lebt, der es mehr als seltene gezählte Male fertiggebracht hat«.[17] Diese Äußerung ist verbindlich. Sie stammt von einem praktisch religiösen Menschen, der an anderer Stelle mit schroffer Ironie eine religiöse Sphäre als solche ablehnt. Es unterscheidet aber Kafka von anderen, die in der gleichen Richtung des Gedankens sich bemüht haben, daß er selbst diese »gezählten Male« eher in Zweifel zu ziehen als ihrer Gewißheit sich zu freuen Anlaß findet, wie dies übrigens die »Aufzeichnungen eines Hundes« und die beiden dort geschilderten Begegnungen mit den »Mu-

73

sikhunden« zeigen. Der Zweifel ist bei ihm universal und bezieht nicht nur das Ich ein sondern auch Gott, ohne beide anders zu zersetzen, als es seiner Wahrheit entspricht, der nur undeutlich benennbaren. Wägt man nun die zahllosen Äußerungen Kafkas über diesen höchsten Gegenstand gegeneinander ab, so ergibt sich, daß zwar alles sich auf ihn bezieht, daß aber das Gesamtergebnis eher negativ als positiv zu sein scheint. Dieses Ergebnis ernst zu nehmen und daraus die Schlüsse zu ziehen, die nicht die Bedeutung Kafkas, wohl aber den Geltungsanspruch seiner Erkenntnis auf das von ihm selbst gewollte Maß einschränken, dazu ist jeder befugt, der es mit Verantwortung tut, wie es denn Walter Benjamin versucht hat. Es sei eine Stelle aus seinem Kafka-Aufsatz zitiert, die zeigt, wie überlegen und problematisch zugleich hier der Text in einen Gedankenzusammenhang verwoben wird, der ihn zwar fruchtbar macht, aber auch abwegig, wenn es dort heißt: »Dem Geheimnis dieser (unbekannten) Familie folgend wälzt er den Block des geschichtlichen Geschehens wie Sisyphos den Stein. Daher geschieht es, daß dessen untere Stelle ans Licht gerät. Sie ist nicht angenehm zu sehen. Doch Kafka ist imstande ihren Anblick zu ertragen. ›An Fortschritt glauben heißt nicht glauben, daß ein Fortschritt schon geschehen ist. Das wäre kein Glauben.‹« Das Kafkazitat am Schluß bezeugt die von Benjamin neben anderem durchgeführte These, Kafka sei mit dem entscheidenden Bereich seines Wesens in die »Vorwelt« verstrickt gewesen; diese wird mit Bachofen als »Sumpfwelt« bezeichnet. Er zitiert aber so, als sei die Möglichkeit, jene Nichtfeststellbarkeit eines Fortschritts *messianisch* zu deuten, überhaupt nicht in den Worten enthalten. Umgekehrt würde der Versuch, das Fehlen des Fortschritts dem Sumpf gleichzusetzen, den Gedanken Kafkas über die mögliche Realität des Paradieses jeden Wahrheitswert nehmen. Gerade diese Gedanken, in denen das Ungenanntsein Gottes nicht gegen ihn gedeutet werden kann, wie sonst alles in diesem Werk, sind die entscheidenden.

Licht bringt zunächst die folgende Äußerung Kafkas: »Wieviel bedrückender als die unerbittlichste Überzeugung von unserem gegenwärtigen sündhaften Stand ist selbst die schwächste Überzeugung von der einstigen Rechtfertigung unserer Zeitlichkeit. Nur die Kraft im Ertragen dieser zweiten Überzeugung, welche in ihrer Reinheit die erste voll umfaßt, ist das Maß des Glaubens«. Dieses Maß des Glaubens in seiner vollen Schwere, welche den Naturstand der Sünde fast als leicht erscheinen läßt, ist hier so umfassend ausgedrückt wie sonst nur das des Zweifels – der sogar hier dem Glauben auf dem Fuße folgt. Unmittelbar nach diesen Sätzen steht dies: »Manche nehmen an, daß neben dem großen Urbetrug noch in jedem Falle eigens für sie ein kleiner besonderer Betrug veranstaltet wird, daß also, wenn ein Liebesspiel auf der Bühne aufgeführt wird, die Schauspielerin außer dem verlogenen Lächeln für ihren Geliebten auch noch ein besonders hinterhältiges Lächeln für den ganz bestimmten Zuschauer auf der letzten Galerie hat. Das heißt zu weit gehen«. Der »große Urbetrug« wird als ein kosmisches Prinzip gesetzt, das mit dem »ganz bestimmten Zuschauer auf der letzten Galerie« nicht rechnet, welcher durchaus »glauben« kann, es steht ihm frei und hilft ihm nicht. Gewiß wäre Kafka der Frage nach der Möglichkeit, beide sich ausschließenden Überzeugungen in sich zu vereinen, nicht anders ausgewichen als der Wahrheit gemäß: daß er sie nicht hatte. Mehr vermochte auch er nicht; es ist mehr als nichts. Er hat aber auch den Zwiespalt in den einen und gleichen Gedanken gepreßt. »Das Verführungsmittel dieser Welt, so wie das Zeichen dafür, daß diese Welt nur ein Übergang ist, ist das gleiche. Mit Recht, denn nur so kann uns diese Welt verführen und es entspricht der Wahrheit. Das Schlimme ist aber, daß wir nach geglückter Verführung die Bürgschaft vergessen und so eigentlich das Gute uns ins Böse, der Blick der Frau in ihr Bett gelockt hat.« Das Gute hat Existenz aber keine Folge. Eben darum ist es, nach Kafka, »in gewissem Sinne trostlos«. Sich an

75

es klammern kann es stürzen machen, und doch müssen wir diese negative Konsequenz des Positiven auf uns nehmen, um nicht die einzige auf Realität begründete Hoffnung fahren zu lassen. Es ist aber ein solches Mißverhältnis des Guten und des Bösen nur darum denkbar, weil ihm ein echtes Verhältnis beider zueinander zugrundeliegt, das gleichsam, aus dunklen Gründen und für ungewisse Zeit, außer Kraft gesetzt wäre. Negativ drückt die Grenzen des Bösen der folgende Gedanke aus: »Es kann ein Wissen vom Teuflischen geben, aber keinen Glauben daran, denn mehr Teuflisches, als da ist, gibt es nicht«. *Es gibt aber mehr Göttliches, als da ist.* Dies ist genau der Punkt, wo die einzig gegebene Welt transzendiert. Moralisch ist das Verhältnis so, daß in der Welt dem Schein des Bösen – der verführt – die Realität des Guten entsprechen würde, wenn dem Menschen die Kraft mitgegeben wäre, aus ihr zu leben. Nichts bleibt übrig als das Leben selbst, eine leere Tatsache, so lange die ernsteste Mühsal, es auf den Geist zu beziehen, zu immer neuem Scheitern verdammt ist. Dennoch findet Kafka gerade hier einen Ansatz zu positiver Erkenntnis. »›Daß es uns an Glauben fehle, kann man nicht sagen. Allein die einfache Tatsache unseres Lebens ist in ihrem Glaubenswert nicht auszuschöpfen.‹ ›Hier wäre ein Glaubenswert? Man kann doch nicht nicht-leben.‹ ›Eben in diesem ›kann doch nicht‹ steckt die wahnsinnige Kraft des Glaubens; in dieser Verneinung be-kommt sie Gestalt‹.« Dem natürlichen Leben ist hier die Leere genommen. Das Verschlossene öffnet sich. Mag der Glaube bei solchen Schwierigkeiten praktisch unwirksam sein – daß er sich nicht selbst ausstreichen kann, zeigt, wie wenig auf Kafkas negative Betrachtung der Welt Verlaß ist.

3

Prophetie ist, wie die Tragödie, eine geschichtliche Kategorie; sie zurückzunehmen ist Kafkas Aufgabe. In den Dienst dieser Aufgabe stellt er seine gesamte Geisteskraft. Was bleibt ist

Ahnung, Verwirrung, Verkehrung, Richtung, Beziehung, zuerst aber und zuletzt: Unanwendbarkeit. Die Hölle aufreißend, brennt der Sterbende, der lebt, an zwei Enden. Auf diese Weise läßt er keine Last des Lebens aus und keine Lust, soweit beides den Augen des Geistes sich erschließt. Ein unerschöpflicher Schatz von Bildern hilft dem Armen.

»Leoparden brechen in den Tempel ein und saufen die Opferkrüge leer; das wiederholt sich immer wieder; schließlich kann man es vorausberechnen, und es wird ein Teil der Zeremonie.« Ist es nicht wahr? Es zu fixieren mißlingt. Versucht man aber, für Leoparden Gewalt zu setzen, so wird hier eine andere Konsequenz gezogen als die, welche die Menschheit zu ziehen pflegt. Ihr ist die Religion das Mittel, in der Sphäre der Transzendenz die Gewalt ideell aufzuheben, die faktisch aufzulösen sie nicht die Macht hat. Sie sieht zu, betend, und benennt ihr Verhalten: Gottvertrauen. Dieses bleibt ganz jenseit der Frage ohne Antwort, ob Gott sei, darum leer, weil die Menschheit von der Gewalt sich usurpieren läßt, indem sie entschlossen ist, sie nicht zu sehen. Kafka sieht sie, im Bilde des Leoparden, der tötet. Er tötet nicht einmal, er ist für die Schwäche des Menschen tabu. Er dringt ins Heiligtum ein und säuft die Opferkrüge leer. Warum? Weil er Durst hat. Niemand kann ihn, ja niemand darf ihn hindern. Die List des Menschen, der leben und beten will, paktiert mit der Gewalt und macht sie sakrosankt. An den Wurzeln des Lebens sitzen nicht mehr die Mütter, sondern saufen die Leoparden. Nichts bleibt uns, es sei denn: diesen Vorgang anerkennen. Mit Glauben hat dies nichts zu tun. Wer glaubt an Leoparden? Auch Kafka nicht.

Auch an Krähen glaubt er nicht. »Die Krähen behaupten, eine einzige Krähe könnte den Himmel zerstören. Das ist zweifellos, beweist aber nichts gegen den Himmel, denn Himmel bedeutet eben: Unmöglichkeit von Krähen.« Wie bei den Leoparden das Negative, so wird hier das Positive dargestellt. Die Macht, die dem Bösen zuerkannt wird, ist nicht nur die, daß schon eine Krähe tun könnte, wessen alle fähig wären, sie ist vor allem der ausdrückliche Verzicht auf Zweifel an dieser Behauptung. Den Beweis, den eigentlich die Krähen führen müßten, traut sich der Denkende selbst zu. Darin aber liegt die Steigerung, die Umkehr, der Angriff gegen sich selbst: daß er stimmt und nicht gilt. Himmel bedeutet: Unmöglichkeit von Krähen. Der Himmel ist; die Krähen sind nicht; die Krähen sind, der Himmel bedeutet. Wenn Kafka ein Wissen hatte, so dieses, daß Menschen Wahrheit nur im Gleichnis haben können.

Reinheit in der Schlammwelt
Amerika

>Meine junge Frau und ich landeten an einem sonnigen Septembermorgen [1852] im Hafen von New York. Mit dem heiteren Mut jugendlicher Herzen begrüßten wir die neue Welt.«

Carl Schurz

Von den drei fragmentarisch überlieferten Romanen ist »Amerika« der früheste, ohne daß die Betrachtung der Welt eine grundsätzlich andere wäre. Sie knüpft aber mit besonderer Deutlichkeit an die *gesehene* Umwelt an und ist voll von kollektiv gewichtigen Fakten. Dabei ist die Darstellung, obwohl der Dichter nie in Amerika war, traumhaft richtig. Das erste Kapitel erschien 1913 als »Fragment« ohne Andeutung des Zusammenhangs, in den es gehört, unter dem Titel »Der Heizer«. Es mußte, wenn es überhaupt verstanden wurde, als Ausdruck der sozialen Stimmung in der neuen Generation wirken. Die Abwendung des Helden von dem Heizer und seine Hinwendung zu dem Onkel mochte dabei als besonders rätselhaft erscheinen. Von den drei Romanen ist dieser Entwurf, dessen Titel bei Kafka »Der Verschollene« ist, in viel strengerem Sinne ein Roman als der »Prozeß« und das

»Schloß«. Diese beiden Bücher sind trotz oder vielleicht sogar wegen ihrer metaphysischen Tiefe, weil wesentlich unabschließbar, als Kunstwerke gescheitert. Kafkas herrschende Denk- und Stilfigur ist das Gleichnis, und Gleichnisse sind kurz. Daher sind die beiden großen Romane nicht Romane sondern aufgeschwemmte Gleichnisse. Sie sind zu lang, ihre Länge ist nicht nach dem Maßstabe der Kürze organisch gegliedert, wie in allen von Kafka selbst herausgegebenen kleinen Geschichten und großen Erzählungen. »Amerika« ist der Entwurf eines völlig neuartigen Entwicklungsromans, in dem der Held sich immer gleich bleibt, ohne verhindern zu können, daß er sich von oben nach unten entwickelt, aus der Harmonie der Kindheit in das Chaos der Zeit. Ihm wird die gewaltigste Erfahrung von den Kräften der Welt zuteil, und zwar durch eine Reise, wie dem jungen Andreas unter ganz anderen Umständen in Hofmannsthals »Andreas«-Fragment, wie dem jungen Victor in Stifters »Hagestolz«.[18] Auch in dieser wunderbaren Erzählung, in der noch alles ohne jede symbolische Veranstaltung gut ausgeht, ist der als Menschenfeind auf einer Insel lebende Onkel der Lenker des jugendlichen Menschen, der eben zu ihm die entscheidende Reise macht, und auf lange Strecken hat es den Anschein, als sei dieser mit Karl Rossmanns Onkel identisch, bis er sich als ein wenn nicht menschenfreundlicher so doch neffenfreundlicher deus ex machina entpuppt, der alles zum guten Ende bringt.

Karl Rossmann, ein sechzehnjähriger Junge, wird von seinen Eltern nach Amerika weniger »geschickt«, wie es im Text heißt, als verstoßen, weil ein Dienstmädchen ihn verführt hat und er Vater eines Kindes geworden ist. Seine persönliche Schuldlosigkeit wird in seiner sexuellen Unschuld sichtbar, sie macht ihn zum passiven Objekt einer Verführung, die der Dichter mit grotesker Genauigkeit erzählt. Dieser Junge also tritt seine Fahrt in ein gigantisches Amerika als Vater an, und wenn er auch an seiner Vaterschaft am allerwenigsten trägt, so ist diese doch als Anfang eines Lebens in ihrer symbolischen und ironischen Bedeutung kaum zu überschätzen, in ihrer Bedeutung für ein neues Weltzeitalter, das im Jahre 1913 nur für gezählte Geister erkennbar war. Er kommt im Hafen von New York an, stößt noch im Schiff auf einen deutschen Heizer, diesem ist von einem rumänischen Vorgesetzten Unrecht geschehen, Karl setzt sich für ihn ein, es kommt zu einer Verhandlung mit den Schiffsautoritäten, und im Verlaufe der erregenden Vorgänge begegnet Karl, der in allem das treibende Element ist, dank einem ergreifenden und eingreifenden Lebenszufall seinem Onkel, dem mächtigen amerikanischen Senator Edward Jakob. Der Onkel nimmt sich des Neffen an, trennt ihn aber sofort von dem Heizer. Der Heizer ist der rechtmäßige Repräsentant der Unterdrückten. Während des ersten Kapitels scheint es, daß Karl zwar in einem äußerlichen Sinne bei dem Onkel geborgen war, daß aber seine Einordnung in die richtige soziologische Schicht ihn alles späteren Sinkens überhoben hätte. Der Onkel, als Repräsentant der Unterdrücker, hat wahrscheinlich sofort erkannt, daß die kindliche Unschuld, mit der Karl für die Gerechtigkeit eintritt, sein tiefstes Wesen als unkorrumpierbar erweist. Delamarche sagt später, die Ausbeutermethoden der Firma Jakob seien in ganz Amerika bekannt und berüchtigt, eine Feststellung, die Karl aus der Reinheit seiner Natur dem Lumpen nicht glaubt, aus dessen Munde sie kommt, obwohl es besser für ihn gewesen wäre, sie zu glauben.

Wie gefährlich dieser Junge in seiner Reinheit ist, das geht aus einer Nebensache hervor, über die im ersten Kapitel berichtet wird. Wie findet er den Heizer? Er muß seinen Koffer, den er während der ganzen Überfahrt auf dem Zwischendeck zäh gegen alle Versuche, ihn zu stehlen, verteidigt hat, vor dem Verlassen des Schiffes einem ihm fast fremden Menschen anvertrauen, da er sich plötzlich erinnert, seinen Regenschirm vergessen zu haben. Auf dem Rückweg zum Zwischendeck verirrt er sich, klopft an eine Tür, das Zimmer ist das des Heizers, und der Heizer zieht ihn mit der Begründung ins Zimmer: »Ich kann es nicht leiden, wenn man mir vom Gang hereinschaut, das soll der Zehnte aushalten!« Dann heißt es weiter: »›Aber der Gang ist doch ganz leer‹, sagte Karl, der unbehaglich an den Bettpfosten gequetscht dastand.›Ja, jetzt‹, sagte der Mann. ›Es handelt sich doch um jetzt‹, dachte Karl, ›mit dem Mann ist schwer zu reden‹.« Der Humor, der sich an Unscheinbares knüpft, macht im Strahl seines Blitzes erscheinen: das umständliche Denken des primitiven Heizers und das klare Denken des einfachen Karl, den ein Küchenmädchen bald darauf einen »schönen Knaben« nennt, als wären wir im Volkslied, und hier bricht plötzlich unerwartet die Schönheit ein. Der Heizer macht sozusagen eine allgemeingültige Bemerkung über seine Lage bei offener Tür in Beziehung auf den Gang und die Leute, die im Vorbeilaufen zu ihm hereinschauen. Karl ist unfähig, bei einem *Gedankengang* sich aufzuhalten, der der Wirklichkeit nicht entspricht, denn er lebt mit allen seinen Gedanken in der Kategorie des Jetzt und Hier. Was er mit seiner Antwort meint, auch wenn es die Grenze seiner Freiheit wäre, daß er sie nur sich selbst gibt, ist kristallklar. Auf dem Gange ist es schöner als im Zimmer, der Gang ist Welt und Freiheit, wenn er leer ist, und erst recht, wenn Menschen ihn beleben; das Zimmer ist das Verschlossene, das Einengende, und wirklich steht er an den Bettpfosten gequetscht da, bis ihn der Heizer auf sein Bett wirft. Der ganze Vorgang, wie minimal er sei, deutet auf die maximale Richtigkeit des Verhaltens, die in diesem Knaben reift. Die Gefahr, die er für den Onkel bedeutet, läßt sich daran ablesen, daß dieser noch eher als mit ihm mit dem Heizer sich versöhnen könnte, von dem er ihn trennt. Zu der Macht hinter dem Heizer kann gerade der Feind sich opportunistisch verhalten, zu Karl unter keiner Bedingung, er ist nicht angreifbar, er ist nicht zu verteidigen, man kann ihn nur vernichten. Nicht anders ist es in der Episode mit dem Slowaken, die bald darauf erzählt wird. Karl hatte Angst um seinen Koffer, und »er erinnerte sich an die fünf Nächte, während derer er einen kleinen Slowaken .. unausgestzt in Verdacht hatte, daß er es auf seinen Koffer abgesehen habe. Dieser Slowake hatte nur darauf gelauert, daß Karl endlich, von Schwäche befallen, für einen Augenblick einnickte, damit er den Koffer mit einer langen Stange, mit der er immer während des Tages spielte oder übte, zu sich hinüberziehen könne. Bei Tag sah dieser Slowake unschuldig genug aus, aber kaum war die Nacht gekommen, erhob er sich von Zeit zu Zeit von seinem Lager und sah traurig zu Karls Koffer hinüber«. Dieser Vorgang spielt nicht in der Sphäre des Rechts, er spielt in der Sphäre des aufgehobenen Rechts, wo der Schützer und der Dieb des Koffers moralisch einander gleichgestellt sind. Beide haben die Welt nicht so schlecht eingerichtet, wie schlecht sie ist, beide haben diese schlechte Welt gemeinsam, und sie spielen mit verteilten Rollen ein Spiel, in dem sie verbunden sind. So kann denn Karl wahrnehmen, daß der Slowake *traurig* zu ihm hinübersieht: er ist insofern im Recht, als er seinen Koffer schützt, aber auch die Trauer des Slowaken ist berechtigt. Beide sind arm. Das Recht könnte Karl nur schützen, weil er etwas besitzt, einen Koffer, auf den er einen Anspruch hat, und den Slowaken nur bestrafen, wenn er sich diesen Koffer aneignet, auf den er keinen Anspruch hat. Helfen kann und will das Recht beiden nicht. In diesem Wissen wurzelt Karls Sinn für Gerechtigkeit, welcher ihn bald dazu treibt, sich offen für den Heizer einzusetzen, obwohl dessen Fall im Lichte des Rechts ganz unklar ist, gegen die Mächtigen, die solche schwachen Ankläger nicht fürchten. Aber als Karl den Onkel fragt, was jetzt mit dem Heizer geschehe, da sagt dieser: »Dem Heizer wird geschehen, was er verdient und was der Herr Kapitän für gut erachtet. Ich glaube, wir haben von dem Heizer genug und übergenug, wozu mir jeder der anwesenden Herren sicher zustimmen wird«. Und nun spricht Karl das wahrhaft große Wort gelassen aus: »Darauf kommt es doch nicht an, bei einer Sache der Gerechtigkeit«. Und der Onkel: »Mißverstehe die Sachlage nicht, es handelt sich vielleicht um eine Sache der Gerechtigkeit, aber gleichzeitig um eine Sache der Disciplin. Beides und ganz besonders das letztere unterliegt hier der Beurteilung des Herrn Kapitän«. So sprechen die Mächtigen: vielleicht Gerechtigkeit, gleichzeitig Disciplin. Hier ist die Gerechtigkeit schon halb zur Phrase geworden, aber der Onkel weiß, was er von seinem »lieben« Neffen zu erwarten hat. Die Gerechtigkeit hilft nicht, Karl muß den Heizer verlassen, er kann nur mit dessen Händen spielen und ihn bitten, sich nicht alles gefallen zu lassen, und beim Abschied weinen. Der Heizer ist viel zu dumpf, als daß er ihn verstände.

Auch die von dem Onkel gegen den geliebten Neffen in dem nächsten Kapitel – »Der Onkel« – und dem übernächsten – »Ein Landhaus bei New York« – angezettelte Verführung, welche mit Karls zweiter Verstoßung endet, geht spurlos an ihm vorüber: er bleibt derselbe, kindlich, rein. An dieser Verführung, die einer Verfehlung kleinsten Ausmaßes als Anlaß sich bediente, nehmen teil: der Onkel als der stellvertretende, als der unverheiratete Vater, der die grausame Ethik der Welt vertritt und bei größerer Macht noch grausamer ist als der wirkliche Vater; Klara, die aus Lust und Besitz verführende junge Frau; Mack als Sohn eines Ausbeuters; Pollunder als Werkzeug mit einem Rest passiver Moralität; Green als Verführer schlechthin. Die Verführung gelingt, aber in ihr stellt die Autorität gegenüber der Verteidigung, welche in die Anklage übergeht, sich sichtbar bloß und kann nur noch kraft Gewalt ihren Schein retten.

Der Abschiedsbrief des Onkels lautet so: »Geliebter Neffe! Wie Du während unseres leider viel zu kurzen Zusammenlebens schon erkannt haben wirst, bin ich durchaus ein Mann von Prinzipien. Das ist nicht nur für meine Umgebung, sondern auch für mich sehr unangenehm und traurig, aber ich verdanke meinen Prinzipien alles, was ich bin, und niemand darf verlangen, daß ich mich vom Erdboden wegleugne, auch Du nicht, mein geliebter Neffe, wenn Du auch gerade der erste in der Reihe wärest, wenn es mir einmal einfallen sollte, jenen allgemeinen Angriff auf mich zuzulassen. Dann würde ich am liebsten gerade Dich mit diesen beiden Händen, mit denen ich das Papier halte und beschreibe, auffangen und hochheben. Da aber vorläufig gar nichts darauf hindeutet, daß dies einmal geschehen könnte, muß ich Dich nach dem heutigen Vorfall unbedingt von mir fortschieben und ich bitte Dich dringend, mich weder selbst aufzusuchen noch brieflich oder durch Zwischenträger Verkehr mit mir zu suchen. Du hast Dich gegen meinen Willen entschieden, heute abend von mir fortzugehen, dann bleibe aber auch bei diesem Entschluß Dein Leben lang; nur dann war es ein männlicher Entschluß. Ich erwählte zum Überbringer dieser Nachricht Herrn Green, meinen besten Freund, der sicherlich für Dich schonende Worte genug finden wird, die mir im Augenblick tatsächlich nicht zur Verfügung stehen. Er ist ein einflußreicher Mann und wird Dich, schon mir zu Liebe, in Deinen ersten selbständigen Schritten mit Rat und Tat unterstützen. Um unsere Trennung zu begreifen, die mir jetzt am Schlusse dieses Briefes wieder unfaßlich scheint, muß ich mir immer wieder neuerlich sagen: Von Deiner Familie, Karl, kommt nichts Gutes. Sollte Herr Green vergessen, Dir Deinen Koffer und Deinen Regenschirm auszuhändigen, so erinnere ihn daran. Mit besten Wünschen für Dein weiteres Wohlergehen Dein treuer Onkel Jakob«. Bezeichnend für diesen Brief, welchen im Gegensatz zu K. im »Schloß« Karl nicht zu deuten versucht, obwohl der erste Buchstabe seines Vornamens auf K. hinweisen könnte, ist das Mißverhältnis zwischen der altfränkischen Biederkeit des Stils, wie sie dem Stich einer Hafenbarkasse vom Anfang des 19. Jahrhunderts entspricht, dessen Reproduktion der ersten Ausgabe des »Heizers« vorangeht, und der schonungslosen Barbarei des Inhalts. Dieser Inhalt muß interpretiert werden als das Zeugnis des unmoralisch Starken mit formulierter Autorität gegen den kraft seiner Moral Schwachen mit unformulierter und unformulierbarer Autorität. Der Onkel würde übrigens trotz allem um eine Stufe höher stehen als Green, dessen er sich bedient und welcher seinen ihm anvertrauten Schützling einfach zum Hause hinauswirft, wenn er wenigstens sein Bedauern aussprächse darüber, daß dieser Freund, wie Karl wirkungslos erkennt, seine Vollmacht überschritten hat. Er hat sie überschritten nicht anders als Mephisto, der gegen Philemon und Baucis tötend vorgeht, während Faust wenigstens nach der Tat bekennt, nur Tausch aber keinen Raub gewollt zu haben. Aber zu solcher Unterscheidung ist die Epoche schon zu weit vorgeschritten, und es ist auch nicht vorstellbar von einem Mann, der den liebevollen Ausdruck seiner steinernen Härte in der Grußformel seines Briefes als »treuer Onkel« nur mit seinem Familiennamen signiert. Dazu ist dieser Familienname, wie Karl vor dem Kapitän ausplaudert, sein Vorname, der Onkel ist der Bruder seiner Mutter und hieß früher Jakob Bendelmayer. Damit also hat er seinen Vornamen zum Nachnamen gemacht, er heißt jetzt Edward Jakob, er hat die Verbindung mit seiner Familie abgeschnitten, er hat sich seines Vornamens beraubt und ihn als Nachnamen verdinglicht, und doch hat er auf dem Schiff behauptet, Karls Sohn sei nach ihm Jakob genannt .. So bleibt es diabolisch ungewiß, mit welchem Namen er den Abschiedsbrief unterzeichnet. Wozu aber hätte Kafka diese Tatsache seinen Helden ausplaudern lassen, wenn er nicht sagen wollte, daß der Onkel in Karl den freundlichen Eindruck zu erwecken bemüht ist, es sei sein Vorname, während es in Wahrheit als Siegel der Grausamkeit sein Nachname ist! Dies ist einer der vielen genialen Einfälle in diesem Buch.

Karl verläßt das Landhaus noch in der Nacht. Auf dem »Weg nach Ramses«, im nächsten Kapitel, gerät er in die Abhängigkeit von Delamarche und Robinson, Vertretern des Lumpenproletariats, denen Ausbeutung des Kameraden, um das eigene Nichtstun zu fristen, keine moralische Sorge bereitet. Er erhebt Einspruch und ist zugleich auch einverstanden, er handelt weniger in seinem Interesse als im Einklang mit der Idee des Guten: diese schiebt die Empörung immer wieder hinaus. Er lernt die beiden in einem Wirtshaus kennen, als er in der Nacht zu ihnen ins Zimmer gestoßen wird. Hier findet sich die Stelle, wie er die Photographien seiner Eltern besieht, die ihn verstoßen haben. »Desto genauer sah er die vor ihm liegenden an und suchte von verschiedenen Seiten den Blick des Vaters aufzufangen. Aber der Vater wollte, wie er auch den Anblick durch verschiedene Kerzenstellungen änderte, nicht lebendig werden, sein wagrechter, starker Schnurrbart sah der Wirklichkeit auch gar nicht ähnlich, es war keine gute Aufnahme. Die Mutter dagegen war schon besser abgebildet, ihr Mund war so verzogen, als sei ihr ein Leid angetan worden und als zwinge sie sich zu lächeln. Karl schien es, als müsse dies jedem, der das Bild ansah, so sehr auffallen, daß es ihm im nächsten Augenblick wieder schien, die Deutlichkeit dieses Eindrucks sei zu stark und fast widersinnig. Wie könne man von einem Bild so sehr die unumstößliche Überzeugung eines verborgenen Gefühls des Abgebildeten erhalten! Und er sah vom Bild ein Weilchen lang weg. Als er mit den Blicken wieder zurückkehrte, fiel ihm die Hand der Mutter auf, die ganz vorne an der Lehne des Fauteuils herabhing, zum Küssen nahe. Er dachte, ob es nicht vielleicht doch gut wäre, den Eltern zu schreiben, wie sie es ja tatsächlich beide (und der Vater zuletzt sehr streng in Hamburg) von ihm verlangt hatten. Er hatte sich freilich damals, als ihm die Mutter am Fenster an einem schrecklichen Abend die Amerikareise angekündigt hatte, unabänderlich zugeschworen, niemals zu schreiben, aber was galt ein solcher Schwur eines unerfahrenen Jungen hier in den neuen Verhältnissen! Ebenso gut hätte er damals schwören können, daß er nach zwei Monaten amerikanischen Aufenthalts General der amerikanischen Miliz sein werde[19], während er tatsächlich in einer Dachkammer mit zwei Lumpen beisammen war, in einem Wirtshaus vor New York, und außerdem zugeben mußte, daß er hier wirklich an seinem

Platze war. Und lächelnd prüfte er die Gesichter der Eltern, als könne man aus ihnen erkennen, ob sie noch immer das Verlangen hatten, Nachricht von ihrem Sohn zu bekommen.« Was in dieser Darstellung so überaus tief und stark wirkt, das ist die Gewißheit, daß die der Liebe entspringende Genauigkeit des Sehens diese Einheitsphotographien so lebendig macht, als wären es Kunstwerke. Die normierende Technik wird übersprungen, und der Leser fühlt alles gleichzeitig mit Karl: die Härte des Vaters, die Demut der Mutter und die liebevolle Sehnsucht nicht des verlorenen, sondern des verstoßenen Sohnes, der in seinem Elend ungebrochen ist. Kafka vertritt hier die fortschrittliche Auffassung, daß ein völlig reines Schauen die Kunst hinter sich lassen darf, weil es in einer Photographie die Wahrheit zu erkennen vermag. Im Leben ist er eher rückschrittlich gesinnt. Als ihm Gustav Janouch eine Portraitzeichnung zeigt, die ein Freund von ihm, Janouch, gemacht hat, findet er sie wunderschön, als ihn aber Janouch fragt, ob er meine, sie sei getreu wie eine Photographie, antwortet er: »Was fällt Ihnen ein? Nichts kann so täuschen wie eine Photographie. Die Wahrheit ist doch eine Angelegenheit des Herzens. Dem kann man nur mit der Kunst beikommen«. Eben, wie Kafka mit seiner Kunst diesen Eindruck durch die Betrachtung einer Photographie erzeugt! Dies ist ein lehrreiches Beispiel dafür, daß die Aussagen eines Werkes wesentlicher sind als die immer noch wesentlichen persönlichen Aussagen des Künstlers.

Das »Hotel Occidental« des nächsten Kapitels nimmt Karl auf. Dieses Hotel ist das sinnfällige Symbol der von jedem Sinn entleerten unübersehbaren Organisation. Hier sieht es so aus, als wenn Karl, der von seinen Eltern verstoßen und von seinem Onkel preisgegeben wurde, gerettet werden könnte. Aber der Versuch der Rettung steht von Anfang an unter ungünstigen Bedingungen: Karl wird Liftjunge. Das ist ein Beruf, bei dem man dem Anschein nach vorwärtskommt, in Wirklichkeit zermahlen wird; dafür trägt man eine Uniform.

Die Oberköchin, eine Deutsche, hilft dem Landsmann aus Mitleid und Sympathie, wie sie Therese geholfen hat, einem armen Mädchen, Bild des unorganisierbaren Elends, das fürchtet, wahnsinnig zu werden und Karl die unglaubliche Geschichte vom Armutstode ihrer Mutter erzählt. Die Oberköchin ist eine Frau, die sich hochgearbeitet hat, mit Neigung zur Gerechtigkeit, um schließlch doch vor dem mit der Macht verbündeten Recht zurückzuweichen. Ihre Einsicht ist begrenzt. Beim Anblick des vor Ermüdung an seinem Lift eingeschlafenen Liftjungen Giacomo verteidigt sie diesen Zustand der Dinge mit biologischen, mit amerikanischen Phrasenargumenten, welche im Schlußkapitel wahr werden: als Giacomo den Bissen im Munde hat, gewinnt sein eingefallenes Gesicht an Fülle. Das Kapitel »Der Fall Robinson« enthält die von den beiden Lumpen Robinson und Delamarche, in letzter Instanz von Brunelda, der Königin der Schlammwelt, ausgehende zweite Verführung. Wieder wird die Verstrickung ins Nebensächliche plötzlich zur Hauptsache. Dennoch hätte alles gut ausgehen können, wenn nicht die trübe Konstellation der Dinge zu der Verschwörung der Mächtigen, wie Hotelportier und Oberkellner, gegen den Guten geführt hätte. Das Interesse an der Person, das der Onkel wenigstens vorgab und eine kurze Zeit lang sogar hatte, fehlt hier ganz, man zerdrückt eine Wanze. Der Gute strahlt kein Zeichen mehr aus, wie etwa Aljoscha Karamasoff vor Gericht, obwohl es auch ihm die Unschuld seines Bruders nicht glaubt. Im Sinne des Rechts ist Karl schuldig. Als letzte Erfahrung bleibt im vorletzten Kapitel das »Asyl« von Bruneldas Schlammwelt übrig. Karl ist immer gleich guten Willens, aber er gleitet fast natürlich in diese Schlammwelt hinein, wenn er auch nicht von Stufe zu Stufe sinkt, sondern die gesunkenen Stufen der Welt ihn eine nach der anderen aufnehmen. Die Oberköchin – »ihre Augen sahen voll auf Karl hin, sie waren groß und blau, aber ein wenig getrübt durch das Alter und die große Mühe« – ist bis zum vorletzten Augenblick gerecht, aber das Bild, das sich ihr darbietet, spricht nicht für Karl. Da der Oberkellner wie versehentlich ihre Hände streichelnd sie zu lieben scheint, verrät sich für Karls Blick, der alles sieht, ohne das Gesehene anwenden zu können, daß sie nicht gewillt ist, mit dem Schwert der Gerechtigkeit das Bild zu durchschlagen, um den faulen Kern des Rechts und den gesunden des geopferten Karl bloßzulegen. Sie ist aber auch gut, denn sie gibt Karl nicht preis, sie empfiehlt ihn für eine andere Stelle, sie macht ihn nur seine jetzige verlieren und hat nicht mehr genug Phantasie des Herzens – auch sie hat eine Stelle, die ihr genommen werden kann –, um zu erkennen, daß es schlimmer ist, eine Stelle zu verlieren, die man hatte, als in eine neue empfohlen zu werden, die man noch nicht hat. Karls Wort der Wahrheit, es sei unmöglich, sich zu verteidigen, wenn der andere nicht guten Willens sei, verhallt wie ungehört, ja wie ungesprochen. Therese, von Liebe zu Karl, von Leiden und Armut, nicht zuletzt von Mangel an Verstehen des Dämonischen getrübt, baut noch auf die Oberköchin, als diese Karl schon aufgegeben hat, und glaubt, er sei gerettet. Er ist es auch, aber anders, als sie fasssen könnte.

Vorläufig aber ist er noch nicht gerettet, er lebt nur und reagiert, er kämpft weiter. Als Delamarche ihn vor der Polizei schützt, scheint er verloren zu sein, und wenn ein Kind keine andere Möglichkeit sieht als vor den Schlägen der Mutter eben zu ihr sich zu flüchten, so ist es doch die Mutter, er dagegen ist nur in der Schlammwelt angelangt. Hier herrscht Brunelda, dick und schwammig, für ihre beiden Trabanten der Inbegriff der Schönheit. Die Unübersehbarkeit der Welt, die zuerst ein Schiff war, dann New York, dann ein Hotel, mit dem Paradies der Kindheit am Anfang, dem Heizer als Fata Morgana vor dem Sinken und dem »Naturtheater« am Ende, einem neuen Anfang, ist einstweilen zusammengeschrumpft zu einem Zimmer. Es ist verschlossen, dumpf und staubig, hochgestapelt mit Unordnung, der Ordnung des Schlammes hörig. Symbole dieser Ordnung sind Brunelda und Delamarche, schlafend oben auf einem haushohen Haufen von Kissen und Decken – thronendes Schreckbild der Autorität im kleinsten und stickigsten Raume. Dazu kommt Robinson. Alle wollen Karl nicht nur verführen, sondern auch ausbeuten; der Balkon bietet die einzige Verbindung mit der Welt. Alle Versuche mißlingen. Der Student auf dem Nachbarbalkon, der Josef Mendel heißt und ein Jude zu sein scheint, mit einem Vornamen, der wiederum auf Kafka deutet, ist in der Reihe der Helfer nach dem Heizer und der Oberköchin seiner Lage nach am wenigsten geeignet, anderen zu helfen. Er lebt am Tage als Hausdiener in einem Warenhause, bei Nacht als Student auf dem Balkon, wo er sich mit schwarzem Kaffee wach hält, schlafen wird er, wenn er sein Examen bestanden hat. Dennoch sagt er Karl zwei Dinge, die theoretisch und praktisch für ihn und nicht nur für ihn wichtig sind. Er belehrt ihn über die Sinnlosigkeit, vor der Wahl des Friedensrichters, der tumultuarischen Demonstrationen, die sie vom Balkon aus wahrnehmen, und auf Karls Bemerkung, er interessiere sich nicht für Politik, erwidert er einfach: »Das ist ein Fehler«. Praktisch gibt er ihm den Rat, bei Brunelda zu bleiben, so lange er keine andere Stelle habe. Die geistige Wichtigkeit der Politik ist wohl nie so still und selbstverständlich ausgesprochen worden, und auch praktisch verhält dieser Student sich anders als die Oberköchin, nur daß er es freilich leichter hat als sie, denn er steht außerhalb der Verstrickung, in die Karl, ohne sein Verschulden fehlbar, geraten ist.

Wie und warum Karl schließlich doch den Dienst bei Brunelda verläßt, wird nicht mehr erzählt. Ein besonders rätselhaftes Fragment des Anhangs scheint anzudeuten, daß Brunelda entweder stirbt oder in jenem Hause bleibt, wohin sie Karl in einem Schubkarren fährt. Es wird nicht klar, ob dieses Haus ein Krankenhaus ist oder ein Bordell. Hier sind große Lücken im Text. Was immer fehle, Karl könnte nicht mehr tiefer sinken. Die Schlammwelt ist hier keine soziale

Kategorie wie etwa bei Jules Romains im 24. Kapitel von »Recours à l'abîme«, sie ist vielmehr der absolute Tiefpunkt. Ist man hier angelangt, so kann man nur noch steigen. In einem gerade »Amerika« angepaßten Bilde ließe sich sagen, daß Karl, nachdem er *unten* angekommen ist, in einen Fahrstuhl tritt und nach *oben* fährt. So schließt übergangslos das »Naturtheater von Oklahoma« als fragmentarisches Schlußkapitel den früheren Vorgängen sich an, sogar auf dem räumlich gleichen Niveau: Karl fährt mit der Untergrundbahn nach Clayton, er vertauscht das Zimmer des Schlamms mit der Freiheit der Welt. Im Mittelpunkt des »Prozesses« steht die Härte der Bürokratie, die nicht verzeihen sondern nur richten kann, einer Bürokratie, die im »Schloß« zwar nicht grundsätzlich aber doch praktisch sich lockerer verhält. Im Mittelpunkt des Naturtheaters steht das Weichwerden der Bürokratie. Auf dem Werbeplakat, das Karl liest, lautet der wichtigste Satz: »Jeder ist willkommen«. Und der lesende Karl fügt sofort in seinen Gedanken hinzu: »Also auch Karl«. Diese Logik ist leicht. Nie war Kafka mit der Menschheit einiger als an dieser Stelle, und genau hierher gehört mitten zwischen so vielen verzweifelnden die hoffende Niederschrift aus der Kriegszeit um 1917: »Prüfe dich an der Menschheit. Den Zweifelnden macht sie zweifeln, den Glaubenden glauben«. Dieses Willkommen ist die endgültige Lösung sofort, wo Josef K. bis an das Ende seines Lebens kämpfen muß. Vor dieser Instanz darf man sogar lügen, wie Karl, der seinen wirklichen Namen erst nennen will, wenn die Anstellung vollzogen ist. Er gibt als seinen Namen an: Negro, und auf die Lücken des Romans deutend heißt es, dies sei der »Rufnamen aus seinen letzten Stellungen« gewesen. Gleichzeitig dürfte es eine Huldigung des jüdischen Dichters durch seinen christlichen Helden – der in jener Nacht, bevor er die Photographien seiner Eltern besieht, die Bibel aufschlägt, freilich ohne darin zu lesen –, eine Huldigung dürfte es sein an die andere verfolgte Menschengemeinschaft in der Welt. Nicht

der Leiter der Abteilung entscheidet, welcher alles durchschaut und sich weigert, diese Lüge anzuerkennen, sondern
der Sekretär, der *nicht* entscheidet, aber einfach den Namen
jedes Bewerbers, auch den falschen, in die ihm entsprechende
Liste einträgt. Man kann jeden brauchen, auch einen »euro-
päischen Mittelschüler« mit »technischen Kenntnissen«. Eine
Tafel geht hoch und zeigt seine Aufnahme an: Negro, technischer Arbeiter. Aber vorher hatte Karl eine andere Aufnah-
metafel gesehen: Kaufmann Kalla mit Frau und Kind. Hier
hat sich Franz Kafka selbst in seinem großen Unglück und in
seinem ersehnten Glück mit einem Silberstift eingetragen.
In diesem Theater soll Karl nach der von Max Brod überlieferten Äußerung Kafkas die Eltern, die Heimat, die Freunde
wiederfinden. Aus dem Gespräch mit Fanny, welche ohne Erklärung ihrer Existenz nur hier vorkommt, was wieder auf
eine Lücke deutet, vielleicht ist es eine Kindheitsfreundin, die
erste, die er als Verwandelter wiedersieht, aus diesem Gespräch geht hervor, daß die Ausstattung dieses Theaters »sehr
kostbar« ist. Fanny hat das Theater selbst noch nicht gesehen,
sie figuriert nur als »Engel« für die Werbung, sie bezeichnet
es aber auf Karls Frage als »das größte Theater der Welt«,
und hieraus könnte man schließen, daß es quantitativ als mit
dem Raume der Welt identisch gedacht werden soll, qualitativ gesteigert. Sie sagt dann weiter, es sei nicht ein »neues«,
es sei ein »altes« Theater. Zu diesem drängen sich, wie Karl
auffällt, nur sehr wenige Menschen, vielleicht darum, weil die
Menschen, die in der Welt dem Neuen zustreben, sich nicht
vorstellen können, daß es eines schönen Tages mit dem Alten
zusammenfallen wird, vielleicht aber auch darum, weil der
Aufwand von Engeln und Teufeln zum Zwecke der Werbung,
wie Karl mit Zustimmung Fannys bemerkt, eher abstößt als
anzieht. Beiden scheint die Erkenntnis schwer zu werden,
daß die Engel und Teufel diejenigen anziehen sollen, die auf
Neues erpicht sind, aber die alten Symbole noch nicht entbehren können, während sich einmal plötzlich herausstellen könn-

te, daß gerade das Alte, echt verstanden, auf Engel und Teufel verzichtend die Freiheit des Menschen begründen wird, in der auch Gott seinen *natürlichen* Ort hätte. Die wichtigste Stelle ist die, in der es bei den Worten des Beamten, sie könnten jeden brauchen, heißt: »Es ist ja ein Theater, dachte Karl zweifelnd und hörte sehr aufmerksam zu.« Als ihn nun der aufnehmende Beamte fragt, zu welchem Berufe er sich geeignet fühle, lesen wir Folgendes: »Diese Frage enthielt möglicherweise wirklich eine Falle, denn wozu wurde sie gestellt, da Karl doch schon als Schauspieler aufgenommen war? Obwohl er das aber erkannte, konnte er sich dennoch nicht zu der Erklärung überwinden, er fühle sich zu dem Schauspielerberuf besonders geeignet. Er wich daher der Frage aus und sagte auf die Gefahr hin, trotzig zu erscheinen: ›Ich habe das Plakat in der Stadt gelesen, und da dort stand, daß man jeden brauchen kann, habe ich mich gemeldet.‹ ›Das wissen wir‹, sagte der Herr, schwieg und zeigte dadurch, daß er auf seiner früheren Frage beharre. ›Ich bin als Schauspieler aufgenommen‹, sagte Karl zögernd, um dem Herrn die Schwierigkeit, in die ihn die letzte Frage gebracht hatte, begreiflich zu machen. ›Das ist richtig‹, sagte der Herr und verstummte wieder. ›Nein‹, sagte Karl, und die ganze Hoffnung, einen Posten gefunden zu haben, kam ins Wanken, ›ich weiß nicht, ob ich zum Theaterspielen geeignet bin, ich will mich aber anstrengen und alle Aufträge auszuführen suchen‹.« Er wird dann wirklich als technischer Arbeiter aufgenommen, und er ist sehr zufrieden, obwohl er damit auf den höheren Beruf des Schauspielers verzichten muß. Ohne gerade hier mehr als Ahnungen wagen zu können, sieht es so aus, als wenn die praktische Tätigkeit für dieses Theater höher bewertet wird als die künstlerische. Der Beruf des Schauspielers könnte eine letzte Verführung enthalten, die nämlich, die Identität der Persönlichkeit, in welche jeder echte Beruf mündet, spielen zu wollen, anstatt sie zu leben. Daß aber dennoch für Menschen, die zwar höhere aber eigentlich leichtere Aufgabe die wäre, zu spielen, was man ist, darauf deutet die Gleichsetzung der erlösten Welt mit einem Theater.

In einer Aufzeichnung sagt Kafka: »Das ist ein Leben zwischen Kulissen. Es ist hell, das ist ein Morgen im Freien, dann wird [es] gleich dunkel und es ist schon Abend. Das ist kein komplizierter Betrug, aber man muß sich fügen, solange man auf den Brettern steht. Nur ausbrechen darf man, wenn man die Kraft hat, gegen den Hintergrund zu, die Leinwand durchschneiden und zwischen den Fetzen des gemalten Himmels durch, über einiges Gerümpel weg in die wirkliche enge dunkle feuchte Gasse sich flüchten, die zwar noch immer wegen der Nähe des Theaters Theatergasse heißt, aber wahr ist und alle Tiefen der Wahrheit hat«. Wenn die feuchte Gasse, in die man aus dem Theater durchbricht, den Bereich der unerlösten Wahrheit darstellt, dann ist das Naturtheater, in das die Menschen aufgenommen werden, als *Theater* nicht die Sphäre der Wahrheit, vielleicht aber als *Natur* die Wahrheit der Erlösung. So verstanden hätte die Überschrift des letzten Kapitels, obwohl das Wort »Naturtheater« in dem Text nicht vorkommt, einen tiefen Sinn, sei es daß sie von Max Brod frei gewählt ist, sei es daß sie auf eine mündliche Äußerung Kafkas zurückgeht. Josef K. fragt im »Prozeß« die beiden Töter, an welchem Theater sie spielen, und stößt bei den also Angeredeten auf verlegene Verständnislosigkeit. Er meint ein anderes, ein stoisches Theater. Wie verschieden ist das Theater hier, wo den neu Angestellten ein Essen zum Willkommen bereitet wird! »Wein wurde wieder eingeschenkt – man merkte es kaum, man war über seinen Teller gebückt und in den Becher fiel der Strahl des roten Weines –.« Man »gewinnt« die Menschen mit Essen. Das Essen wird gleichsam ins Metaphysische, ins Irdische erhoben. Dafür zeugen die Worte über Giacomo, den Karl, als er gerade nach dem tiefen Eindruck von der Loge des Präsidenten noch andere Bilder zu sehen erwartet, an der Tafel wiedersieht. Da heißt es: »Giacomo selbst hatte sich in seinem Äußeren gar nicht verändert, die Voraussage der Oberkellnerin, daß er in einem halben Jahr ein knochiger Amerikaner werden müsse, war nicht eingetroffen, er war so zart wie früher, die Wangen eingefallen wie früher, augenblicklich allerdings waren sie gerundet, denn er hatte im Mund einen übergroßen Bissen Fleisch, aus dem er die Knochen langsam herauszog, um sie dann auf den Teller zu werfen«. In einem plastischen Bilde und in Wirklichkeit ist hier der Weg gezeigt, wie doch die soziale Frage einer Lösung sich zuführen ließe. Aber die Trinksprüche, die die so irdisch Beschenkten dem »Vater der Stellungsuchenden« darbringen, werden von diesem gar nicht bemerkt. Auch hier herrscht also die unüberbrückbare Kluft zwischen Lenkern und Gelenkten, nur daß sie nicht beschwert. Es ist alles leicht. Man könnte an die Antwort Haydns denken, die Goethe zu Tränen gerührt hat, auf die Frage, warum seine Symphonien so fröhlich seien. Er müsse, wenn er Musik mache, immer an Gott denken und, wenn er an Gott denke, werde er fröhlich. Kafkas Glauben ist sonst messerscharf, »wie ein Fallbeil«, so daß alle, die sich ungern schneiden, vermuten oder, da Gott bekanntlich tot ist, was schon Heine gegen Hegel zum Lachen gebracht hat, sogar wissen, es stecke nichts hinter ihm, es sei denn das Nichts. Hier bezeugt Kafka die leichte Form des Glaubens, die die Kluft in der Liebe und in der Dankbarkeit zu überbrücken sucht. Von der Liebe ist allerdings auch hier nicht die Rede, aber sie tönt als schweigende Musik mit. Karl, in seiner unzerstörbaren Reinheit, scheint gerettet.

Eine Tagebuchaufzeichnung aus dem Jahre 1915 lautet: »Rossmann und K., der Schuldlose und der Schuldige, schließlich beide unterschiedslos strafweise umgebracht, der Schuldlose mit leichterer Hand, mehr zur Seite geschoben als niedergeschlagen«. Niemand lasse sich durch diesen Satz beirren! Was Kafka einfiel, hat vielfach als Gedachtes keine Folge, bleibt in den Grenzen des blitzartigen Einfalls. Schuldlos nämlich ist Karl nicht, er ist trotz des Verstricktwerdens in

Schuld ein guter Mensch, und selbst K. ist, umgekehrt, nicht schuldig. Er steht in einem Rechtszusammenhang, und die Begründung des Urteils wird ihm entzogen, aber »umgebracht« wird er nicht. Die beiden Töter sind es, die Wange an Wange die »Entscheidung« beobachten, das soll wohl heißen: die Anerkennung der Notwendigkeit des Urteils. Wenn Karl nach eigener Aussage schuldlos ist, so mag daß er nur »zur Seite geschoben« wird ein Beispiel dafür sein, wie vieldeutig dem Anschein nach klare Äußerungen sein können, wenn sie durch andere Äußerungen überraschend ergänzt werden. In der einzigartigen Szene nämlich, als der Heizer im Hafen von New York vor dem Kapitän und einer Reihe anderer Herren Klage gegen den Obermaschinisten Schubal führt und von Karl verteidigt wird, kommt es unvermutet dahin, daß der Senator Edward Jacob den Herren eine Begründung schuldig zu sein glaubt, warum dieser Neffe unter so merkwürdigen Bedingungen die Reise nach Amerika gemacht hat. Da sagt er denn, und er bekennt sich schon hier als väterlicher Feind dessen, den er seinen »lieben Neffen« nennt, dies: »Mein lieber Neffe ist nun von seinen Eltern – sagen wir nur das Wort, das die Sache auch wirklich bezeichnet – einfach beiseitegeschafft worden, wie man eine Katze vor die Tür wirft, wenn sie ärgert. Ich will durchaus nicht beschönigen, was mein Neffe gemacht hat, daß er so gestraft wurde, aber sein Verschulden ist ein solches, daß sein einfaches Nennen schon genug Entschuldigung enthält«. Es folgt dann die Geschichte der Verführung durch das Dienstmädchen. Hört man genau hin, so ist dieses »beiseitegeschafft« nicht so verschieden von dem »zur Seite geschoben« der Tagebuchaufzeichnung, daß nicht die Vermutung nahe läge, Kafka habe im Schreiben sich seiner eigenen Worte erinnert und also gar keine Aussage über Karls Ende, sondern über den Anfang seines bewußten Lebens gemacht, über seine Beiseiteschaffung durch die Eltern. Die Beiseiteschaffung wäre einem Ende gleichgekommen, und das zeigt ja auch der Verlauf der Begebenheiten, wenn nicht das

Naturtheater in Oklahoma die wirkliche Hilfe gebracht hätte. Als Kafka seine Notiz niederschrieb, war die Idee des Naturtheaters wahrscheinlich noch nicht in ihm aufgetaucht. Der bedingten und zersetzten Hilfe in der Erzählung »Der Riesenmaulwurf« steht im Ausgang dieses Romans die unbedingte und aufbauende Hilfe strahlend gegenüber. Hell schließt der fragmentarische Roman. Karl und Giacomo fahren Seite an Seite durch Amerika, über breite Bergströme, und der Schaum ihrer Wellen war »so nah, daß der Hauch ihrer Kühle das Gesicht erschauern machte«. Dies ist der letzte Satz.

Die Schrift
Die Briefe im *Schloß*

»Posito, gesetzt Sie werden unser Landvermesser.«[20]
Jean Paul

Im »Schloß« stehen zwei Parteien sich gegenüber: ein Mensch, der eindringen will, in das Dorf und in das Schloß – daß zwischen dem Schloß und den Bauern des Dorfes kein Unterschied sei, sagt gleich im Anfang der Lehrer zu K., der sich beiden nicht zugehörig weiß – und die Einheit von Schloß und Dorf, die alle ihre Machtmittel aufbietet, um ihn am Eindringen zu hindern. Im Gegensatz zum »Prozeß« fehlt das Schlußkapitel, dessen Inhalt Kafka Max Brod erzählt hat: in seiner Todesstunde empfängt K., der seinen Kampf nicht aufgegeben hat und an Erschöpfung stirbt, in Anwesenheit der Gemeinde die Entscheidung des Schlosses. Der Sieg ist dreifach ironisch, denn der Rechtsanspruch wird ihm verweigert, er darf wohnen und arbeiten, er stirbt. Daß K. keinen Rechtsanspruch hat, scheint sich aus dem ersten Kapitel mit Klarheit zu ergeben, aus seiner Ankunft bei Nacht im Wirtshaus und aus dem doppelten Telephongespräch Schwarzers mit dem Schloß, dem ersten, das K.'s Behauptung, er sei der von dem

97

Grafen bestellte Landvermesser, schroff abweist, und dem zweiten, das sie bestätigt. »K. horchte auf. Das Schloß hatte ihn also zum Landvermesser ernannt. Das war einerseits ungünstig für ihn, denn es zeigte, daß man im Schloß alles Nötige über ihn wußte, die Kräfteverhältnisse abgewogen hatte und den Kampf lächelnd aufnahm. Es war aber anderseits auch günstig, denn es bewies, seiner Meinung nach, daß man ihn unterschätzte und daß er mehr Freiheit haben würde, als er hätte von vornherein hoffen dürfen. Und wenn man glaubte, durch diese geistig gewiß überlegene Anerkennung seiner Landvermesserschaft ihn dauernd in Schrecken halten zu können, so täuschte man sich; es überschauerte ihn leicht, das war aber alles.« Wie aber in diesem Roman jeder positiven auch eine negative und jeder negativen auch eine positive Aussage innewohnt, welche wechselweise zu entfalten als der rhythmische Sinn der gesamten Darstellung erscheint, so ist es nicht sicher, ob K. wirklich kein Landvermesser ist. Sicher ist dagegen, daß nichts zu vermessen da ist und daß man keine Landvermessung braucht. Aus dem Gespräch mit dem Dorfvorsteher, an welchen ihn Klamm, der für K. zuständige Sekretär des Schlosses, verwiesen hat, geht hervor, daß vor Jahren die Administration des Schlosses wirklich einen Landvermesser gesucht hat, daß aber K.'s Bewerbung das Opfer einer geradezu idealen Schlamperei der Ämter geworden ist, die sich als sinnvoll erweist: eines Nachts kommt wirklich ein Mann ins Dorf, der den Anspruch erhebt, der gesuchte Landvermesser zu sein.

Eindeutig zu entwirren ist das von Kafka Gemeinte nicht, aber es könnte so gemeint sein: Indem das Schloß K.'s scheinbaren Anspruch als berechtigt unterstellt, gibt es einem hergelaufenen Landstreicher, wie Schwarzer K. nach dem ersten Telephongespräch nennt, Existenz. Dies hat zur Folge, da man praktisch gar keinen Landvermesser braucht, daß er als Schuldiener gnadenweise gebilligt wird, und zur weiteren Folge, daß ihm im Tode die provisorische Anerkennung seines

Rechtsanspruchs wieder genommen, aber die Aufenthaltser-
laubnis im Dorf bestätigt wird. So betrachtet, muß die durchgehende Intention des Romans »Das Schloß« als eine ironisch
positive betrachtet werden, wie die des Romans »Der Prozeß« als eine ironisch negative. Für Positives hier, für Negatives dort bleibt genügend Raum, um die negativen und positiven Faktoren entsprechend zu verwirren.

Was hier gemeint ist, läßt sich auch inhaltlich verdeutlichen,
durch einen Vergleich der problematischen Landvermesserschaft mit einer Stelle aus dem »Prozeß«. Dort fragt bei dem
ersten Verhör der Richter den Angeklagten K., ob er Zimmermaler sei, und als K. darauf die Antwort gibt, er sei Prokurist an einer Bank, schütteln sich die Zuhörer vor Lachen.
Während im »Schloß« die abwehrende Behörde zu K.'s Gunsten eingreift und ihn zum Landvermesser macht, der er eher
nicht ist, nimmt im »Prozeß« das verfolgende Gericht an,
er sei Zimmermaler, obwohl er es nicht ist. Hätte K. die allerdings gewaltige Kraft der Erkenntnis gehabt, diese Frage
zu bejahen – vielleicht hätte der Prozeß eine andere Entwicklung genommen, denn seine Schuld könnte die sein, daß er
Prokurist und nicht Zimmermaler ist. Dieser ist gesellschaft-
lich weniger als jener, aber nach einem Maßstab echter Erkenntnis unendlich viel mehr, wie denn im »Schloß« K., dem
keine Schuld vorgeworfen wird außer der, keinen Beruf zu
haben, als Landvermesser sich zu einer vom Schloß zweideutig anerkannten Existenz erhebt. Existenz als solche wird weder vom Schloß noch vom Gericht auch nur gesehen, sie steht
der des Landstreichers gleich, und wenn K. als Prokurist schon
nahezu zersetzt ist, so taugt er noch zu etwas wie einem
Fremdenführer durch den Dom. K. im »Schloß« ist freilich
kein Landstreicher, er ist ein Wanderer, er hat einen Rucksack
und einen Knotenstock, und obwohl sein Ziel ist, im Dorfe
Fuß zu fassen, gibt es auch Andeutungen, daß er nach einigen
Tagen weiterwandern will, falls er nur eine vorläufige Erlaubnis des Bleibens erhält. Es gibt aber noch einen anderen

Unterschied von weittragender Bedeutung. K. im »Prozeß« hat kein Vorleben, er hat das Leben in der Bank, er hat eine Mutter und einen Onkel, er hat eine Geliebte und von einem bestimmten Tage an das Leben im Prozeß, das sein wirkliches Leben aufsaugt. Er stirbt nach einem Jahre zwischen Anklage und Urteil an seinem einunddreißigsten Geburtstag; K. im »Schloß« hat ein Vorleben. Er hat Frau und Kinder, und er hat sie eines Tages verlassen. Warum er es getan hat, wird so wenig deutlich, wie es völlig deutlich wird, daß er die »Heimat« nicht verlassen hat, weil es ihm dort schlecht ging, sie bleibt im Gegenteil für ihn der Beziehungspunkt, und es ließe sich sagen, er habe eines Tages alles aufgeben müssen, um die gute Luft mit der schlechten hier zu vertauschen, die guten Häuser dort mit den schlechten hier, den Kirchturm dort mit dem Turm des Schlosses hier, des »angeblichen« Schlosses, und es war nicht zu erkennen, ob der Turm dieses Schlosses »zu einem Wohngebäude oder zu einer Kirche gehörte«. Außerordentlich ist die Vergleichung der beiden Türme im ersten Kapitel: »Flüchtig erinnerte sich K. an sein Heimatstädtchen; es stand diesem angeblichen Schlosse kaum nach. Wäre es K. nur auf die Besichtigung angekommen, dann wäre es schade um die lange Wanderschaft gewesen und er hätte vernünftiger gehandelt, wieder einmal die alte Heimat zu besuchen, wo er schon so lange nicht gewesen war. Und er verglich in Gedanken den Kirchturm der Heimat mit dem Turm dort oben. Jener Turm, bestimmt, ohne Zögern geradewegs nach oben sich verjüngend, breitdachig, abschließend mit roten Ziegeln, ein irdisches Gebäude – was können wir anders bauen? – aber mit höherem Ziel als die niedrige Häusermenge und mit klarerem Ausdruck, als ihn der trübe Werktag hat. Der Turm hier oben – es war der einzig sichtbare – der Turm eines Wohnhauses, wie es sich jetzt zeigte, vielleicht des Hauptschlosses, war ein einförmiger Rundbau, zum Teil gnädig von Efeu verdeckt, mit kleinen Fenstern, die jetzt in der Sonne aufstrahlten – etwas Irrsinniges hatte das – und einem söller-

artigen Abschluß, dessen Mauerzinnen, unsicher, unregelmä-
ßig, brüchig, wie von ängstlicher oder nachlässiger Kinder-
hand gezeichnet, sich in den blauen Himmel zackten. Es war,
wie wenn ein trübseliger Hausbewohner, der gerechterweise
im entlegensten Zimmer des Hauses sich hätte eingesperrt halten sollen, das Dach durchbrochen und sich erhoben hätte, um
sich der Welt zu zeigen«. Die Stimmung, die von dieser Beschreibung ausgeht, gibt den Zwiespalt des Buches vollendet
wieder: den Sieg der Heimat über die Fremde, wenn die Heimat die Vergangenheit, den Sieg der Fremde über die Heimat, wenn die Fremde die Gegenwart ist. In dieser Fremde,
in dieser Gegenwart will sich K. verwurzeln, aber aus jener
Heimat, aus jener Vergangenheit zieht er seine Kraft, um den
Kampf mit dem Schloß aufzunehmen, eine Kraft, die der des
Schlosses ebenbürtig ist, ja in ihr ist der Sieg, und sei es auch
nur der ironische, schon vorgebildet.

K. ist ein Fremder und als solchem widersetzt das Schloß sich
seinem Eindringen. Im Anschluß an die Gehilfen sagt Frieda
in einer gestrichenen Stelle zu K.: »Als Fremder hast du hier
auf nichts Anspruch, vielleicht ist man hier gegen Fremde besonders streng oder ungerecht, das weiß ich nicht, es ist aber
so, daß du auf nichts Anspruch hast. Ein Hiesiger zum Beispiel nimmt, wenn er Gehilfen braucht, solche Leute auf, und
wenn er erwachsen ist und heiraten will, nimmt er sich eine
Frau. Die Behörde hat auch darauf viel Einfluß, aber in der
Hauptsache kann sich jeder frei entscheiden. Du aber, als
Fremder, bist auf Geschenke angewiesen; gefällt es der Behörde, so gibt sie dir Gehilfen, gefällt es ihr, so gibt sie dir
eine Frau. Auch das ist natürlich nicht Willkür, aber es ist
doch alleinige Sache der Behörden und das bedeutet, daß die
Gründe der Entscheidung verborgen bleiben«. Dann sagt
Frieda von den Geschenken: »Nun kannst du dich vielleicht
gegen das Geschenk wehren; wenn du es aber einmal angenommen hast, dann liegt darauf und infolgedessen auch auf
dir der Druck der Behörde; nur wenn sie will, kann er von

dir genommen werden, auf keine andere Weise. So hat es mir die Wirtin gesagt, von der ich das habe, sie sagte, sie müsse mir über einiges die Augen öffnen, ehe ich heirate. Und besonders betonte sie, daß von allen, die sich darauf verstehen, den Fremden geraten werde, sich mit solchen einmal angenommenen Geschenken abzufinden, da es nie gelingen könne, sie abzuschütteln; das einzige, was man erreichen könne, sei, aus den Geschenken, die immer noch schlimmstenfalls eine Spur von Freundlichkeit haben, unabschüttelbare Feinde für Lebenszeit zu machen. Das sagte die Wirtin, ich erzähle es nur weiter; die Wirtin weiß alles, und man muß ihr glauben«. Und nun: »›Manches kann man ihr glauben‹, sagte K. ›Das Geschenk ist die Ernennung zum Landvermesser und darum ‚schlimmstenfalls eine Spur von Freundlichkeit‘ und darum ‚unabschüttelbare Feinde für Lebenszeit‘!«« So auf Tod und Leben geht der Kampf. Aber gerade als Fremder hat K. keine Furcht, und wiederum in einer gestrichenen Stelle sagt er zu Olga: »Das Schloß ist schon an sich unendlich viel mächtiger als ihr, trotzdem könnte noch ein Zweifel daran sein, ob es gewinnen wird, das aber nützt ihr nicht aus, sondern *es* ist, als ginge euer ganzes Streben dahin, den Sieg des Schlosses unzweifelhaft sicherzustellen, deshalb fangt ihr plötzlich ganz grundlos mitten im Kampf euch zu fürchten an und vergrößert damit eure Ohnmacht«. Und, wiederum gestrichen, als Olga zu ihm sagt, welch ein Glück sein Kommen für sie gewesen sei, heißt es: »Er war nicht gekommen, um jemandem Glück zu bringen; es stand ihm frei, aus eigenem Willen auch zu helfen, wenn es sich traf, aber niemand sollte ihn als Glücksbringer begrüßen, wer das tat, verwirrte seine Wege, nahm ihn für Dinge in Anspruch, für die er, so gezwungen, niemals zur Verfügung stand, bei bestem Willen seinerseits, konnte er das nicht tun«. Und doch, als er die Stelle als Schuldiener erhielt, mit allen Schwierigkeiten, die in Friedas rätselhaftem Verhältnis zu Klamm und ihrem ebenso rätselhaften Verhältnis zu den Gehilfen liegen, welche wahrscheinlich Abgesandte Klamms sind, da erkennt er: »Deshalb mußte er diese Stellung, welche Frieda einige Sicherheit gab, zu behalten suchen, und es durfte ihn nicht reuen, im Hinblick auf diesen Zweck mehr vom Lehrer zu dulden, als er sonst zu dulden über sich gebracht hätte. Das alles war nicht allzu schmerzlich, es gehörte in die Reihe der fortwährenden kleinen Leiden des Lebens, es war nichts im Vergleich zu dem, was K. erstrebte, und er war nicht hergekommen, um ein Leben in Ehren und Frieden zu führen«.

Alles dies heißt nur, daß K. unbeugbar und der ebenbürtige Gegenspieler des Schlosses ist. So groß die Kraft des Schlosses ist, so groß ist die eigene Schwäche, aber von seinem Blickpunkt aus ist die Kraft des Schlosses Schwäche, vom Blickpunkt des Schlosses aus seine Schwäche Kraft. Wieder ist es die Beziehung zur Heimat, an der die Schwäche zur Kraft erstarkt, in einem ergreifenden Bilde. Als K. nämlich erkennt, daß es nicht so leicht ist, den Weg zum Schloß zu finden und ihn zu gehen, und nicht einmal leicht am Arm des Barnabas, ohne zu wissen wohin, durch die Schneenacht zu stapfen, da geschieht ihm etwas: »Durch die Mühe, welche ihm das bloße Gehen verursachte, geschah es, daß er seine Gedanken nicht beherrschen konnte. Statt auf das Ziel gerichtet zu bleiben, verwirrten sie sich. Immer wieder tauchte die Heimat auf und Erinnerungen an sie erfüllten ihn. Auch dort stand auf dem Hauptplatz eine Kirche, zum Teil war sie von einem alten Friedhof und dieser von einer hohen Mauer umgeben. Nur sehr wenige Jungen hatten diese Mauer schon erklettert, auch K. war es noch nicht gelungen. Nicht Neugier trieb sie dazu, der Friedhof hatte für sie kein Geheimnis mehr. Durch seine kleine Gittertür waren sie schon oft hineingekommen, nur die glatte, hohe Mauer wollten sie bezwingen. An einem Vormittag – der stille, leere Platz war von Licht überflutet, wann hatte K. ihn je früher oder später so gesehen? – gelang es ihm überraschend leicht; an einer Stelle, wo er schon abgewiesen worden war, erkletterte er, eine kleine Fahne zwischen den Zähnen, die Mauer im ersten Anlauf. Noch rieselte Gerölle unter ihm ab, schon war er oben. Er rammte die Fahne ein, der Wind spannte das Tuch, er blickte hinunter und in die Runde, auch über die Schulter hinweg, auf die in der Erde versinkenden Kreuze; niemand war jetzt und hier größer als er. Zufällig kam dann der Lehrer vorüber, trieb K. mit einem ärgerlichen Blick hinab. Beim Absprung verletzte sich K. am Knie, nur mit Mühe kam er nach Hause, aber auf der Mauer war er doch gewesen. Das Gefühl des Sieges schien ihm damals für ein langes Leben einen Halt zu geben, was nicht ganz töricht gewesen war, denn jetzt, nach vielen Jahren in der Schneenacht am Arm des Barnabas, kam es ihm zu Hilfe«. Die Erinnerung an die Heimat, an die Kindheit, dieses Erklettern der Mauer, die Fahne zwischen den Zähnen, mit dem Blick auf die Kreuze des Friedhofs, die eingerammte Fahne, dieser Augenblick, obwohl ihn der Lehrer einfach heruntertreibt, dieses Nichts von einem Etwas wirft das volle Bild des Sieges – Tod, wo ist dein Stachel? – in eine Gegenwart, in der es alles Schwere und Dunkle gibt, nur nicht den Sieg.

Noch einmal taucht die Heimat auf, und zwar in einem besonders überraschenden Zusammenhange, in der tiefsinnigen Episode des 13. Kapitels mit Hans, dem kleinen Jungen des Schusters Brunswick, der, erregt über K.'s Behandlung durch die Lehrerin Gina, in der Schulstunde zu ihm kommt, um ihm seine Hilfe anzubieten. Es stellt sich im Verlauf des wie immer rhythmisch verschlungenen Gesprächs, in dem Hans plötzlich wie Klamm aussieht, »mit aufrechtem Körper, gesenktem Kopf, aufgeworfener Unterlippe«, und dadurch Frieda besonders gefällt, weil sie den Schloßzusammenhang ahnt – es stellt sich heraus, daß er gar nicht K. helfen, sondern ihm nur bei der Arbeit helfen will, und daß er nicht einmal das will, sondern im Gegenteil will, daß K. ihm hilft. Es handelt sich ihm nur um seine Mutter, denn sie ist krank, und man erfährt nicht genau, woran sie leidet. Obwohl das Gespräch mit Hans auf Fortsetzung zielt, ist es nicht sicher, ob hier eine Lücke besteht oder ob Kafka die indirekte und lückenhafte Darstellung gewollt hat, denn auch in dem späteren sehr langen Gespräch zwischen K. und Olga ist von Hansens Mutter die Rede, aber wie man von etwas Bekanntem spricht und ohne Absicht, das Unbekannte zu entwickeln. Die Frau selbst tritt nur einmal in dem Buch in Erscheinung und zwar im ersten Kapitel. Als K. in das Zimmer bei Lasemann eindringt, wo gerade für Groß und Klein ein Waschtag ist und wo er vor Rauch nichts sehen kann, hören wir dies: »Aber noch überraschender, ohne daß man genau wußte, worin das Überraschende bestand, war die rechte Ecke. Aus einer großen Lücke, der einzigen in der Stubenrückwand, kam dort, wohl vom Hof her, bleiches Schneelicht und gab dem Kleid einer Frau, die tief in der Ecke in einem hohen Lehnstuhl fast lag, einen Schein wie von Seide. Sie trug einen Säugling an der Brust. Um sie herum spielten ein paar Kinder, Bauernkinder, wie zu sehen war, sie aber schien nicht zu ihnen zu gehören, freilich Krankheit und Müdigkeit macht auch Bauern fein«. Die bei Kafka so oft vermißte Schönheit strahlt hier auf und, noch stärker, etwas später. Die Bauern distanzieren sich vorsichtig als von einer Ausnahme, sie aber seien kleine Leute und hätten sich nach der Regel zu richten. K. sagt: »Nein, nein, ich habe euch zu danken, Euch und allen hier«. Und dann: »Und unerwartet für jedermann kehrte sich K. förmlich in einem Sprunge um und stand vor der Frau. Aus müden, blauen Augen blickte sie K. an, ein seidenes, durchsichtiges Kopftuch reichte ihr bis in die Mitte der Stirn hinab, der Säugling schlief an ihrer Brust. ›Wer bist du?‹ fragte K. Wegwerfend – es war undeutlich, ob die Verächtlichkeit K. oder ihrer eigenen Antwort galt – sagte sie: ›Ein Mädchen aus dem Schloß‹.« Was bedeutet diese Steigerung der Schönheit ins hoffnungslos Traurige? Es wird klarer werden, wenn man bedenkt, wie in dem Gespräch mit Hans der kleine Junge von dem Vater mit Achtung, von der Mutter aber mit unbedingter Ergebenheit spricht, mit tiefer Sorge. Hier verbindet nun K. seine Bereitschaft, der Frau zu helfen, mit einer merkwürdigen Angabe über sein Vorleben, denn es heißt da: »Dagegen könne vielleicht er, K., diesmal ein wenig helfen, es tue ihm leid, daß Hansens Mutter kränkle und offenbar niemand hier das Leiden verstehe; in einem solchen vernachlässigten Falle kann oft eine schwere Verschlimmerung eines an sich leichten Leidens eintreten. Nun habe er, K., einige medizinische Kenntnisse und, was noch mehr wert sei, Erfahrung in der Krankenbehandlung. Manches, was Ärzten nicht gelungen sei, sei ihm geglückt. Zu Hause habe man ihn wegen seiner Heilwirkung immer ›das bittre Kraut‹ genannt. Jedenfalls würde er gern Hansens Mutter ansehen und mit ihr sprechen. Vielleicht könnte er einen guten Rat geben, schon um Hansens willen täte er es gern«. Er ist also nicht Arzt von Beruf, aber immerhin ist seine Tätigkeit in einem gewissen Grade die des Arztes, und wenn man ihn »das bittre Kraut« nannte, so empfängt seine Person ein Salz, das dem K. des »Prozesses« fehlt, es hilft zum Angriff auf das Schloß, wobei auch Hansens Mutter helfen kann.

Was hier gemeint ist, wird deutlich aus dem entgegengesetzten Verhältnis K.'s zu den Frauen in beiden Romanen. Im »Prozeß« ist es die Aufgabe der Frauen, die Angeklagten zu verführen und von der Erkenntnis ihrer Schuld zu trennen. So Fräulein Bürstner, so die Frau des Gerichtsdieners, so vor allem Leni. Von dieser hat Walter Benjamin als erster beachtet, daß sie als »Sumpfgeschöpf« zwischen zwei Fingern ihrer rechten Hand etwas wie eine Schwimmhaut hat, deren sie als eines »Fehlers« sich bewußt ist. An diese Frauen wendet sich K. um Hilfe, von ihnen glaubt er Wichtiges über seinen Prozeß erfahren zu können. Leni verführt ihn, sie lockt ihn aus dem Zimmer des Advokaten. Sein Onkel hatte ihn dort eingeführt, und zufällig war bei diesem ersten Zusammensein mit dem Advokaten auch ein Kanzleidirektor des Gerichts aus einer Ecke plötzlich aufgetaucht und hatte sich an dem

Gespräch beteiligt, natürlich keineswegs zufällig. K., auf Lenis Verführung eingehend, hat sich unermeßlich geschadet, denn im Gegensatz zum Schloß scheinen die Beamten des Gerichts für die Angeklagten nicht grundsätzlich unsichtbar zu sein, nur daß diese außerstande sind, aus solcher Gegenwart einen Vorteil zu ziehen. Freilich gibt es auch im Schloß sichtbare Beamte aller Art, aber gerade Klamm ist unsichtbar und unerreichbar, und darum schreibt er Briefe an K., die dieser deutet. Vor der Verführung nun fragte Leni K., ob er eine Geliebte habe. Er verneint es, gibt aber dann zu, es vergessen zu haben, und zeigt ihr Elsas Photographie. Diese Photographie, eine Aufnahme nach einem Wirbeltanz in einem Weinlokal, »studiert« Leni, wie es ausdrücklich heißt. Sie findet, daß so große und starke Mädchen oft sanft und gut seien, und fragt K., ob Elsa ihm bereit zu sein scheine, sich für ihn zu opfern. K. verneint es, meint aber, Elsa habe vor Leni den Vorteil, daß sie überhaupt nichts von seinem Prozeß verstehe. Leni hält dies für keinen Vorteil. K., der sich immer an Frauen um Hilfe wendet, verkennt, daß Elsa als einzige ihm helfen könnte, eben darum, weil sie nichts von dem Prozeß versteht, weil sie natürlich dahinlebt in einem dem Gericht entzogenen Lebensverlauf niedriger Sexualität, welcher hilfreich sein könnte, wenn K. diese Quelle ausnützen würde. Leni durchschaut dies genau. Sie ruft, nachdem sie ihn in die Schlammwelt gezogen hat – »jetzt, da sie ihm so nahe war, ging ein bitterer, aufreizender Geruch wie von Pfeffer von ihr aus, sie nahm seinen Kopf an sich, beugte sich über ihn hinweg und biß und küßte seinen Hals, biß selbst in seine Haare« -, triumphierend ruft sie: »Sie haben mich eingetauscht!« Elsas Sexualität, auf welcher Stufe der Moral sie sich vollzöge, gehört nicht zur Schlammwelt, diese ist das Reservat des Gerichts, in einem »Wirbeltanz« lebt Elsa. Leni scheint vom Gericht angestellt zu sein, um durch Schlammwelt-Sexualität in den Angeklagten die Liebeskraft zu zerstören, kraft deren sie »unnachgiebig« sind und das Geständnis verweigern, das abzulegen Leni K. rät. Nach einer mündlichen Äußerung Bubers gibt es eine gnostische Lehre, daß die Dämonen ausgeschickt werden, um in den Planetengöttern die Samenkraft zu zerstören.

Im »Schloß« ist die Bewegung umgekehrt. Alle Frauen – Frieda, die Wirtin, Mizzi, das Mädchen aus dem Schloß – sind gefallene Frauen, aus der Höhe des Schlosses in das Dorf zurückgefallene Frauen, die einmal von Klamm oder einem anderen Beamten »gerufen« und wieder entlassen wurden, und selbst Pepi das Zimmermädchen gehört zu ihnen, nur daß sie noch nicht gerufen wurde, aber auf den Ruf wartet. Amalia ist die ungeheure Ausnahme, sie wurde gerufen, hat aber den Gehorsam verweigert und zieht ihre Eltern, ihre Schwester Olga und ihren Bruder Barnabas mit in ihr Unglück. Selbst sie, als K. sie fragt, ob sie aus dem Dorf stamme und ob sie hier geboren sei, bejaht es, »als habe K. nur die letzte Frage gestellt«. Was sie meint, bleibt rätselhaft. Es scheint, daß sie sich den Mädchen des Dorfes nicht zugehörig fühlt. Olga, die sich den Knechten des Schlosses prostituiert, um in Verbindung mit den Beamten zu kommen, die Amalias Schuld zurücknehmen könnten, ist nicht völlig von Amalias Schuldlosigkeit überzeugt. Alle diese gefallenen Frauen, unheilbar auf das Gewaltige bezogen, das sie dort erlebt haben oder erlebt zu haben glauben, leben in einem Unglück, das sie nicht entfalten können, aber auch in einem angeblichen oder wirklichen Wissen, das sie befähigt, eine Familie zu begründen, um sie matriarchalisch zu beherrschen. K. spürt sofort, daß er nur durch diese Frauen Zugang zum Schloß finden kann, wenn es denn überhaupt möglich sein sollte. Hier entwickelt sich eine dialektische Gegenbewegung, die im »Prozeß« fehlt. Er ist nicht nur bereit, jede dieser Frauen zu verführen, sondern sie selbst, diese Frauen, sind bereit, ihn zu verführen, das wird zwar nicht deutlich ausgesprochen, aber es läßt sich ahnen. Wie er ins Schloß will, wollen sie ins Schloß zurück. Sie warten auf ihn. Im Dorf müssen sie ihr Leben zuende leben, ohne

Erhebung, dumpf, natürlich, in der Familie. K. kann helfen, er ist der Fremde, der zwar kein anderes Ziel hat als jenes, dem sie entfliehen wollen – er will nichts als über das Schloß sich im Dorf verwurzeln –, aber für sie ist er nicht an das Gesetz des Dorfes gebunden. Er ist der Fremde, er ist der Arzt, er ist »das bittere Kraut«, er steht für sie unter dem Zeichen der Kraft, Zugang zum Schloß zu finden und die Ordnung des Dorfes zur Ordnung des Schlosses zu erheben, obwohl zwischen Schloß und Dorf kein Unterschied zu sein scheint, er ist der Erlöser. Nirgends wird es mit einer Silbe gesagt, aber so muß man es lesen, um den verborgenen Sinn manifest zu machen, und vielleicht ist sogar K. für diese Frauen durch das Schloß der Erlöser vom Schloß. Olga sagt zu K.: »Wenn aber ich, K., manchmal den Botendienst herabgewürdigt habe, so geschah es nicht aus der Absicht, dich zu täuschen, sondern aus Angst. Diese zwei Briefe, die durch des Barnabas Hand bisher gegangen sind, sind seit drei Jahren das erste, allerdings noch genug zweifelhafte Gnadenzeichen, das unsere Familie bekommen hat. Diese Wendung, wenn es eine Wendung ist und keine Täuschung – Täuschungen sind häufiger als Wendungen –, ist mit deiner Ankunft hier im Zusammenhang, unser Schicksal ist in eine gewisse Abhängigkeit von dir geraten, vielleicht sind diese zwei Briefe nur ein Anfang und des Barnabas Tätigkeit wird sich über den dich betreffenden Botendienst hinaus ausdehnen – das wollen wir hoffen, solange wir es dürfen –; vorläufig aber zielt alles nur auf dich ab. Dort oben nun müssen wir uns mit dem zufrieden geben, was man uns zuteilt, hier unten aber können wir doch vielleicht auch selbst etwas tun, das ist: deine Gunst uns sichern oder wenigstens vor deiner Abneigung uns bewahren oder, was das Wichtigste ist, dich nach unseren Kräften und Erfahrungen schützen, damit dir die Verbindung mit dem Schloß – von der wir vielleicht leben könnten – nicht verlorengeht«. K. sagt nicht nur, er wolle an Klamm vorbei ins Schloß, sondern er fragt sogar einmal die Wirtin, ob sie etwa für Klamm fürchte. Solche Angriffsgewalt hat von den Frauen nur Amalia. Aber sie ist stumm und geschlagen; K. spricht. Darum hofft sie von ihm das Entscheidende: daß sie selbst sprechen und den Bann brechen könne. Überall in dem Buch sind Lükken, echte, aber auch unechte, von Kafka gewollte. Eine Figur, die nur einmal handelt und dann verstummt, durch die längere Zeit und den langen Roman hin, ist im Dargestellten noch undarstellbar, Lücke in Lücke gefügt, ein Fluch der Gewalten, ein Menschenprotest, in allem nichts, ein Kleid von Scherben ihr Leib, Scherben, die sie mit ungeheurer Anstrengung zusammenhält, um den Gewalten den Triumph, daß sie tot wäre, nicht zu gönnen. Sie lebt und schweigt, die »Wildkatze«. So nennt sie einer der beiden Gehilfen, der es wissen muß, denn diese beiden Gehilfen sind K. vom Schloß zugeteilt. Er erkundigt sich in Friedas Auftrag nach K., der gerade bei Olga ist, diese ruft Amalia zur Hilfe, sie geht vor die Tür und ist sofort wieder zurück, und wer weiß, ob sie ihn nicht abweist, wie sie damals dem Boten die Fetzen von Sortinis Brief ins Gesicht warf, denn ihre jungfräuliche Leidenschaft wurde durch Sortini zur Empörung!

Alle Menschen im »Schloß« urteilen über alle in unendlichem Widerspruch der Begründung und alle über das Schloß und das Schloß über sie. Der Wirbel dieses Urteilswahnsinns ist unendlich und in dieser Unendlichkeit nicht darstellbar, wie ein aufgeschwemmtes Gleichnis nicht darstellbar ist. Der Versuch, es dennoch zu tun, stößt im Scheitern auf eine Frage. Ist die Autorität, die vom Schloß ausgeht, wie vom Gericht, echt oder fiktiv? Die Antworten, die auf diese Frage gegeben wurden, sind bis zur schroffsten Ausschließlichkeit entgegengesetzt. Walter Benjamin schreibt, in seinem Aufsatz über die Parabel »Vor dem Gesetz«: »Der Leser, der ihr im »Landarzt« begegnete, stieß vielleicht auf die wolkige Stelle in ihrem Innern. Aber hätte er die nichtendenwollende Reihe von Erwägungen angestellt, die diesem Gleichnis dort entspringen, wo Kafka seine Auslegung unternimmt? Das geschieht durch den Geistlichen im ›Prozeß‹ – und zwar an einer so ausgezeichneten Stelle, daß man vermuten könnte, der Roman sei nichts als die entfaltete Parabel«. Und weiter: »Das hindert nicht, daß seine Stücke nicht gänzlich in die Prosaformen des Abendlandes eingehen und zur Lehre ähnlich wie die Hagada zur Halacha stehen. Sie sind nicht Gleichnisse und wollen doch auch nicht für sich genommen sein; sie sind derart beschaffen, daß man sie zitieren, zur Erläuterung erzählen kann. Besitzen wir die Lehre aber, die von Kafkas Gleichnissen begleitet und in den Gesten K.s und den Gebärden seiner Tiere erläutert wird? Sie ist nicht da; wir können höchstens sagen, daß dieses und jenes auf sie anspielt«. Halacha ist der normative, Hagada der nicht religionsgesetzliche Teil der mündlichen jüdischen Lehre.[21] Während aber Halacha und Hagada sich von einer zum heiligen Text gewordenen Lehre gleichsam abstoßen, jene als nüchterne und diese als blühende Deutung, ist die Lehre bei Kafka nach Benjamin »nicht da«. Dann ist entweder der Vergleich mit Halacha und Hagada falsch, und jeder Zweifel an Schloß und Gericht erlaubt, oder er ist richtig. Ist er richtig, dann verpflichtet die Lehre als »Anspielung« zu noch vorsichtigerer Zurückhaltung, als sie Benjamin an sich übt, er ergänzt nämlich mit großer Kühnheit jenes »anspielt« durch die Worte: »Kafka hätte vielleicht gesagt: als ihr Relikt sie überliefert. Wir aber können ebensowohl sagen: als ihr Vorläufer vorbereitet«. Die Lehre nämlich, als wenn sie noch nicht da wäre, sondern erst käme! Und dann: »In jedem Falle handelt es sich dabei um die Frage der Organisation des Lebens und der Arbeit in der menschlichen Gemeinschaft«. Das ist ein marxistischer Sprung, den Kafka nicht autorisiert, obwohl es sich gerade im »Schloß« auch um die Frage der Organisation der Arbeit in der menschlichen Gemeinschaft handelt. Dies ist der Sprung von der Deutung zur Praxis, um die Deutung von der Lehre abzulösen und mit der abgelösten die Praxis zu unterbauen. Es mag nicht anders gehen, und daß im Mittelpunkt der Metaphysik der Klassenkampf stehe, hat mir Benjamin einmal im Gespräch als Protest gegen die Philosophie Leo Schestows entwickelt, das bedeutet aber eine Abwendung von der Lehre unter dem Vorwand, sich ihr zu nähern, und gerade Benjamin weiß tief, daß der Charakter der Lehre Schrift ist, wie er auch weiß, daß Kafka auf diese Schrift »anspielt«.

Nichts macht den wenn nicht erfüllten so doch angestrebten Schriftcharakter des »Schlosses« so deutlich wie die verschiedenen Briefe der Schloßbeamten als die einzigen Vehikel der Handlung, während im »Prozeß« solche Briefe fehlen. Die Entscheidungen des Schlosses sind undurchsichtig, die Instanzen selbst teils unsichtbar, teils sichtbar, aber noch die Sichtbarkeit kann täuschen. Die Briefe dieser Instanzen haben Schriftcharakter. Sie sind deutbar und zwar endlos, weil die eine Deutung, die dem Schriftcharakter entspräche, nicht gefunden wird, weder von K. noch von Olga oder Amalia, und sie alle lassen nicht nach, sie zu suchen. Der erste Brief von Klamm wird K. in dem Augenblick übergeben, als er glauben muß, daß ihm jede Möglichkeit versperrt wird, jemals ins Schloß zu gelangen. In seinem Telephongespräch mit dem Schloß hört K. zunächst nichts als Gesang. Wegen dieses Gesanges bezeichnet später der Gemeindevorsteher in seinem Gespräch mit ihm das Telephon als einen »Musikapparat« und sagt: ›Haben Sie schon einmal hier telephoniert, ja? Nun also, dann werden Sie mich vielleicht verstehen. Im Schloß funktioniert das Telephon offenbar ausgezeichnet; wie man mir erzählt hat, wird dort ununterbrochen telephoniert, was natürlich das Arbeiten sehr beschleunigt. Dieses ununterbrochene Telephonieren hören wir in den hiesigen Telephonen als Rauschen und Gesang, das haben Sie gewiß auch gehört. Nun ist aber dieses Rauschen und dieser Gesang das einzig Richtige und Vertrauenswerte, was uns die hiesigen Telephone übermitteln, alles andere ist trügerisch«. Dies ist ein typisches Beispiel dafür, wie Kafka der Hoheit des Schlosses eine Kritik entgegenstellt, die sie keineswegs ironisch zersetzt, sie ist nur für die menschliche Vernunft nicht erreichbar, real ist das Rauschen, real der Gesang. In dem Telephongespräch mit dem Schloß hat K. sich für den »alten Gehilfen« ausgegeben, was das Schloß schreiend abweist. Dann heißt es weiter: »›Wer bin ich also?‹ fragte K., ruhig wie bisher. Und nach einer Pause sagte die gleiche Stimme mit dem gleichen Sprachfehler und war doch wie eine tiefere, achtungswertere Stimme: ›Du bist der alte Gehilfe‹.« Das ist ein überraschend günstiges, vernunftgemäß gar nicht einzusehendes und trügerisches Verhalten des Schlosses, da weit eher einzusehen wäre, daß K. *nicht* der alte Gehilfe ist, und wieder ist der »Sprachfehler« des dort Sprechenden von einer Ironie, die die Autorität der gesprochenen Worte nicht verringert, sondern verstärkt. Dann aber folgt dies: »K. horchte dem Stimmklang nach und überhörte dabei fast die Frage: ›Was willst du?‹ Am liebsten hätte er den Hörer schon weggelegt. Von diesem Gespräch erwartete er nichts mehr. Nur gezwungen fragte er noch schnell: ›Wann darf mein Herr ins Schloß kommen?‹ ›Niemals‹, war die Antwort. ›Gut‹, sagte K. und hing den Hörer an«. Genau in diesem Augenblick des völligen Scheiterns überbringt Barnabas den Brief von Klamm, welchen K. in Gegenwart der Bauern, der Gehilfen und des Boten liest. Er lautet: »Sehr geehrter Herr! Sie sind, wie Sie wissen, in die herrschaftlichen Dienste aufgenommen. Ihr nächster Vorgesetzter ist der Gemeindevorsteher des Dorfes, der Ihnen auch alles Nähere über Ihre Arbeit und die Lohnbedingungen mitteilen wird und dem Sie auch Rechenschaft schuldig sein werden. Trotzdem werde aber auch ich Sie nicht aus den Augen verlieren. Barnabas, der Überbringer dieses Briefes, wird von Zeit zu Zeit bei Ihnen nachfragen, um Ihre Wünsche zu erfahren und mir mitzuteilen. Sie werden mich immer bereit finden, Ihnen, soweit es möglich ist, gefällig zu sein. Es liegt mir daran, zufriedene Arbeiter zu haben«. »Die Unterschrift war nicht leserlich, beigedruckt aber war ihr: Der Vorstand der X. Kanzlei.«

Verweilen wir zunächst bei dem Boten. Herrlich wird er geschildert. »Er war fast weiß gekleidet, das Kleid war wohl nicht aus Seide, es war ein Winterkleid wie alle anderen, aber die Zartheit und Feierlichkeit eines Seidenkleides hatte es. Sein Gesicht war hell und offen, die Augen übergroß. Sein Lächeln war ungemein aufmunternd; er fuhr mit der Hand über sein Gesicht, so als wolle er dieses Lächeln verscheuchen, doch gelang ihm das nicht. ›Wer bist du?‹ fragte K. ›Barnabas heiße ich‹, sagte er. ›Ein Bote bin ich‹.« Dies ist die Schönheit! Viel später erfahren wir durch Olga, des Barnabas Schwester, daß er unter diesem Kleid in Lumpen geht[22], daß er zu der Pariafamilie gehört, daß er gar kein echter Bote ist, daß er zu den eigentlichen Kanzleien des Schlosses keinen Zutritt hat, daß er nur selten Briefe zum Überbringen erhält, daß er sie verspätet überbringt, daß er als Schuster das Brot für seine Familie im Elend verdienen muß und daß *er* seine Hoffnung auf K. setzt. Alles dies hebt die Schönheit nicht auf, und wenn er K. an das »Mädchen aus dem Schloß« erinnert, dessen Kleid »einen Schein wie von Seide« ausstrahlt, so ist dies wahrscheinlich ein Hinweis darauf, daß mit der Schönheit dieser Frau es sich so verhält wie mit der des Barnabas: anders und identisch. K. studiert den Brief sofort in dem leeren, ungelüfteten Dachzimmer, und seine Deutung ist maßlos lang, die Deutung eines kurzen Briefes, dessen Wortlaut klar und verständlich zu sein scheint: ein Vorgesetzter nimmt Anteil an seinem Untergebenen und gibt ihm eben dies zu verstehen. »Er war nicht einheitlich, es gab Stellen, wo mit ihm wie mit einem Freien gesprochen wurde, dessen eigenen Willen man anerkennt, so war die Überschrift, so war die Stelle, die seine Wünsche betraf. Es gab aber wieder Stellen, wo er offen oder versteckt als ein kleiner, vom Sitz jenes Vorstandes kaum bemerkbarer Arbeiter behandelt wurde, der Vorstand mußte sich anstrengen, ›ihn nicht aus den Augen zu verlieren‹, sein Vorgesetzter war der Dorfvorsteher, dem er sogar Rechenschaft schuldig war, sein einziger Kollege vielleicht der Dorfpolizist. Das waren zweifellose Widersprüche, sie waren so sichtbar, daß sie beabsichtigt sein mußten.« Hier beginnt also das Spiel der Widersprüche, die, von einem einheitlichen Willen gelenkt, der alles sieht und abwägt, die unbedingte Autorität Klamms manifestieren, dessen Unterschrift unleserlich ist. K. macht sich über die Unbedingtheit dieser Autorität keine Illusionen. »Den einer solchen Behörde gegenüber wahnwitzigen Gedanken, daß hier Unentschlossenheit mitgewirkt habe, streifte K. kaum. Vielmehr sah er darin eine ihm offen dargebotene Wahl, es war ihm überlassen, was er aus den Anordnungen des Briefes machen wollte, ob er Dorfarbeiter mit einer immerhin auszeichnenden, aber nur scheinbaren Verbindung mit dem Schloß sein wolle oder aber scheinbarer Dorfarbeiter, der in Wirklichkeit sein ganzes Arbeitsverhältnis von den Nachrichten des Barnabas bestimmen ließ. K. zögerte nicht zu wählen, er hätte auch ohne die Erfahrungen, die er schon gemacht hatte, nicht gezögert. Nur als Dorfarbeiter, möglichst weit den Herren vom Schloß entrückt, war er imstande, etwas im Schloß zu erreichen, diese Leute im Dorfe, die noch so mißtrauisch gegen ihn waren, würden zu sprechen anfangen, wenn er, wo nicht ihr Freund, so doch ihr Mitbürger geworden war, und war er einmal ununterscheidbar von Gerstäcker oder Lasemann – und sehr schnell mußte das geschehen, davon hing alles ab –, dann erschlossen sich ihm wie mit einem Schlage alle Wege, die ihm, wenn es nur auf die Herren oben und ihre Gnade angekommen wäre, für immer nicht versperrt, sondern unsichtbar geblieben wären.« Dies ist also das Programm, zu dem K., der eben noch ins Schloß wollte und auch später nicht aufhört, dies zu wollen, hier beim Lesen dieses Briefes sich entscheidet: weit weg vom Schloß als Dorfarbeiter, »ununterscheidbar von Gerstäcker oder Lasemann«, sich zu verwurzeln, also mit eben jenen Bauern, von denen es noch eben beim Erscheinen des Barnabas geheißen hatte: .. »und mit ihren förmlich gequälten Gesichtern – der Schädel sah aus, als sei er oben platt geschlagen worden und die Gesichtszüge hätten sich im Schmerz des Geschlagenwerdens gebildet –, ihren wulstigen Lippen, ihren offenen Mündern zusahen«. Aber nicht darum geht es, so zu sein wie Gerstäkker oder Lasemann, sondern darum, so Arbeiter zu sein wie sie, denn Existenz, die losgelöst wäre von Tätigkeit, kennt das Schloß nicht. »Freilich, eine Gefahr bestand, und sie war in dem Brief genug betont, mit einer gewissen Freude war sie dargestellt, als sei sie unentrinnbar. Es war das Arbeitersein. Dienst, Vorgesetzer, Arbeit, Lohnbestimmungen, Rechenschaft, Arbeiter, davon wimmelte der Brief, und selbst wenn anderes, Persönlicheres gesagt war, war es von jenem Gesichtspunkt aus gesagt. Wollte K. Arbeiter werden, so konnte er es werden, aber dann in allem furchtbaren Ernst, ohne jeden Ausblick anderswohin. K. wußte, daß nicht mit wirklichem Zwang gedroht war, den fürchtete er nicht und hier am wenigsten, aber die Gewalt der entmutigenden Umgebung, der Gewöhnung an Enttäuschungen, die Gewalt der unmerklichen Einflüsse jedes Augenblicks, die fürchtete er allerdings, aber mit dieser Gefahr mußte er den Kampf wagen. Der Brief verschwieg ja auch nicht, daß K., wenn es zu Kämpfen kommen sollte, die Verwegenheit gehabt hatte, zu beginnen; es war mit Feinheit gesagt und nur ein unruhiges Gewissen – ein unruhiges, kein schlechtes – konnte es merken, es waren die drei Worte ›wie Sie wissen‹ hinsichtlich seiner Aufnahme in den Dienst. K. hatte sich gemeldet und seither wußte er, wie sich der Brief ausdrückte, daß er aufgenommen war.«

Wenn man beachtet, welcher Deutung die drei Worte »wie Sie wissen« hier zugänglich sind – ob nämlich die »Aufnahme in den Dienst« von K. ausgegangen ist und ob sie vom Schloß formal bestätigt wurde, gerade weil K. um sie weiß und sie dem Schloß aufgedrungen hat –, so sieht man, in welch eine tiefe Schicht Kafkas Sprache reicht, die auf der Oberfläche klar und deutlich ist. Indem die Unendlichkeit der

Deutungsmöglichkeiten und die eine Deutung, die die richtige wäre, schroff und unversöhnlich sich gegenüberstehen, kann die Frage von hier aus nicht beantwortet werden. »Tiefe ist, bis wohin das Licht reicht«, dies hat Franz Blei gerade im Zusammenhang mit Kafka, zu dessen frühesten Bewunderern er gehörte, überzeugend und warnend geschrieben. Andererseits kann der Sinn in den Maßnahmen des Schlosses nicht anders erfaßt werden als im Wege der Deutung, es sei denn durch einen Sprung, und warum sollte der Leser klüger als K. sein, der ja niemals die Autorität des Schlosses bezweifelt, obwohl er niemals verfehlt, die sichtbare Schäbigkeit seines Verhaltens ins Licht zu rücken? Der Sprung wäre so zu verstehen, daß der Leser den Schriftcharakter dieser Briefe anerkennt: daß man sie zwar als schwer verstehbare Erzeugnisse der Vernunft deuten muß, daß sie aber als Schrift keiner Deutung bedürfen, oder erst dann, wenn die Verbindlichkeit dieses Schriftcharakters anerkannt ist. Die esoterische Schrift fällt mit der exoterischen Deutung in der Unendlichkeit zusammen, und die Lehre wird verständlich und anwendbar. Davon hat K. freilich nicht viel. Einstweilen ist es noch so, wie es in einem Fragment des Anhangs heißt: .. »und er kennt sich theoretisch in der Beamtenschaft vielleicht besser aus als wir, darin ist er bewunderungswürdig; aber wenn er das Wissen anwenden soll, kommt er irgendwie in falsche Bewegung, er dreht sich wie im Kaleidoskop, er kann es nicht anwenden, es äfft ihn. Es geht schließlich doch alles wahrscheinlich darauf zurück, daß er kein Hiesiger ist. Darum kommt er wohl auch in seiner Sache nicht vorwärts. Ihr wißt doch: er behauptet von unserem Grafen als Landvermesser hierher berufen worden zu sein; es ist das in ihren Einzelheiten eine sehr phantastische Geschichte, die ich hier jetzt nicht anschneiden will, kurz, er ist als Landvermesser berufen und will es nun auch hier sein«.

Mit K.'s Deutung ist der Brief nicht abgetan. Klamm hatte K. an den Gemeindevorsteher verwiesen. In dem großen Gespräch mit diesem, das durch das gleichzeitige Wüten der Gehilfen in den Akten und die komische Darstellung des Amtsweges einen lächerlichen Schein auf das Schloß wirft, ohne im ganzen lächerlich zu sein[23], wundert sich K. darüber, daß der Gemeindevorsteher immer von seiner bevorstehenden Aufnahme spricht, er sei doch schon aufgenommen, und dann zeigt er ihm Klamms Brief. »›Klamms Brief‹, sagte der Vorsteher. ›Er ist wertvoll und ehrwürdig durch Klamms Unterschrift, die echt zu sein scheint, sonst aber – doch ich wage es nicht, mich allein zu äußern.‹« Dann ruft er seine Frau zu Hilfe, und wir lesen: »Mizzi kam und sah nun noch grauer und unscheinbarer aus, als sie auf dem Bettrand saß und sich an den starken, lebenerfüllten Mann drückte, der sie umfaßt hielt. Nur ihr kleines Gesicht fiel jetzt im Kerzenlicht auf, mit klaren, strengen, nur durch den Verfall des Alters gemilderten Linien. Kaum hatte sie in den Brief geblickt, faltete sie leicht die Hände. ›Von Klamm‹, sagte sie.« Für K. war Klamms Unterschrift unleserlich, für den Vorsteher scheint sie echt zu sein, Mizzi bestätigt sofort die Echtheit durch ein leichtes Falten der Hände. Offenbar ist auch sie ein Mädchen aus dem Schloß, und die Wirtin sagt später zu K., der Vorsteher komme nicht in Betracht, seine Frau sei alles. Genau so wird sie geschildert, auch von ihr geht Schönheit aus, und das Falten der Hände beim Anblick von Klamms Brief meint unzweideutig den heiligen Charakter dieses Briefes. Darauf deutet auch unmittelbar vor K.'s Weggehen, als er mit seinem letzten Wort »ich will keine Gnadengeschenke vom Schloß, sondern mein Recht« einen sehr schlechten Eindruck macht, die folgende Stelle: »›Mizzi‹, sagte der Vorsteher zu seiner Frau, die noch immer an ihn gedrückt dasaß und traumverloren mit Klamms Brief spielte, aus dem sie ein Schiffchen geformt hatte, erschrocken nahm es ihr K. jetzt fort. ›Mizzi, das Bein fängt mich wieder zu schmerzen an, wir werden den Umschlag erneuern müssen‹.« Beide beraten sich flüsternd und kommen überein in ihrer Meinung, welche der Vorsteher als großen Coup K. mitteilt: »Mizzi ist völlig meiner Meinung und nun kann ich es wohl auszusprechen wagen. Dieser Brief ist überhaupt keine amtliche Zuschrift, sondern ein Privatbrief. Das ist schon an der Überschrift: ›Sehr geehrter Herr!‹ deutlich erkennbar. Außerdem ist darin mit keinem Wort gesagt, daß Sie als Landvermesser aufgenommen sind, es ist vielmehr nur im allgemeinen von herrschaftlichen Diensten die Rede und auch das ist nicht bindend ausgesprochen, sondern Sie sind nur aufgenommen ›wie Sie wissen‹, das heißt, die Beweislast dafür, daß Sie aufgenommen sind, ist Ihnen auferlegt. Endlich werden Sie in amtlicher Hinsicht ausschließlich an mich, den Vorsteher, als Ihren nächsten Vorgesetzten verwiesen, der Ihnen alles Nähere mitteilen soll, was ja zum größten Teil schon geschehen ist. Für einen, der amtliche Zuschriften zu lesen versteht und infolgedessen nichtamtliche Briefe noch besser liest, ist das alles überdeutlich. Daß Sie, ein Fremder, das nicht erkennen, wundert mich nicht. Im Ganzen bedeutet der Brief nichts anderes, als daß Klamm persönlich sich um Sie zu kümmern beabsichtigt für den Fall, daß Sie in herrschaftliche Dienste aufgenommen werden«.

Es ist beispiellos, daß auch die Worte »Sehr geehrter Herr!«, die K. natürlich überlesen hatte, einer Deutung fähig waren, und nun hat der Brief ein völlig anderes und wie es scheint völlig negatives Gesicht, und dieses Verfahren der Deutung erinnert im Negativen an eine positiv gemeinte kabbalistische Lehre, nach der im messianischen Zeitalter ein bisher unsichtbarer Buchstabe sichtbar werden und der Tora einen gänzlich neuen Sinn geben würde.[24] K. zieht aus den Worten des Vorstehers sofort die negative Konsequenz. »›Sie deuten, Herr Vorsteher‹, sagte K., ›den Brief so gut, daß schließlich nichts anderes übrig bleibt als die Unterschrift auf einem leeren Blatt Papier. Merken Sie nicht, wie Sie damit Klamms Namen, den Sie zu achten vorgeben, herabwürdigen‹.« Aber er wird schlagend widerlegt! »›Das ist ein Mißverständnis‹, sagte der Vorsteher. ›Ich verkenne die Bedeutung des Briefes nicht, ich setze ihn durch meine Auslegung nicht herab, im Gegenteil. Ein Privatbrief Klamms hat natürlich viel mehr Bedeutung als eine amtliche Zuschrift; nur gerade die Bedeutung, die *Sie* ihm beilegen, hat er nicht‹.« Und später sagt er noch dies: »Ich sagte es schon gelegentlich des Klammschen Briefes; alle diese Äußerungen haben keine amtliche Bedeutung; wenn Sie ihnen amtliche Bedeutung zuschreiben, gehen Sie in die Irre; dagegen ist ihre private Bedeutung in freundschaftlichem oder feindlichem Sinne sehr groß, meist größer, als eine amtliche Bedeutung jemals sein könnte.« Dies ist der fundamentale, wahrhaft esoterische Unterschied: das Schloß als solches hat Amtscharakter, und Klamms Privatperson, obwohl sie besteht, ist nicht faßbar, sie wirkt, wie der Brief es zeigt, als Täuschung. Das zeigen mit aller Schärfe zwei gestrichene Stellen. Als die Wirtin von der Urkunde ihrer Heirat erzählt und von ihrer Verzückung damals über Klamms Unterschrift, wie sie »den teueren Namen wieder und wieder las«, da sagt K.: »Nun, eine solche Anfrage habe ich nicht gemeint, nichts Amtliches überhaupt, nicht mit dem Beamten Klamm muß man sprechen, sondern mit der Privatperson. Das Amtliche ist ja hier meistens verfehlt; wenn Sie zum Beispiel heute, wie ich, die Gemeinderegistratur auf dem Fußboden gesehen hätten!« So muß es K. sehen, das Amtliche kann er nicht durchdringen, er klammert sich an die Privatperson. Die Wirtin sieht es anders, und sie sagt: »Nun, von einem wirklichen Beamten kann man nicht sagen, daß er einmal mehr, einmal weniger Beamter ist, sondern er ist immer in ganzer Fülle Beamter. Aber um Sie wenigstens auf die Spur des Verständnisses zu führen, will ich diesmal davon absehen, und kann dann sagen: Niemals war er mehr Beamter, als damals in den Zeiten meines Glücks, und ich und Frieda sind darin einig: niemanden lieben wir als den Beamten Klamm, den hohen, den überaus hohen Beamten«.

Das ganze Gespräch über den Brief wirft auf die Frage der

Anstellung ein zweideutig neues Licht. K. sieht es so: »›Gut‹, sagte K., ›angenommen, daß sich alles so verhält, dann hätte ich also eine Menge guter Freunde im Schloß; genau besehen, war schon damals vor vielen Jahren der Einfall jener Abteilung, man könnte einmal einen Landvermesser kommen lassen, ein Freundschaftsakt mir gegenüber und in der Folgezeit reihte sich dann einer an den anderen, bis ich dann, allerdings zu bösem Ende, hergelockt wurde und man mir mit dem Hinauswurf droht‹.« Darauf erwidert der Vorsteher einleitend mit großer Ironie und dann mit ebenso großem Ernst dies: »Es ist eine gewisse Wahrheit in Ihrer Auffassung, Sie haben darin recht, daß man die Äußerungen des Schlosses nicht wortwörtlich hinnehmen darf. Aber Vorsicht ist doch überall nötig, nicht nur hier, und desto nötiger, je wichtiger die Äußerung ist, um die es sich handelt. Was Sie dann aber vom Herlocken sagten, ist mir unbegreiflich. Wären Sie meinen Ausführungen besser gefolgt, dann müßten Sie doch wissen, daß die Frage Ihrer Hierherberufung viel zu schwierig ist, als daß wir sie hier im Laufe einer kleinen Unterhaltung beantworten könnten«. Hier ist in K.'s Worten die Behauptung bemerkenswert, das Schloß habe ihn »hergelockt«, und der Vorsteher besteht nun ebenso abweisend wie ausweichend darauf, daß diese Frage »zu schwierig« sei, um in einer »kleinen Unterhaltung« gelöst zu werden. Es sieht so aus, als wenn diese Schwierigkeit, das eigentliche Thema, in dem ganzen Buch, wie es fragmentarisch vorliegt, nicht behoben wird. Wenn der Vorsteher darin K. recht gibt, daß man die Äußerungen des Schlosses nicht »wortwörtlich« nehmen dürfe, so zeigt sich in dieser ironischen Umdrehung des Wortwörtlichen wieder die Unfähigkeit des Menschen, mit seinen Deutungen den Schriftcharakter der Entscheidungen des Schlosses zu durchdringen: natürlich muß man die Äußerungen des Schlosses wortwörtlich nehmen. Und K. kann nur als Ergebnis feststellen, »daß alles sehr unklar und unlösbar ist, bis auf den Hinauswurf«. Daß abschließend das Schloß, durch den Mund des Vorstehers, ihn weder hinauswirft noch zurückhält, ist die äußerste Form des Entgegenkommens, dessen es fähig ist, eines Entgegenkommens, das K. einfach konstitutiv nicht verstehen kann.

Am Ende des großartigen achten Kapitels, in dem K. vergeblich die Abfahrt Klamms aus dem Gasthof erwartet, um ihn anzusprechen, in einem ebenso komischen wie tragischen Mißlingen, da schien es ihm, »als habe man nun alle Verbindung mit ihm abgebrochen und als sei er nun freier als jemals und könne hier auf dem ihm sonst verbotenen Ort warten, solange er wolle, und habe sich diese Freiheit erkämpft, wie kaum ein anderer es könnte, und niemand dürfe ihn anrühren oder vertreiben, ja kaum ansprechen; aber – diese Überzeugung war zumindest ebenso stark – als gäbe es gleichzeitig nichts Sinnloseres, nichts Verzweifelteres als diese Freiheit, dieses Warten, diese Unverletzlichkeit«. Es folgt dann das neunte Kapitel, in dem K. das Protokoll verweigert, das Momus mit ihm aufnehmen will, und das zehnte Kapitel beginnt mit den Worten: »Auf die wild umwehte Freitreppe trat K. hinaus und blickte in die Finsternis. Ein böses, böses Wetter«. In dieser Finsternis sieht er zwei schwankende Lichter, es sind die Gehilfen, deren Anblick ihn enttäuscht, aber durch sie hindurch kommt Barnabas mit einem zweiten Brief von Klamm. Er lautet: »Dem Herren Landvermesser im Brückenhof! Die Landvermesserarbeiten, die Sie bisher ausgeführt haben, finden meine Anerkennung. Auch die Arbeiten der Gehilfen sind lobenswert, Sie wissen sie gut zur Arbeit anzuhalten. Lassen Sie nicht nach in Ihrem Eifer! Führen Sie die Arbeiten zu einem guten Ende. Eine Unterbrechung würde mich erbittern. Im übrigen seien Sie getrost, die Entlohnungsfrage wird nächstens entschieden werden. Ich behalte Sie im Auge«. Dies ist ein ungeheuerliches Schriftstück, denn es hebt K.'s Identität auf, indem es sich auf einen Landvermesser bezieht, der K. höchstens formal wäre, und selbst das ist ungewiß. Dabei scheint es im Gegensatz zu dem ersten

Brief, nach der Anrede zu schließen, kein Privatbrief zu sein. K. widerlegt den Inhalt des Briefes Satz für Satz vor Barnabas, im Lichte seiner freilich nicht ausreichenden Vernunft, so: »Der Herr ist falsch unterrichtet. Ich mache doch keine Vermesserarbeit, und was die Gehilfen wert sind, siehst du selbst. Und die Arbeit, die ich nicht mache, kann ich freilich auch nicht unterbrechen, nicht einmal die Erbitterung des Herrn kann ich erregen, wie sollte ich seine Anerkennung verdienen! Und getrost kann ich niemals sein«. Wie steht der Trostlosigkeit dieser Äußerung das »getrost« des Briefes gegenüber, dessen Trost noch gesteigert wird durch das vorhergehende »erbittern«, als wenn eine zum Schlag ausholende Faust sich öffnete und die erwünschte Gabe enthielte! K. deutet zwar den Brief gänzlich negativ, ist aber dennoch ungebrochen. Diese Ungebrochenheit kann nicht von dem Brief kommen, sie kommt von seiner Natur. Wie er nun gleichsam zum Gegenschlag ausholt, entsteht der paradoxe Eindruck, daß er doch von dem Brief beeindruckt ist. Wie sollte er auch nicht von ihm beeindruckt sein! Er hat ja in all seiner Widersinnigkeit der Mitteilung, wenn man diese am Maßstab der Vernunft mißt, dem einzigen, den es für K. geben kann – er hat ja einen überzeugenden Klang der Wahrheit. Der unheimliche Eindruck der Briefe Klamms in ihrer Mischung aus Sinn und Unverständlichkeit, besonders der des zweiten, scheint daher zu kommen, daß hier nicht Mitteilung vorliegt, sondern Sprache, Sprache höheren Grades, welche die Wahrheit zugleich ausstrahlt und unterdrückt. Sie ist unanwendbar, weil man von ihr nur die Mitteilung aufnehmen kann, nicht die Sprache selbst, in der jeder Widerspruch der Mitteilung entweder gut aufgehoben oder schlechthin nicht vorhanden ist.[25] K. muß diese Sprache hinter allem Nichtverstehen mindestens ahnen. Er antwortet auf den Brief mit einem Gegenbrief an Klamm, den Barnabas diesem sofort überbringen soll, und er will es auch und verspricht, sein Bestes zu tun, und doch bietet dies leider gar keine Sicherheit. Es ist, damit dieser Brief nicht »den unendlichen Aktenweg« gehe, zwar nur eine mündliche Botschaft, die Barnabas sofort auswendig kann, K. kritzelt sie zur Vorsicht noch einmal auf einen Zettel und schreibt dabei auf dem Rücken eines Gehilfen. Das gibt, wie so oft bei Kafka, ein unvergeßliches Bild, wie alles eigentlich Dichterische entsteht es gleichsam nebenbei, mit der linken Hand geschrieben. Dies ist der Auftrag: »Der Landvermesser K. bittet den Herrn Vorstand, ihm zu erlauben, persönlich bei ihm vorzusprechen; er nimmt von vornherein jede Bedingung an, welche an eine solche Erlaubnis geknüpft werden könnte. Zu seiner Bitte ist er deshalb gezwungen, weil bisher alle Mittelspersonen vollständig versagt haben, zum Beweis führt er an, daß er nicht die geringste Vermesserarbeit bisher ausgeführt hat und nach den Mitteilungen des Gemeindevorstehers auch niemals ausführen wird, mit verzweifelter Beschämung hat er deshalb den letzten Brief des Herrn Vorstandes gelesen, nur die persönliche Vorsprache beim Herrn Vorstand kann hier helfen. Der Landvermesser weiß, wieviel er damit erbittet, aber er wird sich anstrengen, die Störung dem Herrn Vorstand möglichst wenig fühlbar zu machen, jeder zeitlichen Beschränkung unterwirft er sich, auch einer etwa als notwendig erachteten Festsetzung der Zahl der Worte, die er bei der Unterredung gebrauchen darf, schon mit zehn Worten glaubt er auskommen zu können. In tiefer Ehrfurcht und äußerster Ungeduld erwartet er die Entscheidung«. Nach dem, was man durch Olga über die bodenlose Stellung des Barnabas im Schloß erfährt, ist es nicht sicher, ob dieser je dazu kommen wird, die Botschaft Klamm zu überbringen, und ob sie die gewünschte Wirkung auf Klamm ausüben würde, falls er sie anhörte, wie es nicht einmal sicher ist, wie Klamm wirklich aussieht. Auch findet K. selbst die Botschaft, unmittelbar nachdem er sie formuliert hat, viel länger, als er dachte, aber alles dies ist nicht entscheidend. Entscheidend ist K.'s Reaktion auf Klamms Brief in der Form einer eigenen Aktion, unabhängig von der fehlgeschlagenen Begegnung mit Klamm, unabhängig von seinem Verhalten gegen Momus, unabhängig von seiner man weiß nicht ob nur subjektiv oder auch objektiv hoffnungslosen Lage, als wenn Prometheus nicht die Götter verfluchte, sondern trotz des Adlers gerade mit ihm über seine Freilassung verhandelte. Darum kann K. zu Olga sagen: »Denn wir haben ja die Briefe in der Hand, denen ich zwar nicht viel traue, aber viel mehr als des Barnabas Worten. Mögen es auch alte, wertlose Briefe sein, die wahllos aus einem Haufen genau so wertloser Briefe herausgezogen wurden, wahllos und mit nicht mehr Verstand, als die Kanarienvögel auf den Jahrmärkten aufwenden, um das Lebenslos eines Beliebigen aus einem Haufen herauszupicken, mag das so sein, so haben diese Briefe doch wenigstens irgendeinen Bezug auf meine Arbeit; sichtlich sind sie für mich, wenn auch vielleicht nicht für meinen Nutzen bestimmt; sind, wie der Gemeindevorsteher und seine Frau bezeugt haben, von Klamm eigenhändig gefertigt und haben, wiederum nach dem Gemeindevorsteher, zwar nur eine private und wenig durchsichtige, aber doch eine große Bedeutung«. Entscheidend ist vor allem, daß K. sich auf Klamms Boden begibt, daß er, der mit »zehn Worten« im Gespräch auskommen will, dessen Sprachgewalt anerkennt, ein Wort, das hier einen ganz neuen Sinn empfängt, der nur für diese Sphäre erschaffen zu sein scheint. Barnabas aber, der allen Wünschen K.'s mit der ihm eigenen Sanftheit entgegenkommt, tut es, wie sich nun herausstellt, nur zu dem Zwecke, daß K. seine Schwestern besuche, besonders Amalia. Dies tut K. denn auch und erhält von Amalia die endgültige Aufklärung über das Schloß und vor allem über ihr Geheimnis. Hier gibt es noch eine rätselhafte, nirgends aufgeklärte Unklarheit, welche zu den vielen verschlossenen Stellen des Buches gehört. Barnabas sagt nämlich, Amalia habe ihm auch heute diesen Brief aus dem Schloß gebracht. Als nun K. sofort vorschlägt, Amalia allein oder mit Barnabas zusammen möge seine Botschaft ins Schloß bringen, lehnt Barnabas diesen Vorschlag mit der Begründung ab, Amalia dürfe die Kanzleien nicht betreten. Woher sie also diesen Brief hat, bleibt dunkel, wenn man nicht annehmen will, daß Barnabas, der sich ja wirklich gänzlich auslöscht, die Briefe aus dem Schloß zuerst seinen Schwestern bringt, die sie früher als K. läsen. Das ließe sich halten, aber auch die schlechthin wahnwitzige Annahme, nach Kafkas Wortlaut am Schluß des zehnten Kapitels, Amalia sei wirklich *im* Schloß gewesen.

Der Beamte Sortini erscheint im Gegensatz zu Klamm im vollen Schrecken seiner Sichtbarkeit, er springt bei dem Feuerwehrfest über die Deichsel, um Amalia anzusehen, verschwindet dann aber auch zu völliger Unsichtbarkeit. Mit seinem Brief an Amalia diktiert er Unglück. Olga hat diesen Brief gelesen, und auf K.'s Frage nach dem Inhalt sagt sie: »Der Brief war von Sortini, adressiert war er an das Mädchen mit dem Granatenhalsband. Den Inhalt kann ich nicht wiedergeben. Es war eine Aufforderung, zu ihm in den Herrenhof zu kommen, und zwar sollte Amalia sofort kommen, denn in einer halben Stunde mußte Sortini wegfahren. Der Brief war in den gemeinsten Ausdrücken gehalten, die ich noch nie gehört hatte und nur aus dem Zusammenhang halb erriet. Wer Amalia nicht kannte und nur diesen Brief gelesen hatte, mußte das Mädchen, an das jemand so zu schreiben gewagt hatte, für entehrt halten, auch wenn sie gar nicht berührt worden sein sollte. Und es war kein Liebesbrief, kein Schmeichelwort war darin, Sortini war vielmehr offenbar böse, daß der Anblick Amalias ihn ergriffen, ihn von seinen Geschäften abgehalten hatte«. Die große Besonderheit dieses Briefes besteht zunächst darin, daß Kafka ihn nur umschreibt, aber nicht wagt, ihn zu schreiben, wo doch Dostojewski die Beichte Stawrogins aus den »Dämonen« geschrieben und nur aus Furcht vor der Zensur nicht veröffentlicht hat. Daß bei Kafka Furcht vor der Zensur bestanden hätte, ist nicht anzunehmen, da er beim Schreiben kaum an Veröffentlichung gedacht hat und da es für Bücher dieser Art kaum eine Zensur gab.

Die erschienene Erzählung »In der Strafkolonie« war schlimm genug. Er hatte wahrscheinlich Furcht vor sich selbst, da er sich an der Grenze des Ausdrückbaren fühlen mußte, wenn er vor der Aufgabe stand, das Obszöne im Munde der höchsten Autorität als nicht obszön wirken zu machen. Daß dieser Brief von der Betroffenen, die ihn als obszön empfinden muß, als nicht obszön verstanden werden soll, jenseit jeder moralischen Bewertung, daran kann so wenig ein Zweifel sein wie an dem unüberbrückbaren Spalt, der hier sich auftut und Amalia in das Unglück des Nichtverstehens, des Schweigens und des Trotzes verschließt. Wenn Kafka diesen Brief gedacht hätte, so hat er ihn verschwiegen; wenn er ihn geschrieben hätte, so hat er ihn vernichtet. Aber den »abgebrochenen Schlußsatz« teilt Olga mit: »Daß du also gleich kommst, oder –!« Daran ist nicht zu rütteln, der Satz ist eindeutig wie die Drohung, die einer wahrmachen kann, welcher über die nötigen Machtmittel verfügt und sie auch wirklich in Bewegung setzt, als Amalia nicht kommt, es ist dieselbe furchtbare Sprachgewalt wie die eines Klamm, die sich hier nicht zurückhält, sondern vorstößt. Sofort setzen die Deutungen ein. Olga sagt: »Wir legten es uns später so zurecht, daß Sortini wahrscheinlich gleich abends hätte ins Schloß fahren wollen, nur Amalias wegen im Dorf geblieben war und am Morgen voll Zorn darüber, daß es ihm auch in der Nacht nicht gelungen war, Amalia zu vergessen, den Brief geschrieben hatte. Man mußte dem Brief gegenüber zuerst empört sein, auch die Kaltblütigste, dann aber hätte bei einer anderen als Amalia wahrscheinlich vor dem bösen, drohenden Ton die Angst überwogen, bei Amalia blieb es bei der Empörung, Angst kennt sie nicht, nicht für sich, nicht für andere«. K. spricht von »Mißbrauch der Macht«, und allerdings »zögernd« sagt er: »Das sind also die Beamten, solche Exemplare findet man unter ihnen«. Olga überhört diese Einwände, welche K. noch weiter ausspinnt, denn nach Amalias Empörung ist ohne jede Anklage der schweigende Fluch des Schlosses über die ganze Familie gekommen, und sie kommt zu gleichsam unberührbaren Parias herunter, darum ist für Olga nicht der Inhalt entscheidend und nicht das Zerreißen des Briefes vor dem Boten, sondern einzig, daß Amalia dem Schreiber des Briefes den Gehorsam verweigert hat –: daß sie nicht zu ihm gegangen ist. Darum sagt sie: »Ich kenne niemanden, der so fest im Recht wäre wie Amalia bei allem, was sie tut. Wäre sie in den Herrenhof gegangen, hätte ich ihr freilich ebenso recht gegeben; daß sie aber nicht gegangen ist, war heldenhaft«. Man sieht schon hier, wie für Olga den Brief verstehen wollen heißt: die Autorität des Schreibers als selbstverständlich vorauszusetzen. Der Inhalt des Briefes an sich ist für sie entscheidend, nicht der obszöne Inhalt, welcher immer mehr zur Bagatelle wird, denn ihre Überzeugung ist tausend Gegengründe durchbrechend doch die, daß Amalia wahrscheinlich falsch hat handeln müssen, daß sie aber unter allen Umständen falsch gehandelt hat. Dies führt sie zu der Konsequenz der Erkenntnis, daß man »schlimmstenfalls über Frieda lachen«, könne, »Amalia aber kann man, wenn man nicht durch Blut mit ihr verbunden ist, nur verachten«. K. wendet ein, hier sei immerhin ein Unterschied, denn Frieda habe doch Klamm geliebt und liebe ihn noch heute. Da sagt Olga: »Glaubst du, Klamm hätte Frieda nicht ebenso schreiben können? Wenn die Herren vom Schreibtisch aufstehen, sind sie so, sie finden sich in der Welt nicht zurecht, sie sagen dann in der Zerstreutheit das Allergröbste, nicht alle, aber viele. Der Brief an Amalia kann ja in Gedanken, in völliger Nichtachtung des wirklich Geschriebenen auf das Papier geworfen worden sein. Was wissen wir von den Gedanken der Herren!« Und dann: »Von Klamm ist es bekannt, daß er sehr grob ist; er spricht angeblich stundenlang nicht, und dann sagt er plötzlich eine derartige Grobheit, daß es einen schaudert. Von Sortini ist das nicht bekannt, wie er ja überhaupt sehr unbekannt ist. Eigentlich weiß man von ihm nur, daß sein Name dem Sordinis ähnlich ist; wäre nicht diese Namensähnlichkeit, würde man ihn wahrscheinlich gar nicht kennen. Auch als Feuerwehrmann verwechselt man ihn wahrscheinlich mit Sordini, welcher der eigentliche Fachmann ist und die Namensähnlichkeit ausnützt, um besonders die Repräsentationspflichten auf Sortini abzuwälzen und so in seiner Arbeit ungestört zu bleiben«.

Diese Verwechslung Sortinis mit Sordini schließt den Schriftcharakter des Briefes mit unheimlicher Deutlichkeit auf. Daß die Namen der Menschen bei Kafka etwas zu bedeuten haben, ist schon oft bemerkt worden. Max Brod führt wenn auch fragend den Namen Klamms auf die griechische Ananke zurück. Das könnte der Sache nach richtig sein, weniger dem Sprachklang nach. Das Wort selbst gibt einen Fingerzweig für den gemeinten Sinn: klamm ist einer, der vor Kälte sich zusammendrückt, und gerade die Ananke ist kalt und wenn man will auch Klamm. Samsa in der »Verwandlung« ist nach der Silbenzahl wie nach der Entsprechung der Konsonanten und der Vokale: Kafka. Karl Rossmann in »Amerika« ist kein Halbmensch, sondern ein Mann, der kühn wie ein Roß ist und darum ein Mann, der zwar ein Mensch ist, aber ein solcher, den die Gesellschaft ausstoßen muß. Sie ist ihrem Wesen nach alles, nur nicht kühn, sie ist beharrend, sie ist träge, und Karl Rossmann ist seinem Wesen nach alles, nur nicht träge, vielleicht sogar alles nicht, aber er ist kühn wie ein Roß, er heißt eben nicht Pferdmann. Wese im »Brudermord« ist ein um einen Buchstaben verkürztes, ein unvollkommenes Wesen und darum zum Opfer geeignet, Schmar eben da vielleicht ein Schmarren von einem Mordmenschen. In Sortini aber steckt das Schicksal (französisch: sort) und in Sordini der Schmutz (französisch: sordide = schmutzig). Der Tiefsinn der Intention kommt hier nicht von dem Namen an sich, er kommt von der Verwechslung der Namensträger. Indem Sordini der eigentliche Fachmann für die Feuerwehr ist, aber die Ähnlichkeit der Namen benutzt, um in den ihm lästigen Repräsentationspflichten sich von Sortini vertreten zu

lassen, wird der Schmutz zum Schicksal: es tritt in den For
men des Schmutzes auf. Die Feuerwehr, die Brände löscht
erregt in dem unzuständigen Fachmann, der mit der voller
Gewalt des zuständigen Schicksals über die Deichsel des Sprit-
zenwagens springt, den Brand. Ihn soll nicht das reine, un-
schuldige Mädchen löschen, sondern nur ihr Gehorsam. Der
verweigert sie, darum ist sie geschlagen. Sie hat keinen Fürsprecher, nicht einmal Olga.

Es ist nun nicht mehr verwunderlich, daß Olga in ihrer Deutung des Unverständlichen langsam dazu übergeht, Klamm
in seiner Beziehung zu den Frauen für bedenklicher zu halten
als Sortini, und ihr Nichtwissen steigert den Deutungsdrang
zu einem Motivationswahn, der noch immer tiefen Sinn
mitteilt, ausgenommen den grundsätzlich verschlossenen. Um
diesen weiß vielleicht Amalia und bezahlt ihr Wissen mit ihrem Schweigen. Sie ist um genau so viel klüger als Olga,
wie sie weniger spricht und eigentlich auch ihre Worte noch
dem Schweigen entspringen. Als sie in ihrem Gespräch mit
K. behauptet, Olga liebe ihn, und als K. dies für einen Irrtum hält, da heißt es: »Amalia lächelte, und dieses Lächeln,
obwohl es traurig war, erhellte das düster zusammengezoge-
ne Gesicht, machte die Stummheit sprechend, machte die
Fremdheit vertraut, war die Preisgabe eines Geheimnisses,
die Preisgabe eines bisher gehüteten Besitzes, der zwar wieder zurückgenommen werden konnte, aber niemals mehr
ganz«. Dies ist das Lächeln des Schweigens, die Blüte der Vernunft in einem geschlagenen Mädchen, und so ausdrucksstark
ist dieses Lächeln, daß noch ihre eigene Liebe zu K. darin
aufbewahrt ist. Olga vergleicht Klamm mit Sortini, und dieser Vergleich fällt zu Klamms Ungunsten aus. Dann sagt sie:
»Wenn nun ein solcher weltungewandter Mann wie Sortini
plötzlich von Liebe zu einem Dorfmädchen ergriffen wird, so
nimmt das natürlich andere Formen an, als wenn der Tisch-
lergehilfe von nebenan sich verliebt. Auch muß man doch be-
denken, daß zwischen einem Beamten und einer Schustertoch-

ter doch ein großer Abstand besteht, der irgendwie überbrückt werden muß, Sortini versucht es auf diese Art, ein anderer mag's anders machen«. Der Deutungszwang, der Sortini rechtfertigt, stößt geradezu auf die Aufrichtigkeit dieses Briefschreibers, denn »wenn Klamm einen zarten Brief schreibt, ist es peinlicher als der gröbste Brief Sortinis«. Dieser Brief wird also nur noch als »grob« bezeichnet, und Grobheit ist Sache des Temperaments und ein Verhalten, das die Möglichkeit einer edlen Verhaltungsweise nicht grundsätzlich ausschließt. Olga, obwohl sie über Klamm gar nicht urteilen will, sagt folgerichtig dies: »Ach, Klamm würde sich gar nicht die Mühe geben, erst einen Brief zu schreiben«. Wir wissen ja wirklich, daß er zu »rufen« pflegt! Und nun kommt Olga zu der Schlußfolgerung: »Und ist es nun im Vergleich damit noch immer ungeheuerlich, wenn der ganz zurückgezogen lebende Sortini, dessen Beziehungen zu Frauen zumindest unbekannt sind, einmal sich niedersetzt und in seiner schönen Beamtenschrift einen allerdings abscheulichen Brief schreibt«. Das ist, obwohl im Text ein Punkt steht, natürlich eine Frage. Ganz deutlich hat hier Olga Sortinis Brief einen Sinn abgewonnen, in dem die Grobheit Klamms durch etwas Höheres als überwunden erscheint, und zwar so, daß die Abscheulichkeit dieses Briefes zugleich zugegeben und dank »seiner schönen Beamtenschrift« aufgehoben wird. Obwohl die Rede von der schönen Beamtenschrift in Olgas Munde einen scharf ironischen Beiklang hat, deutet doch die Möglichkeit, einen solchen Brief kalligraphisch schön zu schreiben, auf das Gegenteil von Leidenschaft oder Gier, sie deutet auf Besinnung, sie deutet auf den Schriftcharakter des Briefes hin. Dieser Schriftcharakter erklärt, was Olga, Amalias Schweigen durchbrechend, nun nackt ausspricht: »Amalia aber hat Sortini nicht geliebt, wendest du ein. Nun ja, sie hat ihn nicht geliebt, aber vielleicht hat sie ihn doch geliebt, wer kann das entscheiden? Nicht einmal sie selbst. Wie kann sie glauben, ihn nicht geliebt zu haben, wenn sie ihn so kräftig abgewiesen hat, wie wahrscheinlich noch niemals ein Beamter abgewiesen worden ist? Barnabas sagt, daß sie noch jetzt manchmal zittert von der Bewegung, mit der sie vor drei Jahren das Fenster zugeschlagen hat. Das ist auch wahr und deshalb darf man sie nicht fragen; sie hat mit Sortini abgeschlossen und weiß nichts mehr als das; ob sie ihn liebt oder nicht, weiß sie nicht. Wir aber wissen, daß Frauen nicht anders können, als Beamte lieben, wenn sich diese ihnen einmal zuwenden; ja, sie lieben die Beamten schon vorher, so sehr sie es leugnen wollen, und Sortini hat sich Amalia ja nicht nur zugewendet, sondern ist über die Deichsel gesprungen, als er Amalia sah, mit den von der Schreibtischarbeit steifen Beinen ist er über die Deichsel gesprungen«. Und dann: »Aber Amalia ist ja eine Ausnahme, wirst du sagen. Ja, das ist sie, das hat sie bewiesen, als sie sich weigerte, zu Sortini zu gehen, das ist der Ausnahme genug; daß sie nun aber außerdem Sortini auch nicht geliebt haben sollte, das wäre nun schon der Ausnahme fast zu viel, das wäre gar nicht mehr zu fassen«. Vorher hatte Olga allgemeiner gesagt: »Das Verhältnis der Frauen zu den Beamten ist, glaube mir, sehr schwer oder vielmehr immer sehr leicht zu beurteilen. Hier fehlt es an Liebe nie. Unglückliche Beamtenliebe gibt es nicht. Es ist in dieser Hinsicht kein Lob, wenn man von einem Mädchen sagt – ich rede hier bei weitem nicht nur von Frieda –, daß sie sich dem Beamten nur deshalb hingegeben hat, weil sie ihn liebte. Sie liebte ihn und hat sich ihm hingegeben, aber zu loben ist dabei nichts«. Wenn es keine unglückliche Beamtenliebe gibt, so deutet der Tonfall des Satzes nicht darauf hin, daß es glückliche Beamtenliebe gäbe. Es scheint überhaupt keine Liebe der Beamten zu geben. Solche Liebe zu erfahren, mag den Frauen, die sich ihnen hingeben, weit eher verhängt als offenbar zu sein. Wie es im »Prozeß« nur Sexualität gibt, so deutet manches darauf hin, daß es im »Schloß« nicht viel anders sich verhält. Ein Verhältnis wie das des Jupiter zu Alkmene in Kleists »Amphytrion« ist hier unmöglich. Klamm ist da, ruft zuweilen und schreibt unverständliche, Sortini springt über die Deichsel und schreibt schmutzige Briefe, welche ebenso unverständlich sind; Jupiter erscheint, spricht herrlich, verwirrt Alkmenes Gefühle bis zu dem im Gefühl klaren »Ach«, das sie dem Entschwindenden nachseufzt, und Jupiter zeugt: den Herakles; Sortinis Sprung über die Deichsel ist ein ironisches Erscheinen, Jupiter hat Sprache, Sortinis schmutziger Brief hat Schriftcharakter, denn die Zeit des Sprache wachrufenden Mythos ist entschwunden!

Olga sagt zu K.: »Und die Mitte zwischen den Übertreibungen zu halten, also die Briefe richtig zu beurteilen, ist ja unmöglich, sie wechseln selbst fortwährend ihren Wert, die Überlegungen, zu denen sie Anlaß geben, sind endlos, und wo man dabei gerade haltmacht, ist nur durch den Zufall bestimmt, also auch die Meinung eine zufällige. Und wenn nun noch die Angst um dich dazwischen kommt, verwirrt sich alles, du darfst meine Worte nicht zu streng beurteilen«. Dieser Endlosigkeit steht das »Unveränderliche« der Schrift gegenüber, »und die Meinungen sind oft nur ein Ausdruck der Verzweiflung darüber«. So sagt der Gefängnisgeistliche im »Prozeß«. Eine vollständige Erklärung des »Schlosses« ist unmöglich, dazu enthält es zu viele Lücken und zu viele Dunkelheiten. Der Hinweis auf den unveränderlichen Schriftcharakter der Briefe mag immerhin ein gewisses Licht auf dieses Dunkel werfen.

Die Liebe
Das Ehepaar

Ein Geschäftsmann – als den der Erzähler sich einführt – besucht einen Kunden, um die gestörten Geschäftsverbindungen wiederanzuknüpfen, das ist zunächst alles. Was bei diesem Besuch geschieht, erweist sich als entscheidend. »Die allgemeine Geschäftslage ist so schlecht, daß ich manchmal, wenn ich im Büro Zeit erübrige, selbst die Mustertasche nehme, um die Kunden persönlich zu besuchen.« Wie kommt Kafka dazu, sich mit einem Geschäftsmann zu identifizieren? Will er einen bürgerlichen Typus literarisch in ein neues Licht setzen? Dann wäre das Ergebnis allzu mager. Er will vielmehr die Welt in dem Punkte zeigen, wo es dem dichterischen Verfahren schlechthin unmöglich ist, sie zu entfernen, zu fälschen.[26] Der Erzähler begibt sich also am Abend zu N., seinem Geschäftsfreund, in dessen Privatwohnung. »Ich ließ mich, so wie ich war .. durch ein dunkles Zimmer in ein mattbeleuchtetes führen, in welchem eine kleine Gesellschaft beisammen war.« Der Sohn liegt krank im Bett. Was sieht der Eintretende nun trotz der matten Beleuchtung? Als ersten einen Agenten, seinen Konkurrenten. Auch hier ist Welt, und sie wird so feindlich, so schwierig, wie sie von Natur ist. »Er war bequem knapp beim Bett des Kranken, so als wäre er der Arzt; in seinem schönen, offenen, aufgebauschten Mantel saß er großmächtig da; seine Frechheit ist unübertrefflich.« Die Bildwirkung des Agenten trifft den Abstand zwischen Wirklichkeit und Wahrheit. Es ist nicht wahr, daß er ein Arzt ist, aber solchen Anscheins ist die Welt so voll wie diese Geschichte. »Er ist übrigens nicht mehr jung, der Sohn, ein Mann in meinem Alter mit einem kurzen, infolge der Krankheit etwas verwilderten Vollbart.« Der verwilderte Vollbart wirkt seltsam. Wie alt muß dagegen der alte N. sein! Dieser, »ein großer, breitschultriger Mann, aber durch sein schleichendes Leiden zu meinem Erstaunen recht abgemagert, gebückt und unsicher geworden«, er steht im Pelz da, und seine Frau hilft ihm beim Ausziehen des Pelzes. Sie verläßt, den Pelz hinaustragend, »unter dem sie fast verschwand«, das Zimmer. Der Erzähler versucht nun umständlich, N. für seine geschäftlichen Interessen zu gewinnen; dieser hat wenig Lust, zuzuhören. Der Erzähler geht redend, wie er es zuhause gewohnt ist, im Zimmer auf und ab, ohne auf die fremden Verhältnisse Rücksicht zu nehmen, ärgert sich über den Agenten, welcher in Abständen mechanisch seinen Hut einen Augenblick aufsetzt, und verstrickt sich völlig ins Reden, »Und ich hätte .. vielleicht noch lange fortgesprochen, wenn nicht der Sohn .. plötzlich sich im Bett halb erhoben und mit drohender Faust mich zum Schweigen gebracht hätte. Er wollte offenbar noch etwas sagen, etwas zeigen, hatte aber nicht Kraft genug. Ich hielt das alles zuerst für Fieberwahn, aber als ich unwillkürlich gleich darauf nach dem alten N. hinblickte, verstand ich es besser.« Das Abbrechen der Rede, das Schweigen des Sohnes, das Drohen mit der Faust – alles deutet darauf hin, daß die Lage, an der bis jetzt überhaupt nichts im tieferen Sinne Bemerkenswertes zu sein schien, Bedeutung zeigend sich verfinstert. Es geschieht nicht weniger, als daß N. stirbt. Der Vorgang wird beschrieben, und am Ende dieser Beschreibung heißt es:.. »und dann war es zuende. Schnell sprang ich zu ihm, faßte die leblos hängende, kalte, mich durchschauernde Hand; da war kein Puls mehr. Nun also, es war vorüber. Freilich, ein alter Mann. Möchte uns das Sterben nicht schwerer werden«. Die harte Traurigkeit dessen, der in diesen labilen Zeiten selbst die Mustertasche in die Hand nimmt, übrigens auch mit N. nicht verwandt, ja nicht einmal gut bekannt ist, wird in solchen Worten hörbar, welche die Menschen in zahllosen Fällen wenn nicht aussprechen so doch denken. Es ist auch keine Zeit zur Trauer, denn eine neue Lage ist gegeben, die weil der Weltlauf durch keinen Tod sich unterbrechen läßt, in eben der Welt spielt, die N. verlassen hat.

»Aber wie Vieles war jetzt zu tun! Und was in der Eile zunächst?« Die Bilder prägen sich tief ein, wie der Sohn »in endlosem Schluchzen« die Decke über den Kopf gezogen hat, wie der Agent entschlossen ist, »nichts zu tun als den Zeitablauf abzuwarten«. »Ich also, nur ich blieb übrig, um etwas zu tun und jetzt gleich das Schwerste, nämlich der Frau irgendwie auf eine erträgliche Art, also eine Art, die es in der Welt nicht gab, die Nachricht zu vermitteln.« Dieser Satz schließt das Wesen eines Menschen auf. Er ist nicht in der Liebe, weiß es und läßt in klarer Selbstbesinnung auf die Unmöglichkeit, diese Nachricht erträglich zu übermitteln, sich nicht zu einem allgemeinen, über den einzelnen Fall hinausgehenden Urteil bewegen. Wo Liebe ist, *gibt* es die Möglichkeit, eine Todesnachricht ertragbar zu übermitteln. Er wird der Pflicht überhoben, das ihm Unmögliche zu tun. »Und schon hörte ich die eifrigen, schlürfenden Schritte aus dem Nebenzimmer.« Nun beginnt jenes Geschehen, das in seiner unpathetischen Ausdrucksform das Seltsamste, das Ungeheure ausdrückt. »Sie brachte – noch immer im Straßenanzug, sie hatte noch keine Zeit gehabt sich umzuziehen – ein auf dem Ofen durchwärmtes Nachthemd, das sie ihrem Mann jetzt anziehen wollte. ›Er ist eingeschlafen‹, sagte sie lächelnd und kopfschüttelnd, als sie uns so still fand. Und mit dem unendlichen Vertrauen des Unschuldigen nahm sie die gleiche Hand, die ich eben mit Widerwillen und Scheu in der meinen gehalten hatte, küßte sie wie in kleinem ehelichen Spiel und – wie mögen wir drei andern ausgesehen haben! – N. bewegte sich, gähnte laut, ließ sich das Hemd anziehen, duldete mit ärgerlich-ironischem Gesicht die zärtlichen Vorwürfe seiner Frau wegen der Überanstrengung auf dem allzu großen Spaziergang und sagte dagegen, um sein Einschlafen anders zu motivieren, merkwürdigerweise etwas von Langeweile.« Die trübe Lage des Anfangs ist auf dem Wege über etwas Neues wiederhergestellt. »Und als er in des Obersten Haus kam, und sahe die Pfeifer und das Getümmel des Volks, sprach er zu ihnen: Weichet, denn das Mägdlein ist nicht tot, sondern es schläft. Und sie verlachten ihn. Als aber das Volk ausgetrieben war, ging er hinein, und ergriff sie bei der Hand; da stand das Mägdlein auf.« Von dem Bereich des christlichen Wunders hebt Kafkas Darstellung sich ab. Im Mitttelpunkt steht: die Liebe. Aber sie verharrt nicht, sie wird auf ein Nebengleis geschoben. Der Strahl der Offenbarung erlischt, und am Ende eines Geschehens, an dessen Anfang die Liebe einen

Toten erweckt, steht: die Langeweile.[27] Sie rief eine nichts Wesentliches bedeutende Ohnmacht hervor. Kafka scheint den Eindruck zurückzunehmen, daß die Liebe das Entscheidende sei. Das Entscheidende ist die unbedeutende, die alles beherrschende Langeweile. So folgt nun die trübe Fortsetzung, als sei nichts geschehen, des geschäftlichen Gesprächs, nachdem N. von seiner Frau ins Bett des Sohnes gelagert ist, bis zum ergebnislosen Verlauf der geschäftlichen Verhandlungen und dem Fortgehen des Erzählers.

Nun aber folgt noch eine Begegnung mit der Frau im Vorzimmer. »Im Anblick ihrer armseligen Gestalt sagte ich aus meinen Gedanken heraus, daß sie mich ein wenig an meine Mutter erinnere. Und da sie still blieb, fügte ich bei: Was man dazu auch sagen mag, die konnte Wunder tun. Was wir schon zerstört hatten, machte sie noch gut. Ich habe sie schon in der Kinderzeit verloren.« Wie gewichtig diese Worte gemeint sind, besonders die vom Wundertun, läßt sich daraus ablesen, daß sie in direkter Rede stehen. Aus seinen Gedanken heraus spricht er, die von der Verkörperung der Liebe herkommen in dieser Gestalt vor ihm, deren betonte Armseligkeit geradezu als gewollte Abschwächung des Sachverhalts wirkt. Die Vollgewalt dieses Sachverhalts ist in seinen Worten enthalten und mehr. Die Liebe hat *gut gemacht*, was *wir* schon *zerstört* hatten. So bei der Mutter, so bei dieser Frau. Ein Mensch bekennt seine Schuld; sie steigert sich im letzten Satz zur Klage. Das Eigentliche ist damit noch nicht gesagt. Nicht was er *getan* hat, kann eine Schuld begründen – und er würde wohl, wie K. im »Prozeß« die Frage, ob er unschuldig sei, bedenkenlos und mit Recht bejahen –, sondern, daß *er* nicht in der Liebe ist. Aber auch dies begründet keine Schuld.

Dennoch erfährt er jetzt die letzte Demütigung. Sie trifft nicht ihn persönlich, sie trifft den Menschen, der nicht in der Liebe ist. »Ich hatte absichtlich übertrieben langsam gesprochen, denn ich vermutete, daß die alte Frau schwerhörig war.

Aber sie war wohl taub, denn sie fragte ohne Übergang: ›Und das Aussehen meines Mannes?‹« Was er gesagt hatte, war für sie gleichgültig. Der Mensch, der in der Liebe ist, vermag es nicht zu hören, er ist gebannt von der Liebe, die hier als Sorge den ganzen Menschen durchbebt. Was nach einer Mitteilung Max Brods Kafka in dem Bericht von Flauberts Nichte so tief bewegte, daß der Dichter nach einem Besuch bei einer bürgerlichen Verwandten im Kreise ihrer Kinder gesagt habe: ils sont dans le vrai, das ist hier über die Grenzen des Möglichen gesteigert. »Aus ein paar Abschiedsworten merkte ich übrigens, daß sie mich mit dem Agenten verwechselte; ich wollte gern glauben, daß sie sonst zutraulicher gewesen wäre.« Bis zur Ausschaltung der individuellen Persönlichkeit schließt die Liebe das ihr Ungemäße aus. Aber der Ausgeschlossene folgt nur seiner Natur und gibt nicht einmal vor, zu ändern, was nicht in seiner Kraft steht: sich selbst. Er schließt mit einer Klage: »Dann ging ich die Treppe hinunter. Der Abstieg war schwerer als früher der Aufstieg, und nicht einmal dieser war leicht gewesen. Ach, was für mißlungene Geschäftswege es gibt und man muß die Last weiter tragen«.

Die Geschichte vom Ehepaar erweist, daß die Liebe in Kafkas Werk nicht fehlt, sie ist sogar im »Urteil« und der »Verwandlung« in zertrümmerter Form vorhanden, wie denn das absolut Negative nur einmal dargestellt wird, in der »Strafkolonie«. Aber die Geschichte zeigt auch, daß die Liebe durch Nicht-Liebe eingeschränkt wird.

Die Lage des Menschen
Eine Kreuzung

Hier spricht der Mensch in eigener Sache: auch er ist eine Kreuzung. »Ich habe ein eigentümliches Tier, halb Kätzchen, halb Lamm. Es ist ein Erbstück aus meines Vaters Besitz.

Entwickelt hat es sich aber doch erst in meiner Zeit, früher war es viel mehr Lamm als Kätzchen.« Die Kreuzung ist eine doppelte, der Sache nach in dem Tier, der Darstellung nach in dem Menschen, der erzählt und von dem Tier sich abgrenzt. Der Mensch, der dieses Erbstück aus seines Vaters Besitz hat, ist unglücklich, aber bis zu einem geringen, allerdings entscheidenden Grade eben dieses Erbstücks wegen geborgen; das Tier ist weder glücklich noch unglücklich, sondern es ist in seiner Existenz beschlossen. Gerade darin ist beides, das Glück des Lebens und das Unglück des Todes, und über beidem das Verhängnis, beides nicht getrennt und rein erleben zu können, sondern verstrickt und böse erleben zu müssen, indem das Unglück des Lebens das Glück des Todes nach sich zieht. Ursprünglich war es anders; die Entwicklung hat das Lamm zum Kätzchen gemacht. »Jetzt aber hat es von beiden wohl gleich viel. Von der Katze Kopf und Krallen, vom Lamm Größe und Gestalt; von beiden die Augen, die flackernd und wild sind, das Fellhaar, das weich ist und knapp anliegt, die Bewegungen, die sowohl Hüpfen als Schleichen sind. Im Sonnenschein auf dem Fensterbrett macht es sich rund und schnurrt, auf der Wiese läuft es wie toll und ist kaum einzufangen. Vor Katzen flieht es, Lämmer will es anfallen. In der Mondnacht ist die Dachtraufe sein liebster Weg. Miauen kann es nicht und vor Ratten hat es Abscheu. Neben dem Hühnerstall kann es stundenlang auf der Lauer liegen, doch hat es noch niemals eine Mordgelegenheit ausgenutzt.« Dieses Tier hat soviel widersprechende Eigenschaften, daß diese den Charakter aufzuheben scheinen. »Ich nähre es mit süßer Milch, sie bekommt ihm bestens. In langen Zügen saugt es sie über seine Raubtierzähne hinweg in sich ein.« Die Kraft der Anschauung in diesem Bilde, das droht, aus dem Rahmen zu treten, ist stark; der es sieht und der es niederschreibt, identische Figur getrennter Schatten, ebenso böse wie unglücklich, ins Namenlose verschlungen. »Natürlich ist es ein großes Schauspiel für Kinder. Sonntag

Vormittag ist Besuchsstunde. Ich habe das Tierchen auf dem Schoß und die Kinder der ganzen Nachbarschaft stehen um mich herum. – Da werden die wunderbarsten Fragen gestellt, die kein Mensch beantworten kann: Warum es nur ein solches Tier gibt, warum gerade ich es habe, ob es vor ihm schon ein solches Tier gegeben hat und wie es nach seinem Tode sein wird, ob es sich einsam fühlt, warum es keine Jungen hat, wie es heißt usw.« Das Eine scheint zwar unmöglich zu verwirklichen aber leicht zu verstehen; den schönen Kerker des Symbols sprengt die Bedeutung, und der Mensch selbst tritt hervor. »Ich gebe mir keine Mühe zu antworten, sondern begnüge mich ohne weitere Erklärungen damit, das zu zeigen, was ich habe.« Die Kinder stellen die wunderbarsten Fragen, von denen es schon einmal deutlich geheißen hat, kein Mensch könne sie beantworten; der Erwachsene muß es. Was soll er tun? Er weicht aus, er zeigt auf die Sache. Kinder sind leicht zu überzeugen, die Sache sei ein Argument. Er gibt sich nicht einmal Mühe, Antworten zu geben, da er schon vorher weiß, daß diese Mühe vergeblich wäre. Die Kinder stellen aber *richtige* Fragen, welche alles Wesentliche enthalten, das sich der Antwort des Gefragten entzieht. »Manchmal bringen die Kinder Katzen mit, einmal haben sie sogar zwei Lämmer gebracht. Es kam aber entgegen ihren Erwartungen zu keinen Erkennungsszenen. Die Tiere sahen einander ruhig aus Tieraugen an und nahmen offenbar ihr Dasein als göttliche Tatsache gegenseitig hin.« Dieses Wesen ist weder Katze noch Lamm, und Tier kann das Tier nicht erkennen, das das einzige seiner Art zu sein scheint –: ein Mensch. Der Mensch kann den Menschen nicht erkennen, sondern ihn nur ruhig, aus Tieraugen, ansehen. Die Einsamkeit dessen, der in der Welt steht und für sie lebt, übrigens mit vollem Recht, ist gesellig, denn die Lüge gehört zum Leben; die Einsamkeit dessen, der in der Wahrheit nicht lebt – aber sie lebt für ihn – ist heilig. Die Brücken, die der Mensch zum Menschen schlägt, sind von schlechter Arbeit, und doch gehen alle über sie, um zueinander zu kommen. »In meinem Schoß kennt das Tier weder Angst noch Verfolgungslust. An mich angeschmiegt, fühlt es sich am wohlsten. Es hält zur Familie, die es aufgezogen hat. Es ist das wohl nicht irgendeine außergewöhnliche Treue, sondern der richtige Instinkt eines Tieres, das auf der Erde zwar unzählige Verschwägerte aber vielleicht keinen einzigen Blutsverwandten hat und dem deshalb der Schutz, den es bei uns gefunden hat, heilig ist.« Die Familie, wo sich die Einsamkeit mit der Geselligkeit kreuzt, als Schutz dessen, der keinen einzigen Blutsverwandten hat, ist in »Elf Söhne« tiefer begründet, aber dort spricht der Vater, der um das Geheimnis der Blutsverwandtschaft weiß, hier der Sohn, dem sie nicht hilft, auch er hat Blutsverwandte, und die Schuld seines Unglücks ist die, daß er sie zur Metapher herabsetzt. »Manchmal muß ich lachen, wenn es mich umschnuppert, zwischen den Beinen sich durchwindet und gar nicht von mir zu trennen ist. Nicht genug damit, daß es Lamm und Katze ist, will es fast auch noch ein Hund sein.« Hier ist die Identität zwischen diesem Tier und diesem Menschen erreicht, in einem Bilde, das noch den Hund als Zwischenstufe einschiebt und das immer noch tiefere Möglichkeiten des Unglücks in sich zu verschlingen fähig und willens zu sein scheint, wenn sich auch beide, die gar nicht voneinander zu trennen sind, schnell wieder trennen. »Einmal als ich, wie es ja jedem geschehen kann, in meinen Geschäften und allem, was damit zusammenhängt, keinen Ausweg mehr finden konnte, alles verfallen lassen wollte, und in solcher Verfassung zu Hause im Schaukelstuhl lag, das Tier auf dem Schoß, da tropften, als ich zufällig einmal hinunter sah, von seinen riesenhaften Barthaaren Tränen. – Waren es meine, waren es seine? – Hat diese Katze mit Lammesseele auch Menschenehrgeiz? Ich habe nicht viel von meinem Vater geerbt, dieses Erbstück aber kann sich sehen lassen.« Die Vereinigten sind getrennt; der Mensch erzählt von *seinem* Unglück. Er schränkt es ein, indem es ja jedem geschehen könne. Die Getrennten sind wieder, auf höherer Stufe, vereinigt, und die Sanftheit des Lammes, die Grausamkeit der Katze münden über die Treue des Hundes in die Gestalt des Menschen, der bei Namen genannt wird. Es ist logisch, daß von diesem Punkte an nur noch von dem Tier die Rede ist; es hat die Herrschaft sichtbar an sich gerissen. »Es hat beiderlei Unruhe in sich, die von der Katze und die vom Lamm, so verschiedenartig sie sind. Darum ist ihm seine Haut zu eng.« Worin liegt der Unterschied der Unruhe, welcher unbenannt bleibt? Die der Katze ist bildlich klar, die des Lammes muß aus dem Bilde heraustreten; und so mag sich ergeben, daß jene auf Größe drängt und darauf, zu töten, diese auf Kleinheit und darauf, getötet zu werden. Wirklich geschieht etwas, um das Engwerden der Haut zu erklären. »Manchmal springt es auf den Sessel neben mir, stemmt sich mit den Vorderbeinen auf meine Schulter und hält seine Schnauze an mein Ohr. Es ist, als sagte es mir etwas, und tatsächlich beugt es sich dann vor, um den Eindruck zu beobachten, den die Mitteilung auf mich gemacht hat. Und um gefällig zu sein, tue ich, als hätte ich etwas verstanden, und nicke. – Dann springt es hinunter auf den Boden und tänzelt umher.« Wir wissen – denn der Dichter hat alles aufgeboten, es zu verraten –, *wer* das Tier ist. Wichtig für den Sinn dieses Gesprächs ist die Trennung der Partner, ihre Lage ist so, daß der Mensch nicht versteht, was das Tier ihm mitteilt, aber versteht, was es ihm *nicht* mitteilt. »Es ist, als sage es mir etwas.« In der Trennung des Menschen vom Tiere ist mit dem Unglück die Hoffnung gegeben; sie wird durchbrochen. »Vielleicht wäre für dieses Tier das Messer des Fleischers eine Erlösung, die muß ich ihm aber als einem Erbstück versagen. Es muß deshalb warten, bis ihm der Atem von selbst ausgeht, wenn es mich manchmal auch wie aus verständigen Menschenaugen ansieht, die zu verständigem Tun auffordern.«

Nur der Mensch teilt dieses Letzte, Dunkle mit, und selbst er ist in seinem verständigen Tun durch das »Erbstück« gehemmt. Daß es die Mitteilung des Tieres selbst sei, die ihn an die Erlösung durch das Messer des Fleischers denken läßt, wird nicht gesagt. Es ist wahrscheinlich, daß das Tier den Mund zum Sprechen bewegte und schwieg. Denn Kafka wußte, was die Worte Salomos bedeuten: »Sei nicht zu gerecht und mache dich nicht zu weise. Warum willst du wahnsinnig werden?« Er wollte es gewiß nicht, aber es war ihm versagt, das, was ist, nicht zu sehen, wenn er auch mit dem Sein und mit dem Erbstück in dieser Geschichte nicht mehr anzufangen wußte, als an der Grenze des Wahnsinns immer wieder natürlich haltzumachen, bis ihm der Atem von selbst ausging und das Schweigen der Klage ihn überlebte, während er gleichzeitig sich bemühte, des Paradieses schon hier in seinen Gedanken habhaft zu werden.

In das Gebiet aber wenn nicht des Wahnsinns so doch des Wahnes dehnt sich die ausdrücklich auf »Eine Kreuzung« bezogene Aufzeichnung aus dem zweiten Oktavheft (Hochzeitsvorbereitungen auf dem Lande S. 65), die da lautet: »Ein kleiner Junge hatte als einziges Erbstück nach seinem Vater eine Katze und ist durch sie Bürgermeister von London geworden. Was werde ich durch mein Tier werden, mein Erbstück? Wo dehnt sich die riesige Stadt?« Sie ist ganz offenbar größer als London, diese riesige Stadt, und sie kommt von dem Erbstück, das dem kleinen Jungen als Märchenglück in den Schoß fällt und ihn zum Bürgermeister von London macht, ihn selbst aber, Kafka, zum Alleinherrscher über die Stadt des Todes, die Totenstadt.

Entstehung einer Gruppe
Gemeinschaft

Die treffende Überschrift dieses Prosastücks ist nicht von Kafka, sondern von Max Brod. Das Prosastück ist außer in »Beschreibung eines Kampfes« in »Hochzeitsvorbereitungen auf dem Lande« enthalten, und da fehlt die Überschrift. Wie eine Gemeinschaft entstanden ist, könnte hier gezeigt sein, an einem grotesk vereinfachten Beispiel. Dieses zeigt aber eher, im Gegensatz zu einer qualitativ bestimmten Gemeinschaft, die Entstehung einer quantitativ bestimmten Gruppe. »Wir sind fünf Freunde, wir sind einmal hintereinander aus einem Haus gekommen, zuerst kam der eine und stellte sich neben das Tor, dann kam oder vielmehr glitt so leicht, wie ein Quecksilberkügelchen gleitet, der zweite aus dem Tor und stellte sich unweit vom ersten auf, dann der dritte, dann der vierte, dann der fünfte. Schließlich standen wir alle in einer Reihe.« Damit ist also die Gruppe fertig. Es sind fünf, sie kamen irgendwie zusammen: aus einem Hause. Mehr wissen sie nicht. Es ist bezeichnend, daß nicht einer spricht, sondern alle fünf mit einer Stimme. Spräche einer, wären seine Argumente wahrscheinlich verwickelter. Die fünf auf einmal, die nur feststellen, was ihnen geschehen ist, ohne daß sie wüßten, warum es ihnen geschah, drücken sich einfach aus. »Die Leute wurden auf uns aufmerksam, zeigten auf uns und sagten: Die fünf sind jetzt aus diesem Haus gekommen.« Damit ist der ihnen selbst unklare Vorgang sanktioniert: die »Leute« bestätigen ihn. Nun aber nimmt die Sache eine unerwartete Wendung. »Seitdem leben wir zusammen, es wäre ein friedliches Leben, wenn sich nicht immerfort ein sechster einmischen würde.« Das Thema ist also nicht nur die Entstehung einer Gruppe sondern auch die Ausschließung dessen, der zu dieser Gruppe nicht gehört, aber zu ihr gehören möchte: er ist kein Freund, er ist nur der sechste. »Er tut uns nichts, aber er ist uns lästig, das ist genug getan; warum drängt er sich ein, wo man ihn nicht haben will? Wir kennen ihn nicht und wollen ihn nicht bei uns aufnehmen. Wir fünf haben zwar früher einander auch nicht gekannt, und wenn man will, kennen wir einander auch jetzt nicht, aber was bei uns fünf möglich ist und geduldet wird, ist bei jenem sechsten nicht möglich und wird nicht geduldet.« Schroff wird deutlich, wie das

qualitative Verhältnis der fünf, als Freunde, in angeblichem Gegensatz steht zu dem quantitativen, das sie zusammenge-führt hat. Dieses qualitative Verhältnis ist eigentlich nicht vorhanden, das quantitative ist da, es setzt sich unwiderstehlich durch, gleichgültig, ob das qualitative folgt oder nicht. Es diktiert mit monumentaler Ausschließlichkeit: »Außerdem sind wir fünf und wollen nicht sechs sein«. Und dann folgt die Erklärung für das Diktat: »Und was soll überhaupt dieses fortwährende Beisammensein für einen Sinn haben, auch bei uns fünf hat es keinen Sinn, aber nun sind wir schon beisammen und bleiben es, aber eine neue Vereinigung wollen wir nicht, eben auf Grund unserer Erfahrungen«. Trostloser kann eine Erklärung kaum sein. Damit aber ist das Thema nicht erschöpft, sondern der Vorgang nimmt wieder eine neue Wendung. Die Frage ist die, wie man zu dem sechsten sich verhalten soll. Man könnte an Gewalt denken. Offene Gewalt würde der Passivität der Logik widersprechen, die hier am Werke ist, aber verschleierte Gewalt scheint möglich zu sein. »Wie soll man aber das alles dem sechsten beibringen, lange Erklärungen würden schon fast eine Aufnahme in unsern Kreis bedeuten, wir erklären lieber nichts und nehmen ihn nicht auf.« Das klingt wie endgültig, aber nun kommt der überraschende Schlußsatz: »Mag er noch so sehr die Lippen aufwerfen, wir stoßen ihn mit dem Ellbogen weg, aber mögen wir ihn noch so sehr wegstoßen, er kommt wieder«.
Das Problem der fünf ist also unlösbar mit dem Problem dessen verknüpft, den sie ausschließen und welcher in einer den fünf nicht mehr durchschaubaren, nur von ihnen feststellbaren Weise zu ihnen gehört, genauer: nicht zu ihnen gehört. Das bedeutet, daß die Negation des sechsten seine Position nicht aufhebt. Er ist da, wie die fünf da sind. Das Ganze scheint auf ein durch die Mittel des Geistes unverschiebbares Sosein zu deuten. Bedenkt man, wie viele private Äußerungen Kafkas es gibt, in denen er sich positiv über Volk, Gemeinschaft, Zionismus ausspricht, so ist die nackte Nüchtern-

heit, mit der er hier die Dinge sieht, bedrohlich und ein Wink zugleich, daß man entweder seine privaten Äußerungen oder sein Werk ignorieren oder aber ihm Recht geben muß, wenn er es ablehnte, in seinem Werk überleben zu wollen.

Das richtige Sein
Die Wahrheit über Sancho Pansa

Von Daumier gibt es ein Bild, auf dem man unter einem Baume Sancho Pansa sitzen sieht, massig, erdenschwer, träge. Er ruht. Fern am Horizont verschwimmt der hagere Schatten des Don Quixote, der ohne Rast nach neuen Abenteuern Ausschau hält. Die ist ein Abbild des Gegensatzes zwischen dem Genius, der den Widerstand der stumpfen Welt besiegt, und dieser Welt selbst, die sichtbar sich nicht besiegen läßt. Der Bedeutungsgehalt des Bildes ist jenseits seines Formwerts in seiner Polemik begrenzt. Läßt man das Moment der polemischen Spannung fort, daß im Maße der ethischen Forderung eine reine Wertung nicht zuläßt, so wächst Don Quixote ins Gespenstische, Sancho Pansa ins Wirkliche. Kafka zieht aus diesem Sachverhalt die Konsequenz, wenn er in »Hochzeitsvorbereitungen auf dem Lande« einfach sagt: »Sancho Pansa, der sich übrigens dessen nie gerühmt hat, gelang es im Laufe der Jahre, durch Beistellung einer Menge Ritter- und Räuberromane in den Abend- und Nachtstunden seinen Teufel, dem er später den Namen Don Quixote gab, derart von sich abzulenken, daß dieser dann haltlos die verrücktesten Taten aufführte, die aber mangels eines vorbestimmten Gegenstandes, der eben Sancho Pansa hätte sein sollen, niemandem schadeten. Sancho Pansa, ein freier Mann, folgte gleichmütig, vielleicht aus einem gewissen Verantwortungsgefühl dem Don Quixote auf seinen Zügen und hatte davon eine große und nützliche Unterhaltung bis an sein Ende«.
Hier hat also Don Quixote überhaupt keine eigene Existenz

mehr, ja weniger als das. Er ist Sancho Pansas Teufel, von welchem dieser sich befreit hat. So kommt es, daß Don Quixote mit Windmühlen kämpft. Da er keine Existenz hat, ist sein Kampf ohne jenen Gegenstand, der bei Daumier noch wirklich Sancho Pansa ist. Der Sieg des Sancho Pansa ist um so viel vollkommener, als es ausdrücklich heißt, er habe seiner Befreiung sich nie gerühmt. Als einfacher Mann bringt er gar nicht die Anstrengung auf, die als Bewußtseinsvorgang ein solcher Sieg erforderte. Er hat, wie immer er sei, Existenz, und mit dieser Existenz schüttelt er leicht den Teufel ab, der ihn besitzen will. Bei diesem sind die Gewichte falsch verteilt, er hat einen Geist aber keine Existenz: durch Romane läßt er sich ablenken. Hier wird die Ordnung der Welt so verkehrt, daß sie wieder richtig ist. Sancho Pansa hat sogar ein gewisses Gefühl von Veranwortung diesem Kämpfer gegenüber, allerdings kein völliges, wie es sich gegen einen Teufel ziemt. Er kann, ja er darf ihm nicht helfen, denn wenn er ihm sagte, daß er eigentlich ein Teufel sei, dann könnte dieser, als Teufel, auf den Gedanken kommen, zu ihm zurückzukehren. Das darf nicht geschehen. Daher kommt die unausgesprochene Spannung zwischen beiden, die Unterordnung des Siegers und seine »große und nützliche Unterhaltung« bis an sein Ende«.[28] Ihr entspricht bei dem wirklichen Don Quixote der Umstand, daß er vor dem Tode aus seinem Wahn erwacht. In den »Elementen der menschlichen Größe« (1911) schreibt Rudolf Kassner: »Wer von uns hat noch nicht so von außen, aus dem Hellen, einem Menschen, irgendeinem, dem Nächsten, in die Augen gesehen, und dort tief drinnen nicht das Ich, nicht Persönlichkeit, kein Ziel, keine Gestalt und kein Maß, sondern eben das Tolle, Wirre und Wahnsinnige, die Gier, ein Tierhaftes, Dämonisches erschrocken erschaut?! Das ist eben der für die Tragödie geborene, maßlose, ganz losgebundene, über sein Gestirn hinaus begeisterte Mensch, dem erst im Tode Maß und Größe zu finden bestimmt ist«. Das könnte, in starker Einschränkung, auf Kafka zutreffen.

Dazu schreibt nun Kassner in einer Anmerkung noch Folgendes: »Ich will darauf hinweisen, wie der Wahnsinn durchaus Requisit sozusagen der antiken Poesie ist, weil er gleichsam den Versuch des elementaren Menschen, Ich-Mensch zu werden, ausdrückt. Es ist darum so überaus sublim, daß der große christliche Dichter Cervantes Don Quixote im Augenblick vor dem Tode vom Wahnsinn erlöst und ihm die Vernunft zurückgibt. Wahnsinn kann die christliche Seele nicht affizieren und ist nur Torheit und schlechte Stimmung des Leibes. Daß Shakespeares Helden wahnsinnig werden, ist ein Beweis dafür, wie stark in Shakespeare das antike Element war, wie das Antike eben durchaus nicht auf die Alten beschränkt bleibt. In einem gewissen Sinne gibt es überhaupt keine christliche Tragödie. Die antike ist *die* Tragödie«. Von der Möglichkeit, die Dinge so zu sehen, weiß Kafka so wenig, daß er in einer gleichzeitigen Aufzeichnung, aus dem Jahre 1917, die Sätze niederschreiben kann: »Eine der wichtigsten donquixotischen Taten, aufdringlicher als der Kampf mit der Windmühle, ist: der Selbstmord. Der tote Don Quixote will den toten Don Quixote töten; um zu töten, braucht er aber eine lebendige Stelle, diese sucht er nun mit seinem Schwerte ebenso unaufhörlich wie vergeblich. Unter dieser Beschäftigung rollen die zwei Toten als unauflöslicher und förmlich springlebendiger Purzelbaum durch die Zeiten«. Das ist heller Wahnsinn, es ist eine Fortsetzung von Don Quixotes Wahnsinn über den Tod hinaus bis zum Wahnsinn Kafkas, und es ist schwer zu verstehen, welchen Wert der Überlieferung eine solche Aufzeichnung haben könnte.

Der Mensch kann nur Don Quixote nachstreben. Sancho Pansa ist kein Ideal, aber vielleicht die Wirklichkeit selbst. Sie ist kaum faßbar. Die Aktualität der Wahrheit ist niemals die des Sinnes, immer die des Zufalls, aus dem so viel, so wenig Segen gezogen werden muß, wie die Welt in jeder Epoche hergibt. Sollte es wahr sein, daß Don Quixote tot ist, so müssen wir versuchen, mit Sancho Pansa geistig zu leben, auch

wenn Kafka wiederum in der gleichen Zeit geschrieben hat:
»Das Unglück Don Quixotes ist nicht seine Phantasie, sondern Sancho Pansa«.

Der Zusammenhang
Tagebuchaufzeichnung

In dem 1917 geschriebenen vierten Oktavheft aus den »Hochzeitsvorbereitungen auf dem Lande« steht die folgende Aufzeichnung: »›Dann aber kehrte er zu seiner Arbeit zurück,
wie wenn nichts geschehen wäre.‹ Das ist eine Bemerkung, die
uns aus einer unklaren Fülle alter Erzählungen geläufig ist,
obwohl sie vielleicht in keiner vorkommt«.

Entscheidend für das Verstehen dessen, was hier gemeint sei,
ist die Frage, ob in der Bemerkung, an die Kafka anknüpft,
nichts geschehen ist oder etwas. Die Meinung liegt nahe, daß
in jedem »dann« als einer Veränderung der Zeit etwas geschehen ist, denn die Veränderung der Zeit tritt nicht an ihr
selbst in Erscheinung, sondern am Menschen. Wäre dies wahr,
so wird unverständlich, warum eine solche Bemerkung in alten Erzählungen nicht vorkommen soll, deren Element doch
gerade der Fortschritt der Handlung, Veränderung und die
Darstellung von Veränderung ist. Vielleicht verhält es sich
umgekehrt. Dann wäre in jener Bemerkung gemeint, daß
nichts geschehen sei, und eben dies kommt wirklich in keiner
Erzählung vor. Die Frage der Wirklichkeit würde aufgewor-
fen. Wo ist unser Leben, in ihr oder in der Erzählung? Wieder muß die Meinung jener Erzählung verändert werden. Sie
meint beides: es ist etwas, es ist nichts geschehen. Das Kausal-
verhältnis ist so, daß nichts geschehen ist, weil es unmöglich
ist, zu erfassen, daß etwas geschehen ist. Sinn und Gegensinn
dreht sich um den Mittelpunkt der Arbeit. Sie steht für das
tägliche Leben. Wenn der König Salomon nichts Besseres
weiß, als daß der Mensch fröhlich sei in seiner Arbeit; wenn

Goethe die Pflicht als die Forderung des Tages bezeichnet –
das Eigentliche sprechen auch diese großen Geister nicht aus,
selbst sie haben an der allgemeinen Begrenztheit ihren zwar
zu verbergenden aber nicht aufzuhebenden Anteil. Das tägliche Leben mit Liebe, Genius, Gemeinheit, Mord, Leiden,
Vergnügen ist als Ganzes für keine menschliche Vernunft zu
verstehen. Erfaßbar ist nur das Einzelne, das Besondere und
eben auch dieses nicht. Aus dem Zusammenhang des Ganzen
ausgebrochen, ist es zu schwierig und übersteigt das Menschenmaß. »Dann aber kehrte er zu seiner Arbeit zurück,
wie wenn nichts geschehen wäre.« Es ist aber etwas geschehen, und es ist zugleich nichts geschehen, indem das Nichts
das Etwas in den Strom des Zusammenhangs zurückschlingt.
Hier wird nicht ein Positives wie Dauer oder Aufhebung der
Zeit erschlichen, denn um dieses Positiven wirklich habhaft
zu werden, müßte ja der Mensch fähig sein, das Etwas als
Nichts, das Nichts als Etwas zu erkennen. Diese Fähigkeit besitzt er nicht, zum mindesten nicht mehr. In »einer unklaren
Fülle alter Erzählungen« ist dieses positive Nichts des Zusammenhangs intakt. Wie als ob die positive Möglichkeit, der die
Unbestimmtheit des Ausdrucks Raum gibt, noch zu positiv
wäre, schränkt der Gedanke sie noch ein, dort wo es heißt,
daß die Bemerkung vielleicht in keiner Erzählung vorkom-
me, um dann doch wieder in einem unscheinbaren »vielleicht«
die Hoffnung mitzusetzen, an der das Heil des Menschen
hängt.

Die Kunst

Die vier unter dem Titel »Ein Hungerkünstler« vereinigten
Geschichten, die kurz nach Kafkas Tode erschienen sind, zeigen ihn auf der Höhe seiner Künstlerschaft. Er hat von ihnen
noch die erste Korrektur gelesen, war also mit ihrer Veröffentlichung einverstanden. Die »Forschungen eines Hundes«

und »Der Bau« waren so wenig abschließbar wie die großen
Romane. Von diesen vier Geschichten aber ist jede abgeschlossen, eine Idee entfaltet alle ihre Motive im rhythmischen
Kreisen der Handlung um den Kern einer endlichen Bedeutung. Die Sprache ist makellos; der Sinn blüht. Dies sind
nicht Erzählungn wie »Das Urteil« oder »Die Verwandlung«,
auch keine Gleichnisse mit gefährlichem Tiefgang wie »Vor
dem Gesetz«, eher könnte man in ihnen den Versuch sehen,
zu konkreten Problemen in der Form des Erzählens Stellung
zu nehmen. Drei dieser so beschaffenen Geschichten befassen
sich in verschiedenen Variationen mit dem Problem der
Kunst. Dies geschieht aber in so grotesken Verkleidungen,
daß nur der sehr aufmerksame Leser überhaupt entdecken
wird, worum es geht; die hohe Phantasie des Künstlers lenkt
von der Absicht ab, die Kunst in ihrem Anspruch auf Geltung zu bestimmen, einzuschränken, zu widerlegen. Kafka
selbst hat gesagt: »Unsere Kunst ist ein von der Wahrheit
Geblendet-Sein: Das Licht auf dem zurückweichenden Frat-
zengesicht ist wahr: sonst nichts«. Was erzählt wird, ist schön
und gleichzeitig traurig, bis zu der Unmöglichkeit, einen
Trost zu finden, da ja alles wahr zu sein scheint.

I

Erstes Leid

»Erstes Leid« besteht aus drei Teilen. In dem ersten wird erzählt, wie ein Trapezkünstler, »ein außerordentlicher, uner-
setzlicher Künstler«, Tag und Nacht auf seinem Trapez lebt,
weil er anders einfach nicht leben kann. Dazu sah man ein,
»daß er nicht aus Mutwillen so lebte und eigentlich nur so
sich in dauernder Übung erhalten, nur so seine Kunst in ihrer Vollkommenheit bewahren konnte«. Das führt zu der
folgenden Schilderung: »Doch war es oben auch sonst gesund, und wenn in der wärmeren Jahreszeit in der ganzen
Runde der Wölbung die Seitenfenster aufgeklappt wurden

und mit der frischen Luft die Sonne mächtig in den dämmernden Raum eindrang, dann war es dort sogar schön. Freilich, sein menschlicher Verkehr war eingeschränkt, nur manchmal kletterte auf der Strickleiter ein Turnerkollege zu ihm hinauf, dann saßen sie beide auf dem Trapez, lehnten rechts und links an den Haltestricken und plauderten, oder es verbesserten Bauarbeiter das Dach und wechselten einige Worte mit ihm durch ein offenes Fenster, oder es überprüfte der Feuerwehrmann die Notbeleuchtung auf der obersten Galerie und rief ihm etwas Respektvolles, aber wenig Verständliches zu. Sonst blieb es um ihn still; nachdenklich sah nur manchmal irgendein Angestellter, der sich etwa am Nachmittag in das leere Theater verirrte, in die dem Blick sich fast entziehende Höhe empor, wo der Trapezkünstler, ohne wissen zu können, daß jemand ihn beobachtete, seine Künste trieb oder ruhte«. Ist dies die Darstellung neuer und überraschender Schönheit, die freudig stimmt? Oder ist es die Darstellung der unbedingten Einsamkeit des Künstlers, die trübe stimmt? Wahrscheinlich ist es beides. Im zweiten Teil wird das Leben dieses Künstlers beschrieben. Es ist trostlos. Er kann nur auf dem Trapez leben und muß doch von Stadt zu Stadt fahren. Dazu bedarf er der »Rennautomobile«, um »womöglich in der Nacht oder in den frühesten Morgenstunden« zum Bahnhof und mit der Eisenbahn zu seinem nächsten Ziel zu fahren, freilich nicht in einem gewöhnlichen Abteil, sondern –? Er fuhr in einem für ihn und seinen Impresario gemieteten Kupee und brachte dort »zwar in kläglichem, aber doch irgendeinem Ersatz seiner sonstigen Lebensweise die Fahrt oben im Gepäcknetz« zu. Das ist komisch und gar nicht komisch zugleich, es ist folgerichtig und furchtbar. Kam er an, so war alles vorbereitet, daß er sofort in die Höhe auf sein Trapez klettern konnte. Für den Impresario sind diese Reisen peinlich, der Trapezkünstler ist jung, und doch zerstört diese Lebensweise seine Nerven.
Der dritte Teil bringt die Krisis in dieses Leben, und wenn es

nur die Ahnung einer Krisis ist, so beschattet sie doch das weitere Leben des Trapezkünstlers, von dessen Entwicklung wir nichts mehr erfahren. Was geschieht, ist nur dies, daß er auf einer der Reisen vom Gepäcknetz aus den ein Buch lesenden Impresario leise anredet. Was sagt er? Er müsse von jetzt ab für sein Turnen statt eines immer zwei Trapeze haben! Der Impresario ist sofort einverstanden. Dann aber bricht der Trapezkünstler in Tränen aus und sagt: »Nur diese eine Stange in den Händen – wie kann ich denn leben!« Der Impresario tröstet ihn wie eine Mutter und beruhigt ihn. Er selbst aber ist besorgt, und so schließt die Geschichte: »Wenn ihn einmal solche Gedanken zu quälen begannen, konnten sie je gänzlich aufhören? Mußten sie sich nicht immerfort steigern? Waren sie nicht existenzbedrohend? Und wirklich glaubte der Impresario zu sehen, wie jetzt im scheinbar ruhigen Schlaf, in welchen das Weinen geendet hatte, die ersten Falten auf des Trapezkünstlers glatter Kinderstirn sich einzuzeichnen begannen«. Die Wahnsinnskonsequenz dieser Geschichte wird daran sichtbar, daß der Trapezkünstler zwar aus der Einöde seiner Künstlerexistenz ausbrechen will, daß ihm aber die Geselligkeit der menschlichen Existenz nur innerhalb seiner Kunst vorstellbar ist: statt des zweiten Menschen, welcher der Impresario nicht ist, auch wenn er die Mutter verträte, wünscht er sich ein zweites Trapez. Er wird es erhalten, ohne zu ahnen, daß so er seine Einsamkeit verdoppelt, und auch wenn er es ahnt, hilft ihm diese Ahnung nicht dazu, daß er aus seiner Kunst ausbräche. Es ist unmöglich, in das Leben zu fliehen, wenn man nicht in ihm steht, sondern auf einem Trapez sitzt. Die Kunst tötet das Leben. Der Impresario hat die gleiche Ahnung, als Sorge, aber auch die Sorge bleibt unfruchtbar, denn auch er kann nur mit einem zweiten Trapez helfen. Hier bricht die Geschichte ab.

2
Ein Hungerkünstler

Ganz wird die Vernichtung des Lebens durch die Kunst ein zweites Mal erzählt, und nun ist es ein wirklicher Hungerkünstler, der den Hunger nach der Kunst im Laufe seines triumphierenden und verfallenden Lebens widerlegt. Hinter dem Impresario des Trapezkünstlers steht zwar das Publikum, aber nur als Schatten. Hier tritt es auf und macht das Hungern, dessen inhaltlicher Wert keiner ernsthaften Betrachtung Stich hält, durch die Wirkung zu einer Kunst. Publikum ist wankelmütig, will das Neue, und dieses Neue war wirklich das Hungern. Aber einmal will es gerade dieses Neue nicht mehr, sondern das andere Neue, das nicht mehr das Hungern ist. Der Anspruch des Künstlers, seine Kunst habe sich nicht geändert, wird nicht anerkannt. Dieser Zeitpunkt ist bereits eingetreten. Früher, in anderen Zeiten, war dies anders, »damals beschäftigte sich die ganze Stadt mit dem Hungerkünstler«. Das Publikum, durch den Impresario geleitet, benahm sich grandios. Nach vierzig Tagen Hungerns, einer Zeit, über die der Impresario niemals hinausgeht, da dies der äußerste Termin ist, wenn die Wirkung der Reklame nicht verpuffen soll, endete die jeweilige Hungerperiode mit ihrer festlichen Beendigung durch ein bereitgestelltes Essen, von welchem der Impresario dem Künstler nur weniges einflößt. Dieser aber ist nicht zufrieden. Hier beginnt das eigentliche Motiv: was das Hungern für den Künstler bedeutet.

Es beginnt damit, daß er sich ärgert. Die Wächter, »merkwürdigerweise gewöhnlich Fleischhauer«, die am weitesten vom Hungern entfernt sind, haben darüber zu wachen, daß das Hungern programmgemäß vor sich geht. Obwohl alles dagegen spricht, unterstellen sie gutmütig, daß es ihm vielleicht doch irgendwie gelingt, Nahrung zu sich zu nehmen. Darüber ärgerte er sich, denn er wußte, wozu die »Ehre seiner Kunst« ihn verpflichtete. »Nichts war dem Hungerkünstler quälender als solche Wächter; sie machten ihn trübselig; sie machten ihm das Hungern entsetzlich schwer; manchmal überwand er seine Schwäche und sang während dieser Wachzeit, solange er es nur aushielt, um den Leuten zu zeigen, wie ungerecht sie ihn verdächtigten. Doch half das wenig; sie wunderten sich dann nur über seine Geschicklichkeit, selbst während des Singens zu essen.« Noch mehr ärgerte er sich über sich selbst, er wußte, wie leicht das Hungern war, und konnte niemanden davon überzeugen. Jedes Mal nach den vierzig Tagen wehrte er sich gegen das Essen. »Warum gerade jetzt nach vierzig Tagen aufhören, wo er im besten, ja noch nicht einmal im besten Hungern war? Warum wollte man ihn des Ruhmes berauben, weiter zu hungern, nicht nur der größte Hungerkünstler aller Zeiten zu werden, der er ja wahrscheinlich schon war, aber auch noch sich selbst zu übertreffen bis ins Unbegreifliche, denn für seine Fähigkeit zu hungern fühlte er keine Grenzen.« Trotzdem mußte er essen, und alle waren befriedigt, nur er war unbefriedigt und traurig. Wollte ihn jemand trösten, aus Gutmütigkeit, seine Traurigkeit komme von dem Hungern, dann bekam er einen Wutanfall. »Was die Folge der vorzeitigen Beendigung des Hungerns war, stellte man hier als die Ursache dar!« Aber das half ihm nicht und tat seinen Triumphen keinen Abbruch. Bis dann die große Wandlung kam, und zwar aus Gründen, denen nachzuforschen niemandem einfiel. Man wandte sich ihm ab, man wandte sich anderen Schaustellungen zu.

Er ließ sich von einem Zirkus engagieren, der bei entsprechend bescheidenen Ansprüchen auch ihn brauchen konnte, »und außerdem war es ja in diesem besonderen Fall nicht nur der Hungerkünstler selbst, der engagiert wurde, sondern auch sein alter berühmter Name, ja man konnte bei der Eigenart dieser im zunehmenden Alter nicht abnehmenden Kunst nicht einmal sagen, daß ein ausgedienter, nicht mehr auf der Höhe seiner Kunst stehender Künstler sich in einen ruhigen Zirkusposten flüchten wolle, im Gegenteil, der Hungerkünstler versicherte, daß er, was durchaus glaubwürdig war, ebensogut hungere wie früher, ja er behauptete sogar, er werde, wenn man ihm seinen Willen lasse, und dies versprach man ihm ohne weiteres, eigentlich erst jetzt die Welt in berechtigtes Erstaunen setzen, eine Behauptung, allerdings, die mit Rücksicht auf die Zeitstimmung, welche der Hungerkünstler im Eifer leicht vergaß, bei den Fachleuten nur ein Lächeln hervorrief«. Wichtig ist hier also, daß die Kunst des Hungerkünstlers sich nicht geändert hat, wohl aber das Publikum. Darum brachte man ihn nicht in der Manege unter, sondern in der Nähe der Stallungen, und die Leute sahen ihn, wenn sie, in den Pausen, zu den Tieren drängten und ihn in dem sich stauenden Gedränge der Nachschiebenden halb zwangsweise zur Kenntnis nahmen. Man erinnerte sich im besten Falle seiner einstigen Berühmtheit, im schlimmsten vergaß man ihn schon, indem man ihn sah. Er beschwerte sich nicht bei der Direktion, denn »wer wußte, wohin man ihn verstecken würde, wenn er an seine Existenz erinnern wollte und damit auch daran, daß er, genau genommen, nur ein Hindernis auf dem Weg zu den Ställen war«. Das ist furchtbar, aber es wurde noch furchtbarer, denn schon der nächste Satz lautet:»Ein kleines Hindernis allerdings, ein immer kleiner werdendes Hindernis«. Und weiter: »Man gewöhnte sich an die Sonderbarkeit, in den heutigen Zeiten Aufmerksamkeit für einen Hungerkünstler beanspruchen zu wollen, und mit dieser Gewöhnung war das Urteil über ihn gesprochen. Er mochte so gut hungern, als er nur konnte, und er tat es; nichts konnte ihn mehr retten, man ging an ihm vorüber. Versuche, jemandem die Hungerkunst zu erklären! Wer es nicht fühlt, dem kann man es nicht begreiflich machen«. Man sprach sogar, wenn man überhaupt bei ihm stehen blieb, von »Schwindel«, aber das war »die dümmste Lüge, welche Gleichgültigkeit und eingeborene Bösartigkeit erfinden konnte, denn nicht der Hungerkünstler betrog, er arbeitete ehrlich, aber die Welt betrog ihn um seinen Lohn«. Walter Benjamin schreibt in

»Zentralpark«, den Aufzeichnungen über Baudelaire aus seiner letzten Lebenszeit, dies: »Die Mode ist die ewige Wiederkehr des Neuen«. Das ist eine tiefe Erkenntnis, welcher er die noch tiefere hinzufügt: »Gibt es trotzdem in der Mode Motive der Rettung?« Für den Hungerkünstler nicht, für ihn gilt vielmehr ein anderer Satz aus den gleichen Aufzeichnungen: »Es gibt für die Menschen, wie sie heute sind, nur eine radikale Neuigkeit – und das ist immer die gleiche: der Tod«. Dennoch stirbt der Hungerkünstler mit einem letzten Wort. Es zeigt keinen Umschwung vor dem Tode, aber eine Erkenntnis.

Man findet den noch brauchbaren Käfig und unter dem verfaulten Stroh den Hungerkünstler, an den man sich kaum noch erinnert. »›Du hungerst noch immer?‹ fragte der Aufseher, ›wann wirst du denn endlich aufhören?‹ ›Verzeiht mir alle‹, flüsterte der Hungerkünstler; nur der Aufseher, der das Ohr ans Gitter hielt, verstand ihn. ›Gewiß‹, sagte der Aufseher und legte den Finger an die Stirn, um damit den Zustand des Hungerkünstlers dem Personal anzudeuten, ›wir verzeihen dir‹. ›Immerfort wollte ich, daß ihr mein Hungern bewundert‹, sagte der Hungerkünstler. ›Nun, dann bewundern wir es also nicht‹, sagte der Aufseher, ›warum sollen wir es denn nicht bewundern?‹ ›Weil ich hungern muß, ich kann nicht anders‹, sagte der Hungerkünstler. ›Da sieh mal einer‹, sagte der Aufseher, ›warum kannst du denn nicht anders?‹ ›Weil ich‹, sagte der Hungerkünstler, hob das Köpfchen ein wenig und sprach mit wie zum Kuß gespitzten Lippen gerade in das Ohr des Aufsehers hinein, damit nichts verloren ginge, ›weil ich nicht die Speise finden konnte, die mir schmeckt. Hätte ich sie gefunden, glaube mir, ich hätte kein Aufsehen gemacht und mich vollgegessen wie du und alle.‹ Das waren die letzten Worte, aber noch in seinen gebrochenen Augen war die feste, wenn auch nicht mehr stolze Überzeugung, daß er weiter hungre.« Wie Schmar dem Schutzmann, wie das Katzenlamm seinem Besitzer die Botschaft ins

Ohr flüstert, ohne daß wir sie hörten, so flüstert der Hungerkünstler dem Aufseher sein letztes Wort ins Ohr, aber wir
hören es, und es ist ein klares Wort, welches nur der, dem es
übergeben wird, am wenigsten versteht. Der Hungerkünstler
hat die Wahrheit gesagt, und so wird der eingeborene Fluch
der Kunst ruchbar. Seine Überzeugung im Tode, daß er weiter hungert, ist nicht mehr stolz, aber fest, und ob in dieser
festen Überzeugung, der der Stolz fehlt, die Rettung wartet,
wir wissen es nicht.

Wohl aber wissen wir, was der Epilog sagt. »›Nun macht
aber Ordnung!‹ sagte der Aufseher, und man begrub den
Hungerkünstler samt dem Stroh. In den Käfig aber gab man
einen jungen Panther. Es war eine selbst dem stumpfsten Sinn
fühlbare Erholung, in dem so lange öden Käfig dieses wilde
Tier sich herumwerfen zu sehen. Ihm fehlte nichts. Die Nahrung, die ihm schmeckte, brachten ihm ohne langes Nachdenken die Wächter; nicht einmal die Freiheit schien es zu ver-
missen; irgendwo im Gebiß schien sie zu stecken; und die
Freude am Leben kam mit derart starker Glut aus seinem
Rachen, daß es für die Zuschauer nicht leicht war, ihr stand-
zuhalten. Aber sie überwanden sich, umdrängten den Käfig
und wollten sich gar nicht fortrühren.« Wie der Kunst die
Nahrung des Lebens fehlt und wie sie hungern muß, um sich
zu bewähren, so schmeckt diesem Tier die Nahrung, die es
findet, und sogar die Freiheit besitzt es, »irgendwo im Gebiß«, selbst im Käfig. Nicht anders schließt die »Verwandlung« nach dem für alle untragbaren Leben und Sterben des
Sohnes mit dem gemeinsamen Ausflug der Eltern und der
Tochter. »Stiller werdend und fast unbewußt durch Blicke
sich verständigend, dachten sie daran, daß es nun Zeit sein
werde, auch einen braven Mann für sie zu suchen, und es war
ihnen wie eine Bestätigung ihrer neuen Träume und guten
Absichten, als am Ziele ihrer Fahrt die Tochter als erste sich
erhob und ihren jungen Körper dehnte.« So schön es klingt,
das ist der Panther noch einmal! Gibt es Gründe, in dem ganz

negativen Tode des Hungerkünstlers auch etwas Positives zu
sehen, so ist freilich das positive Leben des Panthers von
Kafka ganz negativ gemeint, wie der letzte Satz des »Urteils«, als der Sohn sich in den Fluß stürzt, um das Urteil
des Vaters, die Verurteilung zum Tode des Ertrinkens, in die
Tat umzusetzen. Es lautet: »In diesem Augenblick ging über
die Brücke ein wahrhaft unendlicher Verkehr«. Es ist ein-
leuchtend, daß Kafka nach einer brieflichen Äußerung das
Pantherhafte dieses »Verkehrs« sexuell verstanden wissen
will. Dennoch heißt es von Gregor Samsa vor seinem Tode:
»An seine Familie dachte er mit Rührung und Liebe zurück«.
Dennoch sagt Georg Bendemann vor seinem freiwilligen Tode: »Liebe Eltern, ich habe euch immer geliebt«. Dennoch
überlebt den Hungerkünstler bis zum Nichtsein unerkennbar
und doch unzerstörbar seiend –: die Kunst.

3
Josefine oder das Volk der Mäuse

Deine Stimme war dem Pfeifen
Und dein Gang dem Huschen ähnlich.[29]

Robert Walser

Was für den Hungerkünstler das Publikum, das ist für Josefine, die Sängerin in dem Volk der Mäuse, eben das Volk.
Die Mäuse tun der Sache nichts hinzu und nehmen ihr nichts.
Es sind viele, und sie bilden ein unübersehbar großes Volk
mit seinen eigenen Freuden und Sorgen. Die Fratzenhaftig-
keit dieser Erfindung erlaubt Kafka die Auseinandersetzung
der Sängerin mit ihren Hörern, der Hörer mit der Sängerin
auf der breitesten Grundlage. Es geht um das Wesen, um die
Wirkung, um die Anerkennung, um die Abweisung der Kunst.
Kafka, als Erzähler, ist eine der Mäuse, ganz klein, ganz an-
spruchslos, ganz weise; und ist auch, wie die Verwandtschaft mit
Josef K. im Vornamen sagt, Josefine, die Sängerin, ganz groß,
ganz anspruchsvoll, ganz dämonisch in ihrer, in seiner Kunst.

So beginnt es: »Unsere Sängerin heißt Josefine. Wer sie nicht gehört hat, kennt nicht die Macht des Gesanges«. Damit wären wir im Bereich des Mythos, aber wir sind es nicht. Ob Kafka bei der Macht des Gesanges an Schillers Gedicht gedacht hat, ist nicht bekannt. Dort aber heißt es von der Wirkung des Gesanges auf den Menschen: »Den hohen Göttern ist er eigen, / Ihm darf nichts Irdisches sich nahn, / Und jede andre Macht muß schweigen, / Und kein Verhängnis fällt ihn an; / Es schwinden jedes Kummers Falten, / Solang des Liedes Zauber walten«. Genau so verhält es sich in dem Volk der Mäuse und doch völlig anders. Schon der nächste Satz bestätigt es: »Es gibt niemanden, den ihr Gesang nicht fortreißt, was um so höher zu bewerten ist, als unser Geschlecht im ganzen Musik nicht liebt«. Hier beginnt die Spaltung als das große und einzige Thema in allem, was folgt. Für Schiller ist es unmöglich, zu denken, daß wer den Gesang hört, ihn nicht auch liebt. Pindar in seiner Einheit aus Musik und Wort ist für griechische Ohren unwiderstehlich: das Leben wird leicht; der Kummer schwindet. Kafka fährt fort: »Stiller Frieden ist uns die liebste Musik; unser Leben ist schwer, wir können uns, auch wenn wir einmal alle Tagessorgen abzuschütteln versucht haben, nicht mehr zu solchen, unserem sonstigem Leben so fernen Dingen erheben, wie es die Musik tut«. So also drückt der Widerstand des Volkes gegen die Musik sich aus: das Leben ist schwer; daß die Musik es erleichtern könnte, wie Schiller es lockend für möglich hält, ist für das Volk der Mäuse so von Natur unannehmbar, daß es kaum die Stimme zu erheben braucht, um eine solche Möglichkeit von sich abzulehnen. Trotzdem wird die Unfähigkeit, sich der Musik zu ergeben, nicht zum Leiden. »Doch beklagen wir es nicht sehr; nicht einmal so weit kommen wir; eine gewisse praktische Schlauheit, die wir freilich auch äußerst dringend brauchen, halten wir für unsern größten Vorzug, und mit dem Lächeln dieser Schlauheit pflegen wir uns über alles hinwegzutrösten, auch wenn wir einmal – was aber

nicht geschieht – das Verlangen nach dem Glück haben soll-
ten, das von der Musik vielleicht ausgeht.« Im Namen der
praktischen Schlauheit lehnt das Volk die Musik ab und das
Glück der Musik, das durch das in den Satz verirrte »vielleicht« vergiftet ist: kommt dieses Glück doch von der Sängerin, deren Bedeutung niemand bestreitet. »Nur Josefine macht
eine Ausnahme; sie liebt die Musik und weiß sie auch zu vermitteln; sie ist die einzige; mit ihrem Hingang wird die Musik – wer weiß wie lange – aus unserem Leben verschwinden.« Als »Ausnahme« wird Josefine, welche im Mythos
rechtmäßig die Ausnahme wäre, die Einzige, zur geheimnis-
vollen Ergänzung und Komplettierung ihres Volkes, im Volk
der Mäuse zugleich anerkannt und bestritten: das Positive
bei Josefine trübt sich; das Negative des Volkes erstrahlt. Die
Mäuse sind unmusikalisch, und niemand empfindet Josefines
Gesang als so schön, daß aus dieser Schönheit die Wirkung
des Gesanges sich erklären ließe, und »im vertrauten Kreise
gestehen wir einander offen, daß Josefinens Gesang nichts
Außerordentliches darstellt«.
Nun kommt eine logische Überraschung, denn man sollte
denken, daß der Beweis folgt. Der Erzähler stellt aber im
Gegenteil eine Frage: »Ist es denn überhaupt Gesang? Trotz
unserer Unmusikalität haben wir Gesangsüberlieferungen; in
den alten Zeiten unseres Volkes gab es Gesang; Sagen erzählen davon, und sogar Lieder sind erhalten, die freilich niemand mehr singen kann, eine Ahnung dessen, was Gesang
ist, haben wir also, und dieser Ahnung nun entspricht Josefinens Kunst eigentlich nicht. Ist es denn überhaupt Gesang?«
Was kein Gesang mehr ist, aber noch Kunst, was ist es denn
nun? Es ist nur –: ein Pfeifen. »Das Pfeifen allerdings kennen wir alle, es ist die eigentliche Kunstfertigkeit unseres Volkes, oder vielmehr gar keine Fertigkeit, sondern eine charak-
teristische Lebensäußerung. Alle pfeifen wir, aber freilich
denkt niemand daran, das als Kunst auszugeben, wir pfeifen,
ohne darauf zu achten, ja ohne es zu merken, und es gibt so-

gar viele unter uns, die gar nicht wissen, daß das Pfeifen zu unseren Eigentümlichkeiten gehört. Wenn es also wahr wäre, daß Josefine nicht singt, sondern nur pfeift und vielleicht gar, wie es mir wenigstens scheint, über die Grenzen des üblichen Pfeifens kaum hinauskommt – ja vielleicht reicht ihre Kraft über dieses übliche Pfeifen nicht einmal ganz hin, während es ein gewöhnlicher Erdarbeiter ohne Mühe den ganzen Tag über neben seiner Arbeit zustande bringt –, wenn das alles wahr wäre, dann wäre zwar Josefinens angebliche Künstlerschaft widerlegt, aber es wäre dann erst recht das Rätsel ihrer großen Wirkung zu lösen.« Wir aber müssen die Frage lösen, was dieses Pfeifen bedeutet, von dem im Folgenden so viel die Rede ist und von dem es zunächst heißt: »Was sie hier pfeift, ist kein Pfeifen«. Fest steht Josefines Wirkung. Wovon diese Wirkung ausgeht, von dieser Entscheidung hängt der Sinn der Geschichte als ganzer ab. Dieser Sinn wird durch das Pfeifen, das Wirkung und Sache einbegreift, satirisch verhüllt. Die Verhüllung könnte durchsichtig werden, wenn es möglich wäre, das Pfeifen in einem offenbaren Zusammenhange zu sehen, der Licht auf das Verschlossene würfe. Das Pfeifen scheint zu sein, was im Bereich der Sprache das Geschwätz ist. Wir kennen das Geschwätz von Kierkegaard her, da ist es der klare Gegensatz zu all dem, was Sprache ist, die der Glaube deckt. Wir kennen es von Heidegger, da ist es der polare Gegensatz zu allem, was der Anspruch des Metaphysikers für wahr hält, ohne daß den Worten im Geschwätz selbst noch eine Eigenbedeutung zukäme. Es gibt aber noch etwas Drittes. Das Geschwätz ist die Sprache einer großen Menge vor Beginn eines Konzertes, das Einzelne kaum vernehmbar und wenn vernommen banal, aber das Ganze tönt. Das genaue Gegenbild dieses Ganzen ist das Stimmen der Instrumente im Orchester, es enthält schon alle Töne der Symphonie, niemand kann sie hören, als ein Pfeifen klingt, was bald Musik ist. Was man spricht, ist noch Geschwätz und auch das Ganze, das klingt. Wenn der Eine in seiner vollkommenen Kunst das ebenso vollkommene Ganze reproduziert, dann ist Josefines Stunde gekommen. Aber sie kommt nicht immer. Es gibt Zeiten für Josefines Gesang und Zeiten für das allgemeine Pfeifen. Beide schließen sich aus, sind immerwährend da und bestreiten sich, und in diesem Kampf ist kein Sieg, nur ewige Gegenwart bald mit diesem, bald mit jenem Partner.

Einstweilen allerdings ist das Pfeifen nur die »Sonderbarkeit, daß jemand sich feierlich hinstellt, um nichts anderes als das Übliche zu tun«, und dieses Übliche, welches ganz andere Deutungen zuläßt, läßt hier den Vergleich mit der Kunst des Nüsseknackens zu. »Eine Nuß aufknacken ist wahrhaftig keine Kunst, deshalb wird es auch niemand wagen, ein Publikum zusammenzurufen und vor ihm, um es zu unterhalten, Nüsse knacken. Tut er es dennoch und gelingt seine Absicht, dann kann es sich eben doch nicht nur um bloßes Nüsseknacken handeln. Oder es handelt sich um Nüsseknacken, aber es stellt sich heraus, daß wir über diese Kunst hinweggesehen haben, weil wir sie glatt beherrschten, und daß uns dieser neue Nußknacker erst ihr eigentliches Wesen zeigt, wobei es dann für die Wirkung sogar nützlich sein könnte, wenn er etwas weniger tüchtig im Nüsseknacken ist als die Mehrzahl von uns.« Josefine, »die äußerlich eigentlich vollendete Zartheit ist, auffallend zart selbst in unserem an solchen Frauengestalten reichen Volk«, reagiert auf alle Vergleiche zwischen ihrem Pfeifen und dem allgemeinen Volkspfeifen mit Verachtung, ja mit Haß, ja sie leugnet sogar »jeden Zuammenhang zwischen ihrer Kunst und dem Pfeifen«. Wie sollte sie es anders sehen, da ja ihre Kunst genau darin besteht, dem Pfeifen etwas hinzuzufügen, nämlich den Gesang, welcher sie gegen die Erkenntnis seines Ursprungs in dem Pfeifen taub macht! Die Opposition, zu welcher der Erzähler »halb« gehört, bewundert sie nicht weniger als die Menge, die nur ein Pfeifen hört, aber Josefine will »genau in der von ihr bestimmten Art bewundert sein«, eben: in ihrem Gesang, von welchem sie nur versteht, daß er kein Pfeifen ist, und das ist er auch nicht. »Und wenn man vor ihr sitzt, versteht man sie; Opposition treibt man nur in der Ferne; wenn man vor ihr sitzt, weiß man: was sie hier pfeift, ist kein Pfeifen.« Dieses beträchtliche Zugeständnis kommt von jener »halben« Opposition, die nicht wissen will, was Gesang ist, aber an dem Pfeifen sich erbaut und sogar eine Störerin niederpfeift, obwohl sie zwischen diesem und jenem Pfeifen nicht den geringsten Unterschied wahrnimmt, aber dieser Unterschied besteht dennoch, unwiderruflich.

Josefine kämpft, um die Wirkung ihres Gesangs zu erhöhen, gegen jede Störung, »auf wirkliches Verständnis, wie sie es meint, hat sie längst verzichten gelernt«. Sie benutzt aber auch die unruhige Lage des Volkes, um mit ihrem Gesang unmittelbar einzugreifen. Diese Lage ist so schwer, daß der Einzelne, um überhaupt leben zu können, keinen anderen Ausweg hat als: sich auf das Ganze zu stützen, wie unruhig es auch sei. Kafka faßt dieses korrelative Verhältnis in dem großen Satz zusammen: »Manchmal zittern selbst tausend Schultern unter der Last, die eigentlich nur für einen bestimmt war«. Genau dies ist der Zeitpunkt, in dem alle die Rettung erwarten, und wie der Schuster vor dem kaiserlichen Palast in »Ein altes Blatt«, allerdings in einem Augenblick der fürchterlichen Ausweglosigkeit, den Kaiser sieht, so sieht das Volk Josefine. Aber sie steht nicht nur da mit niedergebeugtem Kopf, sie greift ein, sie singt. »Dann hält Josefine ihre Zeit für gekommen. Schon steht sie da, das zarte Wesen, besonders unterhalb der Brust beängstigend vibrierend, es ist, als hätte sie alle ihre Kraft im Gesang versammelt, als sei allem an ihr, was nicht dem Gesange unmittelbar diene, jede Kraft, fast jede Lebensmöglichkeit entzogen, als sei sie entblößt, preisgegeben, nur dem Schutze guter Geister überantwortet, als könne sie, während sie so, sich völlig entzogen, im Gesange wohnt, ein kalter Hauch im Vorüberwehn töten. Aber gerade bei solchem Anblick pflegen wir angeblichen

Gegner uns zu sagen: ›Sie kann nicht einmal pfeifen; so entsetzlich muß sie sich anstrengen, um nicht Gesang – reden wir nicht von Gesang – aber um das landesübliche Pfeifen einigermaßen sich abzuzwingen.‹ So scheint es uns, und doch ist dies, wie erwähnt, ein zwar unvermeidlicher, aber flüchtiger, schnell vorübergehender Eindruck. Schon tauchen auch wir in das Gefühl der Menge, die warm, Leib an Leib, scheu atmend horcht.« Josefine ist die mythische Sängerin, der Tyrtäus des Volks der Mäuse, dieses glaubt nicht an den Mythos, es glaubt nur an das Pfeifen, und selbst das kann die mythische Sängerin nicht – »reden wir nicht von Gesang« –, aber die Wirkung ist so, als wenn sie diese mythische Sängerin wäre, unbestreitbar, helfend, heilend. Kafka will wohl auf eine Weise, die sein Geheimnis ist, nur das Eine sagen: hinter aller rechtmäßigen Kritik ist der Mythos nicht widerlegbar, und Josefine *ist* die mythische Sängerin, die sie zu sein scheint. Dies ist ein höchstes Beispiel für die gleichsam natürliche Fähigkeit eines Schriftstellers, der mit der Wahrheit im Bunde steht, einen radikal verneinten Sachverhalt natürlich zu bejahen.

Und doch hört die Kritik nicht einen Augenblick auf. So kann es in aufgeregten Zeiten geschehen, daß nicht genügend Hörer vorhanden sind – »dann freilich wird sie wütend, dann stampft sie mit den Füßen, flucht ganz unmädchenhaft; ja sie beißt sogar«. Man darf hinzufügen, sie verhält sich so, wie jeder Künstler sich zu verhalten fähig ist, wenn ihm kein Mittel als zu bedenklich erscheint, seinen Ruhm zu erhöhen, und die größten am ehesten. Aber das Volk übersieht es, und es bringt sogar heimlich Hörer herbei. Dennoch wird die Frage, ob des Gesanges wegen das Volk Josefine bedingungslos ergeben sei, abgewiesen, denn »dieses Volk, das über alles die freilich harmlose Schlauheit liebt, das kindliche Wispern, den freilich unschuldigen, bloß die Lippen bewegenden Tratsch, ein solches Volk kann immerhin nicht bedingungslos sich hingeben, das fühlt wohl auch Josefine, das ist es, was sie bekämpft mit aller Anstrengung ihrer schwachen Kehle«. Bedingungslos also ist das Volk Josefine nicht ergeben, aber doch so, daß niemand über sie zu lachen wagte. Das Verhältnis ist das eines Vaters zu seinem Kinde, jenes Vaters etwa, der seine elf Söhne liebt und doch in seinem Urteil über jeden unerbittlich ist. Das Ganze des Volkes ist mehr als der Einzelne, mehr als Josefine, die große Sängerin. Das weiß Josefine, und dagegen kämpft sie, erbittert und ohnmächtig. »Zu Josefine wagt man allerdings von solchen Dingen nicht zu reden. ›Ich pfeife auf eueren Schutz‹, sagt sie dann. Ja, ja, du pfeifst, denken wir. Und außerdem ist es wahrhaftig keine Widerlegung, wenn sie rebelliert, vielmehr ist das durchaus Kindesart und Kindesdankbarkeit, und Art des Vaters ist es, sich nicht daran zu kehren.« So verhält sich der wahre Vater in seiner Liebe, gelassen und mächtig. Als Gustav Janouch einmal Kafka nach Hause begleitet, begegnet ihnen »ein hoher breiter Mann in einem dunklen Überzieher und mit glänzendem Hut« und sagt sehr laut: »Franz. Nach Hause. Die Luft ist feucht«. Kafka gehorcht sofort, aber »mit seltsam leiser Stimme« sagt er noch: »Mein Vater. Er hat Sorge um mich. Liebe hat oft das Gesicht der Gewalt«. Damit ist in bewunderungswürdiger Eindeutigkeit alles gesagt, was Kafkas Brief an den Vater, nicht im Augenblick der Niederschrift sondern im Augenblick des Erscheinens, als chimärisch aufhebt.

Josefine will das Verhältnis umkehren, und sie behauptet, daß *sie*, durch ihren Gesang, *das Volk* beschützt: durch die wunderbare Macht ihres Gesanges. Diesen Anspruch erkennt das Volk an, indem es die mythische Hybris vorher in dem Gesang zersetzt. Darum heißt es: »Dieses Pfeifen, das sich erhebt, wo allen andern Schweigen auferlegt ist, kommt fast wie eine Botschaft des Volkes zu dem einzelnen; das dünne Pfeifen Josefinens mitten in den schweren Entscheidungen ist fast wie die armselige Existenz unseres Volkes mitten im Tumult der feindlichen Welt. Josefine behauptet sich, dieses

Nichts an Stimme, dieses Nichts an Leistung behauptet sich und schafft sich den Weg zu uns; es tut wohl, daran zu denken. Einen wirklichen Gesangskünstler, wenn einer einmal sich unter uns finden sollte, würden wir in solcher Zeit gewiß nicht ertragen und die Unsinnigkeit einer solchen Vorführung einmütig abweisen. Möge Josefine beschützt werden vor der Erkenntnis, daß die Tatsache, daß wir ihr zuhören, ein Beweis gegen ihren Gesang ist. Eine Ahnung dessen hat sie wohl, warum würde sie sonst so leidenschaftlich leugnen, daß wir ihr zuhören, aber immer wieder singt sie, pfeift sie sich über diese Ahnung hinweg«. Seiten über wunderbare Seiten wird immer dasselbe Thema kritisch und in Einfalt variiert. Es hilft ihr nicht, daß sie im Namen ihrer Kunst für die Befreiung von jeder Arbeit kämpft, das Volk weist diese Forderung ab. Es hilft ihr nicht, daß sie »die Koloraturen« kürzt und ganz einstellt, das Volk kennt keine Koloraturen. Es hilft ihr nichts, daß sie sich bitten läßt, daß sie nur ungern nachgibt, aber doch unter undeutbaren Tränen nachgibt. Das Volk ist stärker als sie, verehrt sie und verneint unrührbar alle ihre Anstrengungen, mehr zu sein als ihr Pfeifen.

Schließlich verschwindet sie und rechnet falsch: das Volk kann sie entbehren. »Mit Josefine aber muß es abwärts gehn. Bald wird die Zeit kommen, wo ihr letzter Pfiff ertönt und verstummt. Sie ist eine kleine Episode in der ewigen Geschichte unseres Volkes und das Volk wird den Verlust überwinden. Leicht wird es uns ja nicht werden; wie werden die Versammlungen in völliger Stummheit möglich sein? Freilich, waren sie nicht auch mit Josefine stumm? War ihr wirkliches Pfeifen nennenswert lauter und lebendiger, als die Erinnerung daran sein wird? War es denn noch bei ihren Lebzeiten mehr als eine bloße Erinnerung? Hat nicht vielleicht das Volk in seiner Weisheit Josefinens Gesang, eben deshalb, weil er in dieser Art unverlierbar war, so hoch gestellt? Vielleicht werden wir also gar nicht sehr viel entbehren, Josefine aber, erlöst von der irdischen Plage, die aber ihrer Meinung nach

Auserwählten bereitet ist, wird fröhlich sich verlieren in der zahllosen Menge der Helden unseres Volkes, und bald, da wir keine Geschichte treiben, in gesteigerter Erlösung vergessen sein wie alle ihre Brüder.« Ist das nicht eine gewaltige Hymne auf das Ja der Kunst, ohne die Verneinung zu scheuen? Entscheidende Anstrengungen sind, seit Tolstoi, gemacht worden, die Kunst zu entwerten. Diese hier mag der überzeugteste Gläubige der Kunst sich gefallen lassen. Es ist richtig und falsch zugleich, daß das Volk der Mäuse keine Geschichte treibt. Darum muß seine Verehrung der Kunst, der dem Mythos feindlich und freundlich zugewandten Kunst, so aussehen. Daraus folgt, wie der Nacht der Tag, daß Josefine, die Sängerin, in »gesteigerter Erlösung« lebt und daß eines schönen Tages nicht nur das Pfeifen wieder erklingen wird, sondern: der Gesang selbst – in einer Welt, von der Walter Benjamin mündlich gesagt hat, daß er sie erstrebe, eine Welt nämlich, in der »Guten Tag!« wieder bedeute: »Guten Tag!« Auch Kafka erstrebte diese Welt, im Bunde mit der Kunst und doch ohne sie, die Kunst.

Die Wendung
Eine kleine Frau

Im Juli 1923, ein Jahr vor seinem Tode, zog Kafka mit Dora Dymant nach Berlin und lebte dort, in Steglitz, eine kurze Zeit glücklich, vor der endgültigen Verschlimmerung der Krankheit. »Dort entstand die vergleichsweise fröhliche Erzählung ›Eine kleine Frau‹. Die ›kleine Richterin‹, die in dauerndem Ärger über den ihr eigentlich fremden ›Ich‹ dahinlebt, ist niemand anderer als die Zimmervermieterin. Sie machte wohl dem jungen Paar einige Schwierigkeiten.« So schreibt Max Brod in seiner Kafka-Biographie, und wenn es wahr sein mag, daß Kafka in diesem letzten Jahr seines Lebens glücklich gewesen ist, so hindert doch das Glück einen tiefen Menschen keineswegs, gleichzeitig unglücklich zu sein, und nicht der glückliche Kafka hat in eben dieser Zeit den »Bau« geschrieben, sondern der unglückliche Kafka hat in dieser Zeit das Glück bei sich aufgenommen. Er weiß, was er sagt, wenn er von den Dämonen spricht, »die ihn endlich freigelassen hätten«. Max Brod gibt auch die folgende Äußerung Kafkas wieder: »Ich bin ihnen entwischt, diese Übersiedlung nach Berlin war großartig, jetzt suchen sie mich, finden mich aber nicht, wenigstens vorläufig nicht«. Wie die Geschichte von der »kleinen Frau« nicht fröhlich ist, so ist sie auch kein Beweis gegen die Wirkung der Dämonen, obwohl sie ihn nicht zu finden scheinen. Es ist vielmehr so, daß Kafka nach all unserem Wissen in seiner letzten Lebenszeit eine Wendung erlebt hat und daß dennoch das Sprichwort aus dem »Schloß« nicht aufgehoben ist –: daß Täuschungen häufiger sind als Wendungen. Davon ist diese Geschichte das isolierte, mit nichts sonst bei Kafka vergleichbare Zeugnis, welches so das Glück voraussetzt, wie es vom Unglück diktiert ist.

Was nämlich macht sie so einzigartig? Daß alle Verhältnisse des *Gerichts* da sind, daß sie aber *umgekehrt* da sind! Hier ist schlechthin nichts von K., und der Erzähler exzediert geradezu in der Beschreibung seiner gesicherten Existenz, aber nichts anderes erfahren wir von dieser Sicherheit, als daß an ihr, als daß an ihm die kleine Frau sich ärgert. Es gibt Gründe für diesen Ärger: er selbst ist der Grund. So liegt auch keine etwa verborgene Liebesbeziehung vor, es liegt, außer dem Ärger, überhaupt keine Beziehung vor, und wenn man dieser neun Seiten langen detaillierten Darstellung einer auf dem Ärger beruhenden Nicht-Beziehung zwischen zwei Menschen auf den Grund kommen will, so ließe sich in vorsichtiger Übertragung sagen: die Frau will den Mann richten wegen einer Schuld, um die nur sie weiß, aber sie kann es nicht, denn er steht nicht im Gericht. Die gesamte Terminologie des Gerichts wird aufgeboten, und Worte wie »Gericht«, »Schuld«, »Verfahren«, »Entscheidung« durchziehen die Geschichte, aber in abgeschwächtem Sinne. Ihnen setzt der Angeklagte als Abwehr Worte wie »Welt« und »Öffentlichkeit« in breiter Entfaltung ihres Machtsinnes entgegen, Worte, gegen die keine Attacke der immer neu gereizten Ohnmacht dieser kleinen Frau aufkommen kann.

So wird sie im Anfang der Geschichte beschrieben: »Es ist eine kleine Frau; von Natur aus recht schlank, ist sie doch stark geschnürt; ich sehe sie immer im gleichen Kleid, es ist aus gelblichgrauem, gewissermaßen holzfarbigem Stoff und ist ein wenig mit Troddeln oder knopfartigen Behängen von gleicher Farbe versehen; sie ist immer ohne Hut, ihr stumpfblondes Haar ist glatt und nicht unordentlich, aber sehr locker gehalten. Trotzdem sie geschnürt ist, ist sie doch leicht beweglich, sie übertreibt freilich diese Beweglichkeit, gern hält sie die Hände in den Hüften und wendet den Oberkörper mit einem Wurf überraschend schnell seitlich. Den Eindruck, den ihre Hand auf mich macht, kann ich nur wiedergeben, wenn ich sage, daß ich noch keine Hand gesehen habe, bei der die einzelnen Finger derart scharf voneinander abgegrenzt wären wie bei der ihren; doch hat ihre Hand keineswegs irgendeine anatomische Merkwürdigkeit, es ist eine völlig normale Hand«. Die Troddeln oder knopfartigen Behänge haben offenbar keine praktische Bedeutung. Im »Prozeß« wird einer der Wächter, die K. verhaften, so beschrieben: »Er war schlank und doch fest gebaut, er trug ein anliegendes schwarzes Kleid, das, ähnlich den Reiseanzügen, mit verschiedenen Falten, Schnallen, Knöpfen und einem Gürtel versehen war und infolgedessen, ohne daß man sich darüber klar wurde, wozu es dienen sollte, besonders praktisch erschien«. Hier muß ein Zusammenhang bestehen. Das Schlanke und Fest-Gebaute hier entspricht dem Schlanken und Geschnürten dort; den Troddeln der Frau entspricht das Sinnlos-Praktische bei dem Wächter, das zum Ornament wird. Solche Ornamente scheinen zu der Kleidung von Gerichtsbeamten zu gehören. Wenn Adolf Loos, welcher in Kafkas Tagebüchern einmal erwähnt wird, einen berühmten Aufsatz »Ornament und Verbrechen« genannt hat, so sollte die Rede von »Verbrechen« ironisch übertreibend die künstlerische Verwerflichkeit des architektonischen Ornaments brandmarken; in Kafkas Welt scheinen diese beiden Begriffe auf Tieferes und Dunkleres zu deuten. Der Oberkörper der kleinen Frau, der sich »mit einem Wurf« überraschend schnell seitlich wendet, deutet auf richterliche Jäheit, auch die trotz der Geschnürtheit leichte Beweglichkeit, vor allem aber die Hand mit der scharfen Abgegrenztheit der einzelnen Finger. Daß dies eine »völlig normale Hand« ist, die »keineswegs irgendeine anatomische Merkwürdigkeit« zeigt, wie etwa Lenis Hand im »Prozeß« mit der Schwimmhaut zwischen den einzelnen Fingern, verhüllt die Bedeutung der physiognomischen Aussage. Es kommt auf die fünf Finger an: sie drohen, jeder einzeln. Freilich sind diese Beziehungen zum Gericht sehr vage, und doch könnte gerade in diesem Vagen Kafkas Absicht verborgen sein, den »Angeklagten« als bestimmter, als stärker erscheinen zu lassen.

Wie im »Prozeß« der Prozeß in das Urteil übergeht und die Zeit eliminiert wird, so heißt es auch in einem Aphorismus ausdrücklich, daß »nur unser Zeitbegriff« uns vom jüngsten Gericht reden mache, während es in Wirklichkeit ein »Standrecht« sei. Die Eigenart der Geschichte von der kleinen Frau ist die, daß die furchtbare Schärfe aller dieser Vorstellungen zurückgenommen wird, aber nicht grundsätzlich wie in »Amerika«, wo das Weichwerden der Bürokratie von einer Willensentscheidung Kafkas herkommt, da in der Wirklichkeit ein solches »Naturtheater« nicht vorgesehen ist, sondern daß sie zurückgenommen wird auf dem Boden der Geschichte selbst: das Wesen des Helden beruht nicht auf seiner Unschuld wie bei Karl Roßmann, es beruht auf seiner Sicherheit. Dieser Sicherheit ist die Heldin nicht gewachsen. Ganz deutlich wird dies auf dem Höhepunkt, wo das Verhältnis der beiden in das Stadium der »Entscheidung« zu geraten scheint.

Vorher heißt es: »Wie es sich ja überhaupt bei genauerem Nachdenken zeigt, daß die Veränderungen, welche die Sachlage im Laufe der Zeit zu erfahren scheint, keine Veränderungen der Sache selbst sind, sondern nur die Entwicklung meiner Anschauung von ihr, insofern, als diese Anschauung teils ruhiger, männlicher wird, dem Kern näher kommt, teils allerdings auch unter dem nicht zu verwindenden Einfluß der fortwährenden Erschütterungen, seien diese auch noch so leicht, eine gewisse Nervosität annimmt«. Hier sind zwei Stellen auffallend: die Betonung der Männlichkeit im Gegensatz zu der unbewußten und unbetonten Männlichkeit K.'s im »Schloß« und die »gewisse Nervosität«, eine psychische Reaktion also von solcher Unbestimmtheit, daß es für sie kein zweites Beispiel bei Kafka gibt. Dann heißt es weiter: »Ruhiger werde ich der Sache gegenüber, indem ich zu erkennen glaube, daß eine Entscheidung, so nahe sie manchmal bevorzustehen scheint, doch wohl noch nicht kommen wird; man ist leicht geneigt, besonders in jungen Jahren, das Tempo, in dem Entscheidungen kommen, sehr zu überschätzen; wenn einmal meine kleine Richterin, schwach geworden durch meinen Anblick, seitlich in den Sessel sank, mit der einen Hand sich an der Rückenlehne festhielt, mit der anderen an ihrem Schnürleib nestelte, und Tränen des Zornes und der Verzweiflung ihr die Wangen hinabrollten, dachte ich immer, nun sei die Entscheidung da und gleich würde ich vorgerufen werden, mich zu verantworten«. Das klingt bedrohlich! Das »vorgerufen werden« kommt unmittelbar aus der Sphäre des »Prozesses«, und doch wird die kleine Richterin verhöhnt, denn schon der nächste Satz lautet: »Aber nichts von Entscheidung, nichts von Verantwortung, Frauen wird leicht übel, die Welt hat nicht Zeit, auf alle Fälle aufzupassen«. Das ist nun keineswegs »fröhlich«, wohl aber könnte man es dämonisch nennen, und zwar genau in dem Sinne, in dem Kafka durch seine Übersiedlung nach Berlin den Dämonen »entwischt« zu sein glaubte, während sie nun fröhliche Urständ feiern. Die Sicherheit dieses Angeklagten ist eine dämonische Sicherheit, und er steigert sie dadurch, daß er sich auf die »Öffentlichkeit« stützt, in einem langen, gelassen abgewogenen, in einem vergifteten Satz, der schließlich zu einem Dolchstoß wird: »Wenn es einmal – und gewiß nicht morgen und übermorgen und wahrscheinlich niemals – dazu kommen sollte, daß sich die Öffentlichkeit doch mit dieser Sache, für die sie, wie ich immer wiederholen werde, nicht zuständig ist, beschäftigt, werde ich zwar nicht unbeschädigt aus dem Verfahren hervorgehen, aber es wird doch wohl in Betracht gezogen werden, daß ich der Öffentlichkeit nicht unbekannt bin, in ihrem vollen Licht seit jeher lebe, vertrauensvoll und Vertrauen verdienend, und daß deshalb diese nachträglich hervorgekommene leidende kleine Frau, die, nebenbei bemerkt, ein anderer als ich vielleicht längst als Klette anerkannt und für die Öffentlichkeit völlig geräuschlos unter seinem Stiefel zertreten hätte, daß diese Frau doch schlimmstenfalls nur einen kleinen häßlichen Schnörkel dem Diplom hinzufügen könnte, in welchem mich die Öffentlichkeit längst als ihr achtungswertes Mitglied erklärt«. Und dann faßt er zusammen: »Das ist der heutige Stand der Dinge, der also wenig geeignet ist, mich zu beunruhigen«. Spricht denn nicht dieser Sprecher wie Karl Rossmanns Onkel in »Amerika«, der in seinem Abschiedsbrief Karl so unter seinem Stiefel zertritt wie »ein anderer« die kleine Frau?! Sind wir nicht im Biedermeiertum der Schurkerei, so sind wir doch im Dunkel der Dämonie, das mit großer Kunst als Licht aufscheint, als Licht der Erkenntnis.

Kafka war künstlerisch gewiß nie größer als in dieser Geschichte, dennoch darf der Leser sich nicht vor dem eigentlichen Sinn des Erzählten verschließen: daß es so aussehen muß, wenn ein den Dämonen ausgesetzter Mensch *einmal* glücklich zu sein wagt und sich öffnet. Dies zeigt auch der Schlußsatz des Ganzen: »Von wo aus also ich es auch ansehen, immer wieder zeigt sich und dabei bleibe ich, daß, wenn ich mit der Hand auch nur ganz leicht diese kleine Sache verdeckt halte, ich noch sehr lange, ungestört von der Welt, mein bisheriges Leben ruhig werde fortsetzen dürfen, trotz allen Tobens der Frau«. Wie hier »diese kleine Sache«, wie dieses »noch sehr lange«, wie diese »ganz leichte« Verdeckung mit der Hand gegen das »Toben der Frau« steht, als das letzte Wort, hat der Dämon schlechthin gesiegt. Um so merkwürdiger ist, was vorhergeht, denn es zeigt Unruhe, aber selbst diese ist temperiert. »Daß ich mit den Jahren doch ein wenig unruhig geworden bin, hat mit der eigentlichen Bedeutung der Sache gar nichts zu tun; man hält es einfach nicht aus, jemanden immerfort zu ärgern, selbst wenn man die Grundlosigkeit des Ärgers wohl erkennt; man wird unruhig, man fängt an, gewissermaßen nur körperlich, auf Entscheidungen zu lauern, auch wenn man an ihr Kommen vernünftigerweise nicht sehr glaubt. Zum Teil handelt es sich aber auch nur um eine Alterserscheinung; die Jugend kleidet alles gut; unschöne Einzelheiten verlieren sich in der unaufhörlichen Kraftquelle der Jugend; mag einer als Junge einen etwas lauernden Blick gehabt haben, er ist ihm nicht übelgenommen, er ist gar nicht bemerkt worden, nicht einmal von ihm selbst; aber, was im Alter übrigbleibt, sind Reste, jeder ist nötig, keiner wird erneut, jeder steht unter Beobachtung, und der lauernde Blick eines alten Mannes ist eben ein ganz deutlich lauernder Blick, und es ist nicht schwierig, ihn festzustellen. Nur ist es aber auch hier keine wirkliche Verschlimmerung«. Diese wunderbare Weisheit über Jugend und Alter, so fehl am Platz wie die wunderbare Altersweisheit des närrischen Polonius bei der Abreise des Laertes nach Frankreich, besiegt die Unruhe. Daß aber »auch hier keine wirkliche Verschlimmerung« ist, macht das Ganze nur noch schlimmer. Selten wurde in einer höchst dichterischen Geschichte die Fröhlichkeit als Lebensanlaß des Dichters, sie darzustellen, zu einem so radikal ihn überwältigenden Anlaß, auf den finsteren Grund dieser Fröhlichkeit zu dringen, wo die Wendung zur Täuschung wird.

Sprache
Der Schlag ans Hoftor

Was Sprache ist und nicht ist, läßt sich aus der Geschichte
»Der Schlag ans Hoftor« aus »Beschreibung eines Kampfes«
ablesen. Es handelt sich darum, daß die Schwester des Erzählers an ein Hoftor geschlagen hat – oder auch nicht, es bleibt
unsicher – und mit diesem Schlage das Gericht über beide in
Bewegung setzt, welches nur ihn, den Erzähler, trifft. Da
heißt es von Leuten, die ihm nach dem Schlag entgegenkommen: »Sie zeigten nach dem Hof, an dem sie vorüberge-
kommen waren, und erinnerten uns an den Schlag ans Tor.
Die Hofbesitzer *werden* uns verklagen, gleich *werde* die Untersuchung beginnen«. Aus dem »werde« geht deutlich hervor, daß hier eine indirekte Rede vorliegt. Ist aber nun »werden« ein Konjunktiv, wie er es zu sein hätte? Wahrscheinlich,
aber ein falscher! Dann nämlich, wenn der Konjunktiv gleich-
lautend ist mit dem Indikativ, im Präsens, müßte man »würde« vorziehen. Es ist aber nun das Seltsame, daß dieser
falsche Konjunktiv richtig ist, nämlich ein Indikativ der *direkten* Rede, so daß das folgende überraschende Bild entsteht. Die Leute sagen geradezu, nämlich direkt, daß die
Hofbesitzer uns verklagen *werden*. Formal bleibt die indirekte Rede, obwohl sie »uns« beibehält, weiter bestehen, aber
die direkte Rede, welche ja gesprochen sein muß, ehe der Erzähler von ihr berichtet, durchbricht das grammatische Schema: sie wird hörbar. Sie deutet auf das vor allem Wichtige
der Anklage, die den Prozeß ins Rollen bringt und unabänderlich ist, und daß die Untersuchung gleich beginnen »werde«, ist nur die untergeordnete Folge dieses souveränen Fak-
tums, und nur darum kann die Untersuchung gleich beginnen,
mit einer Schnelligkeit, für die dieses »gleich« ein unzutref-
fender Ausdruck ist, es ist vielmehr das Rollen des Donners
nach dem Blitz, noch eher ist es die Untersuchung, die auf die
Anklage folgt wie fünf Worte auf ein Komma. Später heißt

es noch einmal: »Ich drängte meine Schwester fort, ich *werde* alles ins Reine bringen. (Kurz danach heißt es deutlich: »Ich sagte, sie *solle* sich aber wenigstens umkleiden«.) Es ist klar, daß die indirekte Rede wieder »würde« verlangt hätte, da aber diese auf einen indikativischen Handlungsbericht folgt und die zum Ziele der Vernichtung vorstoßenden Ereignisse dem Erzähler nicht einmal die Zeit zu einem »ich sagte« lassen, springt der Konjunktiv wie von selbst und unmittelbar in die *direkte* Rede um. Da hier nicht mehr, wie oben, die Leute sprechen, von denen der Erzähler berichtet, sondern diese selbst, besteht kein Anlaß mehr, das Schema der *indirekten* Rede aufrechtzuerhalten. Es ist nun die Frage, ob Kafka dieses großartigen Stilmittels sich bewußt war oder ob hier Sprachfehler schöpferisch wurden. Ich glaube dieses, ohne jenes zu bestreiten, es sei denn durch den Hinweis darauf, daß Kafkas elementarer Drang nach Mitteilung des nicht Mitteilbaren, die Sprache als solche, die dichterische Sprache *übersprungen* hat und und daß dieser Sprung auf eine Stärke deutet, der eine Schwäche genau entspricht. Insbesondere war er nicht an der Richtigkeit gesprochener Sprache interessiert, wie etwa Karl Kraus, und wo bei ihm in direkter Rede gesprochen wird, stellt sich zuweilen der merkwürdige Eindruck ein, daß gesprochene Sprache *erfunden* werde. In dieser Geschichte geschieht es, alles entscheidend, einmal, als der Richter, »der vorgesprungen war und mich schon erwartete«, sagt: »Dieser Mann tut mir leid«. Das ist überaus stark, aber wo ist das Urbild dieser Rede jemals gesprochen worden? Auch dies deutet auf das Irreale dieser realen Welt, genauer: darauf, daß die in ihr angelegte Realität *noch nicht* realisiert ist. Daß aber Kafka der Mischung von direkter und indirekter Rede als eines Stilmittels sich doch bewußt war, könnte ein weiterer Satz dieser Geschichte zeigen. Als die heransprengenden Reiter nach der Schwester fragen, welche ja die eigentlich »Schuldige« ist, folgt der Satz: »Sie ist augenblicklich nicht hier, wurde ängstlich geantwortet, werde aber später kommen«. Die Angst des Angeklagten, die nur noch passiv auszudrücken wagt, daß er (= ich) antwortet, bedient sich der direkten Rede, um zu sagen, was nicht geleugnet werden kann, daß nämlich die Schwester *nicht* da ist, und des Konjunktivs, welcher an sich in dieser indirekten Rede einen indikativischen Sachverhalt umschreibt, um das Irreale der irrealen Zukunft zu seinen Gunsten noch zu verstärken. Die Vermutung, daß hier Sprachfehler schöpferisch wurden, könnte der Umstand nahelegen, daß diese Geschichte ein Fragment ist, das stilistisch wie ein erster Entwurf wirkt. Auf das Fragmentarische deutet der Umstand, daß die einzige Figur, die überhaupt nicht aktiv wird, einen Namen hat, es ist »der stille Gehilfe« des Richters, der Assmann heißt und wahrscheinlich Kafka selbst ist; auf das stilistisch Unfertige deutet gerade der Satz, der die Namensnennung enthält: »Es waren hauptsächlich zwei Herren, der Richter, ein junger lebhafter Mann, und sein stiller Gehilfe, der Assmann genannt wurde«. Dieser Anfang »es waren« ist ungeschickt, aber in einem ersten, unter dem Druck der Vision geschriebenen Entwurf denkbar. Daß ein so großer Autor wie Kafka zwischen echtem sprachlichem Ausdruck und antisprachlicher Mitteilung schwankt, sagt etwas über das Wesen der Sprache in unserer Weltzeit aus.

Krankheit und Gesundheit
Tagebuchaufzeichnung

20. 12. 1914: »Maxens Einwand gegen Dostojewski, daß er zuviel geistig Kranke auftreten läßt. Vollständig unrichtig. Es sind nicht geistig Kranke. Die Krankheitsbezeichnung ist nichts als ein Charakterisierungsmittel, und zwar ein sehr zartes und sehr ergiebiges. Man muß zum Beispiel einer Person nur immer mit größter Hartnäckigkeit nachsagen, daß sie einfältig und idiotisch ist, und sie wird, wenn sie Dosto-

jewskischen Kern in sich hat, förmlich zu ihren Höchstleistungen aufgestachelt. Seine Charakterisierungen haben in dieser Hinsicht etwa die Bedeutung von Schimpfworten unter Freunden. Sagen sie einander ›du bist ein Dummkopf‹, so meinen sie nicht, daß der andere ein wirklicher Dummkopf ist und sie sich durch diese Freundschaft entwürdigt haben, sondern es liegt darin meistens, wenn es nicht bloß Scherz ist, aber selbst dann, eine unendliche Mischung von Absichten. So ist zum Beispiel der Karamasoffsche Vater durchaus kein Narr, sondern ein sehr kluger, fast Iwan ebenbürtiger, allerdings böser Mann und viel klüger jedenfalls als beispielsweise sein vom Erzähler unangefochtener Vetter oder Neffe, der Gutsbesitzer, der sich ihm gegenüber so erhaben fühlt«.

Max Brod urteilt vom Standpunkt der Gesundheit, vom Standpunkt Goethes aus. Für Goethe ist klassisch das Gesunde, romantisch das Kranke. Nun ist Tolstoi, in diesem Zusammenhange betrachtet, ein klassischer Schriftsteller, ohne daß man seine Figuren als gesund bezeichnen könnte. Sie sind weder krank noch gesund, sie leiden. Gleichzeitig gehören sie, von Ausnahmen abgesehen, der höheren Gesellschaft an. Bei Dostojewski gibt es zwar auch neben der niedrigen die höhere Gesellschaft, aber alle, die Unteren und die Oberen, die Armen und die Reichen, die Bösen und die Guten, die Kranken und die Gesunden, Rogoschin und Fürst Myschkin, Hippolyt und Fürst Myschkin, Nastassja Fillipowna und Aglaja, Lebedeff und Lisaweta Prokowjewna, alle transzendieren das Gesellschaftliche um des Geistes willen. Es gibt wohl unter ihnen auch geistig Kranke, die Kafka in ihrer besonderen Art von Gesundheit nahe sein müßten. Die Spannung zwischen Krankheit und Gesundheit, die dem vertieften Blick nicht erlaubt, beide als absolute Einheiten zu betrachten, ist ein Problem, das zuweilen auch dem Geschwätz Raum läßt, wenn man die Gesundheit oder die Krankheit überschätzt. Der echte Beziehungspunkt wird in einer mündlichen Antithese Wilhelm Kütemeyers sichtbar, so daß in der Krankheit des Geistes der Geist aufblitzt, das ist also wohl die Gesundheit, zum mindesten die Gesundung oder die Möglichkeit der Gesundung. Karl Jaspers hat nämlich behauptet, der Prophet Hosea sei schizophren, und Kütemeyer erwidert darauf, Schizophrenie sei verkrüppelte Prophetie. Es gibt überall bei Dostojewski geistig Kranke, die so betrachtet gesund sein oder werden könnten. Sie erscheinen als krank, weil sie von der kollektiven Erkrankung ihrer Umwelt, die mit dem barbarischen Herrschaftsanspruch der Gesundheit auftritt, sich unvorteilhaft abheben. So auch Kafka, welcher dazu noch Öl ins Feuer gießt, seine Krankheit schürt und damit den Beziehungspunkt der Gesundheit, obwohl er ihn genau kannte, zeitweise aus den Augen verliert. In seiner rechtmäßigen Wendung gegen Max Brod hätte er auf dieses Problem stoßen müssen. Sonderbarerweise überspringt er es und bleibt im Literarischen, durchdringt es aber so tief, daß er von dieser Seite her dem Problem, das er nicht sieht, sich wieder nähert. Die Idee der »Höchstleistungen« enthält eine fruchtbare Ahnung. Obwohl er die Worte »einfältig« und »idiotisch« gebraucht, klingt der Wortlaut nicht so, als wenn er unmittelbar an den »Idioten« dächte. Dieser verbringt zwischen den Polen geistiger Erkrankung vor Beginn der eigentlichen Handlung und nach ihrem Abschluß wahre Höchstleistungen an Gesundheit. Sie bewirken nur darum nichts, weil sie die Krankheit der Umwelt zwar aufdecken aber nicht aufheben können. Die Umwelt bleibt überzeugt davon, daß *er* der Idiot ist, obwohl er, den Lisaweta Prokofjewna für impotent hält, die vollste Potenz hätte, wenn er zwischen den beiden Frauen, die er beide liebt, sich zu entscheiden fähig wäre.

Wenn nun Kafka auf den »Dummkopf« kommt, so scheint es ihm zu entgehen, daß hier zwei entgegengesetzte Aspekte der Betrachtung sich nicht durchdringen. Was er über den Vater der Karamasoffs sagt, ist richtig und tief. Was er über die »Absichten« sagt, die im Spiele seien, wenn man einen Freund als einen Dummkopf bezeichnet, bleibt problematisch. Die Frage ist nicht damit gelöst, daß dies nur ein »Schimpfwort« sei, welches gar nicht sagen wolle, daß der so Bezeichnete ein »wirklicher Dummkopf« ist. Dieser gehört nämlich gemäß dem Ausgangspunkt der Betrachtung zu den »geistig Kranken« bei Dostojewski, die Max Brod nach dem Maßstabe der Gesundheit preisgibt, die aber erstaunlicherweise nun auch Kafka preisgibt. Er stellt nicht mehr die Frage, was sich ergibt, wenn der angebliche Dummkopf ein »wirklicher Dummkopf« ist und die Freunde »sich durch diese Freundschaft entwürdigt haben«. Ist schon an sich nicht einzusehen, warum Dummheit rechtmäßig die Freundschaft aufheben dürfte, so gibt es doch Dummheit als absoluten Endzustand eines Menschen, den nichts in ihm aufheben könnte, überhaupt so wenig, wie es absolute Krankheit und absolute Gesundheit gibt. Hier dringt Paul Valéry tiefer, der einmal sagt, ein dummer Mensch begnüge sich mit wenigen Ideen, und dann die hinterhältige Frage stellt, ob er nicht darum eigentlich ein Weiser sei. Die Grenze des Richtigen in dieser formalen Antwort ist freilich die, daß Valéry die wenigen Ideen des Weisen inhaltlich nicht ernster nimmt als die wenigen Ideen des Dummen, daß er grundsätzlich alle Inhalte leugnet, daß er die geistigen Akte vorzieht, die zu ihnen führen, und so die Beziehung zwischen Dummheit und Weisheit ihm nur als Beispiel für die Formverwandlung von Gedanken wichtig ist. Ähnlich verhält es sich mit Valérys Gedanken, der Dieb sei ein Komödiant, er tue so, als ob die gestohlene Sache ihm gehöre. Moralisch betrachtet ist ein solcher Gedanke sinnlos, denn die Moral ist selbstverständlich am Inhalt jeder Aussage interessiert; die Ausscheidung des Inhalts vorausgesetzt, ist die Aussage sinnvoll, ja sie könnte sogar den Dieb über das Sinnlose seines Tuns aufklären, denn die Sache, die er stiehlt, gehört wirklich nicht ihm, und wenn er das Gegenteil behauptet, ist er ein Komödiant. Sowohl der Idiot als auch Don Quixote, von welchem jener herkommt, verfügen über Inhalte, aber sie sind dumm und gleichzeitig im höchsten Grade der Freundschaft ihrer Freunde würdig, selbst wenn Don Quixote nur Sancho Pansa zum Freunde hat und selbst wenn für alle Menschen seiner Umwelt Fürst Myschkin der natürliche Mittelpunkt ist, aber keiner ihn von seiner Einsamkeit durch die Freundschaft erlöst, es sei denn Rogoshin, der ihn ermorden wollte, vor der Leiche der von ihm ermordeten Nastassja Fillipowna, die beide geliebt haben. Darauf fällt der Fürst in die Krankheit zurück.

Der falsche Tod
Der Jäger Gracchus

Empörerisches hat Kafka nie versucht als die Geschichte vom Jäger Gracchus, und wie man nicht weiß, ob sie zuende erzählt ist, denn sie könnte so lang sein wie das Leben dieses im vierten Jahrhundert im Schwarzwald abgestürzten Jägers, der tot ist und durch einen Fehler lebt, so weiß man auch nicht, ob es eine gute Geschichte ist oder eine böse, ob es sich also lohne, über sie nachzudenken, oder ob es besser wäre, nicht über sie nachzudenken. Richtet man den fragenden Blick auf sie, ohne die Entscheidung vorwegzunehmen, so nimmt man mit Staunen wahr, daß über dem Jäger mit dem römischen Namen des Aufruhrs das Dunkelste in hellem Licht ist und daß Schwarzwald und Gardasee in einer Poesie erstrahlen, die die Ereignisse radikal aufheben.

Der Gegenspieler des Jägers Gracchus ist der Bürgermeister von Riva am Gardasee, jener Stadt, in der der jugendliche Kafka einmal glückliche Tage verlebt hat. Beide kommen auf höchst dichterische Art zusammen. So beginnt es: »Zwei Knaben saßen auf der Quaimauer und spielten Würfel. Ein Mann las eine Zeitung auf den Stufen eines Denkmals im Schatten des säbelschwingenden Helden. Ein Mädchen am Brunnen füllte Wasser in ihre Bütte. Ein Obstverkäufer lag neben seiner Ware und blickte auf den See hinaus. In der Tiefe einer Kneipe sah man durch die leeren Tür- und Fensterlöcher zwei Männer beim Wein. Der Wirt saß vorn an einem Tisch und schlummerte. Eine Barke schwebte leise, als werde sie über dem Wasser getragen, in den kleinen Hafen. Ein Mann in blauem Kittel stieg ans Land und zog die Seile durch die Ringe. Zwei andere Männer in dunklen Röcken mit Silberknöpfen trugen hinter dem Bootsmann eine Bahre, auf der unter einem großen blumengemusterten, gefransten Seidentuch offenbar ein Mensch lag«. Die Knaben, der die Zeitung lesende Mann, der Held auf seinem Denkmal, der Obstverkäufer, die Männer in der Kneipe, der Wirt – sie alle scheinen die Grundtypen der natürlichen Menschheit zu vertreten, zu denen plötzlich ein besonderer Toter hineinfährt, unerwartet und doch angemeldet, lautlos, er ist da, ohne etwas zu bewirken. »Auf dem Quai kümmerte sich niemand um die Ankömmlinge, selbst als sie die Bahre niederstellten, um auf den Bootsführer zu warten, der noch an den Seilen arbeitete, trat niemand heran, niemand richtete eine Frage an sie, niemand sah sie genauer an. Der Führer wurde noch ein wenig aufgehalten, durch eine Frau, die, ein Kind an der Brust, mit aufgelösten Haaren sich jetzt auf Deck zeigte. Dann kam er, wies auf ein gelbliches, zweistöckiges Haus, das sich links nahe beim Wasser geradlinig erhob, die Träger nahmen die Last auf und trugen sie durch das niedrige, aber von schlanken Säulen gebildete Tor. Ein kleiner Junge öffnete ein Fenster, bemerkte noch gerade, wie der Trupp im Haus verschwand, und schloß wieder eilig das Fenster. Auch das Tor wurde nun geschlossen, es war aus schwarzem Eichenholz sorgfältig gefügt. Ein Taubenschwarm, der bisher den Glockenturm umflogen hatte, ließ sich jetzt vor dem Hause nieder. Als werde im Hause ihre Nahrung aufbewahrt, sammelten sich die Tauben vor dem Tor. Eine flog bis zum ersten Stock auf und pickte an die Fensterscheibe. Es waren hellfarbige, wohlgepflegte, lebhafte Tiere. In großem Schwung

warf ihnen die Frau aus der Barke Körner hin, die sammelten sie auf und flogen dann zu der Frau hinüber«.

Nun kommt die Gegenbewegung. »Ein Mann im Zylinderhut mit Trauerband kam eine der schmalen, stark abfallen-
den Gäßchen, die zum Hafen führten, herab. Er blickte aufmerksam umher, alles bekümmerte ihn, der Anblick von Unrat in einem Winkel ließ ihn das Gesicht verzerren. Auf den
Stufen des Denkmals lagen Obstschalen, er schob sie im Vor-
beigehen mit seinem Stock hinunter. An der Stubentür klopf-
te er an, gleichzeitig nahm er den Zylinderhut in seine
schwarzbehandschuhte Rechte. Gleich wurde geöffnet, wohl
fünfzig kleine Knaben bildeten ein Spalier im langen Flur-
gang und verbeugten sich.« Während bisher alles gleichsam
schön war, in sich selber selig, zeigt es sich nun, daß das Un-
selige durch die Schönheit nicht aufgesogen wird: von Unrat
ist die Rede, von Obstschalen und von einem Mann im Zylinderhut mit Trauerrand, also von einem, der im Begriff ist,
zu einem Begräbnis zu gehen und der auch von Natur traurig ist. Diese Trauer bestimmt die weitere Darstellung, in
welche die Schönheit nur leise hineinspielt. »Der Bootsführer
kam die Treppe herab, begrüßte den Herrn, führte ihn hinauf, im ersten Stockwerk umging er mit ihm den von leicht
gebauten, zierlichen Loggien umgebenen Hof und beide tra-
ten, während die Knaben in respektvoller Entfernung nach-
drängten, in einen kühlen großen Raum an der Hinterseite
des Hauses, dem gegenüber kein Haus mehr, sondern nur
eine kahle, grauschwarze Felsenwand zu sehen war.« Und
nun, indem Kerzen das Licht zu den früheren Schatten
aufscheuchen, schwindet die Schönheit, und dies, groß und
finster, dieser wird sichtbar: »Von der Bahre war das Tuch
zurückgeschlagen. Es lag dort ein Mann mit wild durchein-
andergewachsenem Haar und Bart, gebräunter Haut, etwa
einem Jäger gleichend. Er lag bewegungslos, scheinbar atem-
los mit geschlossenen Augen da, trotzdem deutete nur die
Umgebung an, daß er vielleicht ein Toter war«. Der Herr

in Trauer legt eine Hand dem Liegenden auf die Stirn und betet. Als sie allein sind und es stiller als still ist, fragt der Mann auf der Bahre den Knieenden, wer er sei, und dieser sich erhebend antwortet, er sei der Bürgermeister von Riva. Nun beginnt das Gespräch zwischen dem Toten und dem Lebenden. Dieser weiß, daß jener der Jäger Gracchus ist. Es gab eine Ankündigung. »>Gewiß<, sagte der Bürgermeister. >Sie wurden mir heute in der Nacht angekündigt. Wir schliefen längst. Da rief gegen Mitternacht meine Frau: >Salvatore – so heiße ich – >sieh die Taube am Fenster!< Es war wirklich eine Taube, aber groß wie ein Hahn. Sie flog zu meinem Ohr und sagte: >Morgen kommt der tote Jäger Gracchus, empfange ihn im Namen der Stadt.< Der Jäger nickte und zog die Zungenspitze zwischen den Lippen durch: >Ja, die Tauben fliegen vor mir her. Glauben Sie aber, Herr Bürgermeister, daß ich in Riva bleiben soll?<« Von wem geht nun das Heil aus? Von dem Lebenden, der Salvatore heißt, also Erlöser, und welchem eine Taube groß wie ein Hahn den Toten ankündigt, oder von dem Toten, der zustimmend kundgibt, aber mit einer Geste der Zungenspitze, die nichts Gutes verheißt, daß die Tauben der Erlösung vor ihm herfliegen? Von keinem von beiden geht das Heil aus, denn was hier sich ausdrückt ist das negative Heil der Trauer. Wenn der Tote lebt und der Lebende tot ist, kann es kein positives Heil der Freude geben, sondern nur den Willen des Autors, an beiden Enden zugleich zu verbrennen und vorher in zweifacher Gestalt sich darzustellen.

Auf die Frage des Toten, ob er hierbleiben könne, antwortet der Bürgermeister mit der Gegenfrage ob er tot sei, denn einem Toten scheint er den Aufenthalt nicht erlauben zu können: er spricht im Namen der kompakten Majorität der Lebenden. Nun gibt der Tote die völlig ins Phantastische sich steigernde Antwort, daß er lebe, und es heißt: »>Ja<, sagte der Jäger, >wie Sie sehen. Vor vielen Jahren, es müssen aber ungemein viel Jahre sein, stürzte ich im Schwarzwald – das ist in Deutschland – von einem Felsen, als ich eine Gemse verfolgte. Seitdem bin ich tot.‹ ›Aber Sie leben doch auch‹, sagte der Bürgermeister. ›Gewissermaßen‹, sagte der Jäger, ›gewissermaßen lebe ich auch. Mein Todeskahn verfehlte die Fahrt, eine falsche Drehung des Steuers, ein Augenblick der Unaufmerksamkeit des Führers, eine Ablenkung durch meine wunderschöne Heimat, ich weiß nicht, was es war, nur das weiß ich, daß ich auf der Erde blieb und daß mein Kahn seither die irdischen Gewässer befährt. So reise ich, der nur in seinen Bergen leben wollte, nach meinem Tode durch alle Länder der Erde‹.« Trostloseres läßt sich kaum sagen, aber selbst hier gibt es die »Ablenkung durch meine wunderschöne Heimat«, deren heimatliches Dunkel so hell erstrahlt wie das fremde Licht des Gardasees. Solches Leben kann der Bürgermeister nicht billigen, und darum stellt er »mit gerunzelter Stirn« die Frage der Entscheidung: »Und Sie haben keinen Teil am Jenseits?« Das ist eine logisch richtige Frage, denn hier hat ein Toter nicht zu sein, und wenn der durch einen Fehler Lebende es will, scheint jener mit Recht die Stirn zu runzeln. Aber der Tote will gar nicht hier sein, sondern –: »›Ich bin‹, antwortete der Jäger, ›immer auf der großen Treppe, die hinaufführt. Auf dieser unendlich weiten Freitreppe treibe ich mich herum, bald oben, bald unten, bald rechts, bald links, immer in Bewegung. Aus dem Jäger ist ein Schmetterling geworden. Lachen Sie nicht.‹ ›Ich lache nicht‹, verwahrte sich der Bürgermeister«. Es ist also ernst, und es darf nicht gelacht werden. Die unendliche Treppe erinnert an »Fürsprecher«. Gab es aber dort noch eine Hoffnung auf die unaufhaltsam aufwärtswachsenden Stufen, so ist hier die Entscheidung schon vollzogen, und es gäbe gleichsam Anlaß, über solche Bewegung nach oben zu lachen, denn nun sagt der Jäger: »Nehme ich aber den größten Aufschwung und leuchtet mir schon oben das Tor, erwache ich auf meinem alten, in irgendeinem irdischen Gewässer öde steckenden Kahn«. Er beschreibt sein Elend: Julia, die das Morgengetränk des Landes bringt, wo er gerade ist; die Kabine mit der Holzpritsche; das schmutzige Totenhemd, das blumengemusterte Frauentuch über seinen Beinen, die Kirchenkerzen ihm zu Häupten; das Bild des Buschmanns, der nach ihm zielt, an der Wand gegenüber; die warme Luft der südlichen Nacht; das Wasser, das an die Barke schlägt. Und noch einmal das Sterben! »Diese Barke sollte mich ins Jenseits tragen. Ich erinnere mich noch, wie fröhlich ich mich hier auf der Pritsche ausstreckte zum ersten Mal. Niemals haben die Berge solchen Gesang von mir gehört wie diese vier damals noch dämmerigen Wände.« Ist es nicht das »Lied der Toten« des Novalis? »Lobt doch unsre stillen Feste, / Unsre Gärten, unsre Zimmer, / Das bequeme Hausgeräte, / Unser Hab und Gut. / Täglich kommen neue Gäste, / Diese früh, die andern späte, / Auf den weiten Herden immer / Lodert neue Lebens-Glut.« Aber da war kein Fehler im Sterben, sondern Jubel, der frohlockt und die Freuden des Jenseits preist. Der Jäger als Typus gehört zu Kafkas Bildern menschlicher Gelungenheit. Am 9. 10. 1917 schreibt er über einen Bauern in sein Tagebuch: »Ist leidenschaftlicher Jäger, vernachlässigt die Wirtschaft. Riesige zwei Pferde im Stall, homerische Gestalten, in einem flüchtigen Sonnenschein, der durch die Stallfenster kam«. So kamen die Pferde, »mächtige flankenstarke Tiere« in der Erzählung »Ein Landarzt« aus dem Schweinestall, und hierher gehört die Tagebuchaufzeichnung, ebenfalls aus dem Jahre 1917 –: »Zeitweilige Befriedigung kann ich von Arbeiten wie »Landarzt« noch haben, vorausgesetzt, daß mir etwas Derartiges noch gelingt (sehr unwahrscheinlich). Glück aber nur, falls ich die Welt ins Reine, Wahre, Unveränderliche heben kann«. Der Jäger Gracchus aber stürzt ab und ist tot. Und was dann?

»Ich hatte gern gelebt und war gern gestorben, glücklich warf ich, ehe ich den Bord betrat, das Lumpenpack der Büchse, der Tasche, des Jagdgewehrs vor mir hinunter, daß ich immer stolz getragen hatte, und in das Totenhemd schlüpfte ich wie ein Mädchen ins Hochzeitskleid.« Nun stellt der Bürgermeister »mit abwehrend erhobener Hand« die Schuldfrage: »Und Sie tragen gar keine Schuld daran?« Man könnte an die Freunde des Hiob denken, die ihn zu einem Schuldbekenntnis bewegen wollen, aber hier wird überhaupt nicht gerechtet, geschweige mit Gott. Der so direkt Angesprochene erwidert einfach: »Keine, ich war Jäger, ist das etwa eine Schuld? Aufgestellt war ich als Jäger im Schwarzwald, wo es damals noch Wölfe gab. Ich lauerte auf, schoß, traf, zog das Fell ab, ist das eine Schuld? Meine Arbeit wurde gesegnet. ›Der große Jäger vom Schwarzwald‹ hieß ich. Ist das eine Schuld?« Darauf antwortet der Bürgermeister: »Ich bin nicht berufen, das zu entscheiden, doch scheint auch mir keine Schuld darin zu liegen. Aber wer trägt denn die Schuld?« Diese Antwort besteht aus drei Teilen: einer Ablehnung, sich bindend zu äußern; einer vorläufigen Zustimmung; einer Frage nach dem Schuldigen. Diese Frage könnte wiederum Hiobs Hader mit Gott heraufbeschwören. Gracchus aber erwidert, man möchte sagen unverschämt –: »Der Bootsmann«. Und zeigt auf sein Unglück und sagt: »Niemand wird lesen, was ich hier schreibe³⁰, niemand wird kommen, mir zu helfen; wäre als Aufgabe gesetzt, mir zu helfen, so blieben alle Türen aller Häuser geschlossen, alle liegen in den Betten, die Decken über den Kopf geschlagen, eine nächtliche Herberge die ganze Erde. Das hat guten Sinn, denn niemand weiß von mir, und wüßte er von mir, so wüßte er meinen Aufenthalt nicht, und wüßte er meinen Aufenthalt, so wüßte er mich dort nicht festzuhalten, so wüßte er nicht, wie mir zu helfen. Der Gedanke, mir helfen zu wollen, ist eine Krankheit und muß im Bett geheilt werden«. In anderer Tonart fährt er fort: »Das weiß ich und schreie also nicht, um Hilfe herbeizurufen, selbst wenn ich in Augenblicken – unbeherrscht wie ich bin, zum Beispiel gerade jetzt – sehr stark daran denke. Aber es genügt wohl zum Austreiben solcher Gedanken, wenn ich umherblicke und mir vergegenwärtige, wo ich bin und – das darf ich wohl behaupten – seit Jahrhunderten wohne«. Und nun scheint der

Bürgermeister wieder ganz Bürgermeister zu sein, und als solcher nimmt er Stellung zu einem außerordentlichen Ereignis, das ihn gleichsam amtlich betrifft, denn er sagt: »Außerordentlich, außerordentlich. – Und nun gedenken Sie bei uns in Riva zu bleiben?« Aber Riva versinkt und Schwarzwald und Jäger, es bleibt nur der falsche Tod: »›Ich gedenke nicht‹, sagte der Jäger lächelnd und legte, um den Spott gutzumachen, die Hand auf das Knie des Bürgermeisters. ›Ich bin hier, mehr weiß ich nicht, mehr kann ich nicht tun. Mein Kahn ist ohne Steuer, er fährt mit dem Wind, der in den untersten Regionen des Todes bläst‹.« Von Shakespeares »Ist Tod erst tot, dann gilt kein Sterben mehr« ist Kafka hier weit entfernt. Dennoch ist die Entscheidung schwer, ob dies eine gute oder eine böse Geschichte sei.

Man könnte aber sagen, daß dies eine wahre Geschichte ist, und die Frage stellen, ob so viel Wahrheit in die Poesie einzubeziehen eigentlich erlaubt sei. Daß hier ein Aspekt des Todes von äußerstem Grauen mit den Mitteln der Poesie dargestellt ist, welche an sich mehr auf die Ertragbarkeit des Todes dringt, mag die Betrachtung ergeben haben. Man denke etwa an den letzten Akt von Hauptmanns »Michael Kramer«. Kafka muß hiervon etwas gefühlt haben, denn der Anhang zu »Beschreibung eines Kampfes« enthält ein Fragment zum »Jäger Gracchus«, das staunenswert ist schon durch den Umstand, daß es alle Voraussetzungen der Geschichte über Bord wirft und sie noch einmal erzählt, mit einem absoluten Verzicht auf Poesie, als Dialog, als dramatische Szene. Wenn jener Bürgermeister, obwohl er ein Eigenleben hat, vor dem Jäger Gracchus zurücktritt, so wird hier der Partner im Gespräch höchst lebendig, ja geradezu agressiv, und der Ton des Gesprächs ist männlich rauh und direkt, das dialektische Verhältnis zwischen Frager und Befragtem grell beleuchtend. Leider bricht dieses Fragment mit dem Absturz ab und der »Fehler« nach dem Tode wird nicht mehr in die Darstellung hineingenommen.

Wir erfahren also zunächst, daß der Jäger Gracchus seit fünfzehnhundert Jahren das Meer befährt, daß er wider seinen Willen »ältester Seefahrer, Jäger Gracchus, Schutzgeist der Matrosen, Jäger Gracchus, angebetet mit gerungenen Händen vom Schiffsjungen, der sich im Mastkorb ängstigt in der Sturmnacht«, geworden ist. Und wieder hören wir das »Lache nicht«. Aber anders als der Bürgermeister von Riva bestätigt der Angeredete, daß er nicht lacht, denn er sagt: »Lachen sollte ich? Nein, wahrhaftig nicht. Mit Herzklopfen stand ich vor der Tür deiner Kajüte, mit Herzklopfen bin ich eingetreten. Dein freundliches Wesen beruhigte mich ein wenig, aber niemals werde ich vergessen, wessen Gast ich bin«. Die Situation hat sich also sehr vereinfacht. Dieser Partner weiß bereits von Gracchus, und er ist mit Herzklopfen eingetreten, wie zu einem berühmten Mann, von dessen Freundlichkeit er angenehm überrascht wird. Er ist nicht eigentlich ein Frager, sondern beinahe ein Interviewer, der das Neueste wissen will, und dieses Neueste ist das Geheimnis, das der Jäger Gracchus seit fünfzehnhundert Jahren mit sich herumträgt. Aber er gerät an die falsche Adresse, und ohne blutige Ironie geht es dabei nicht ab, denn auch der Jäger Gracchus will von seinem Besucher etwas wissen. Von den »Patronen« ist zunächst die Rede, deren einer, »ein Hamburger«, gerade gestorben ist, und von süßem Wein, an dem der Interviewer sich stärken soll. Gracchus nennt die Patrone »ausgezeichnete Menschen«, aber er verstehe sie nicht. Er meint nicht ihre Sprache, obwohl er auch die nicht immer versteht, und hier fällt der tiefe Satz: »Sprachen habe ich im Lauf der Jahrhunderte genug gelernt und könnte Dolmetscher sein zwischen den Vorfahren und den Heutigen«. Was er nicht versteht, das ist der Gedankengang der Patrone. Kein Zweifel, die Patrone, die den Toten auf seinen Meerfahrten begleiten, sind die Menschen. Er versteht sie so wenig wie jener Affe von der Goldküste aus dem »Bericht an eine Akademie« die Matrosen auf dem Schiff, kommt aber nicht wie dieser auf den Gedanken, sie nachzumachen, um Mensch zu werden, da er es schon ist, wenn auch tot. So bittet er den Besucher um eine Erklärung, und dieser antwortet: »Viel Hoffnung habe ich nicht. Wie sollte ich dir etwas erklären können, da ich doch dir gegenüber kaum ein lallendes Kind bin«. Diese Antwort genügt dem Jäger Gracchus nicht, er lehnt die Rede vom lallenden Kinde ab und spricht dem an der falschen Stelle Bescheidenen Mut zu: »Nicht so, ein für allemal nicht. Du wirst mir einen Gefallen tun, wenn du etwas männlicher, etwas selbstbewußter auftrittst. Was fange ich an mit einem Schatten als Gast. Ich blase ihn aus der Luke auf den See hinaus. Ich brauche verschiedene Erklärungen. Du, der du dich draußen herumtreibst, kannst sie mir geben. Schlotterst du aber hier an meinem Tisch und vergißt durch Selbsttäuschung das Wenige, das du weißt, dann kannst du dich gleich packen. Wie ichs meine, so sag ichs«. Das ist eine deutliche Sprache der geforderten Männlichkeit, und jener geht darauf ein und sagt: »Es ist etwas Richtiges darin. Tatsächlich bin ich dir in manchem über. Ich werde mich also zu bezwingen suchen. Frage!« Aber auch das genügt noch nicht, und man hat von jetzt ab den Eindruck, daß zwei Verrückte unter dem Druck des Weines die Absicht haben, die ganze, unaussprechbare Wahrheit zu sagen, auf die sie langsam vorstoßen. »Besser, viel besser, du übertreibst in dieser Richtung und bildest dir irgendwelche Überlegenheiten ein. Du mußt mich nur richtig verstehn. Ich bin Mensch wie du, aber um die paar Jahrhunderte ungeduldiger, um die ich älter bin. Also von den Patronen wollen wir sprechen. Gib acht! Und trinke Wein, damit du dir den Verstand schärfst. Ohne Scheu. Kräftig. Es ist noch eine große Schiffsladung da. – Gracchus, das ist ein exzellenter Wein. Der Patron soll leben. – Schade, daß er heute gestorben ist. Er war ein guter Mann und ist friedlich hingegangen. Wohlgeratene erwachsene Kinder standen an seinem Sterbebett, am Fußende ist die Frau ohnmächtig hingefallen, sein letzter Gedanke aber galt mir. Ein guter Mann, ein Hamburger. – Du lieber Himmel, ein Hamburger, und du weißt hier im Süden, daß er heute gestorben ist. – Wie? Ich sollte nicht wissen, wann mein Patron stirbt. Du bist doch recht einfältig. – Willst du mich beleidigen. – Nein, gar nicht, ich tue es wider Willen. Aber du sollst nicht soviel staunen und mehr Wein trinken. Mit den Patronen aber verhält es sich folgendermaßen: Die Barke hat doch ursprünglich keinem Menschen gehört.«

Das ist ein ungeheuerlicher Humor, aber der letzte Satz ist nicht nur humoristisch, er ist ernst gemeint. Wem hat die Barke gehört? Die Frage bleibt ohne Antwort. Nun kommt eine überraschende Rede, in der offenbar der Frager seine gesamte ihm von dem Jäger Gracchus empfohlene Männlichkeit zusammennimmt, um diesem wie man sagt die Leviten zu lesen, aber dessen Antwort ist noch überraschender, und so geht es hier wahrlich hart auf hart. So lautet die Frage: »Gracchus, eine Bitte. Sag es mir zuerst kurz, aber zusammenhängend, wie es mit dir steht. Um die Wahrheit zu gestehn, ich weiß es nämlich nicht. Für dich sind es natürlich selbstverständliche Dinge, und du setzest, wie es deine Art ist, ihre Kenntnis bei der ganzen Welt voraus. Nun hat man aber in dem kurzen Menschenleben – das Leben ist nämlich kurz, Gracchus, suche dir das begreiflich zu machen –, in diesem kurzen Leben hat man also alle Hände voll zu tun, um sich und seine Familie hochzubringen. So interessant nun der Jäger Gracchus ist – das ist Überzeugung, nicht Kriecherei –, man hat keine Zeit, an ihn zu denken, sich nach ihm zu erkundigen oder sich gar Sorgen über ihn zu machen. Vielleicht auf dem Sterbebett, wie dein Hamburger, das weiß ich nicht. Dort hat vielleicht der fleißige Mann zum ersten Male Zeit, sich auszustrecken und durch die müßiggängerischen Gedanken streicht dann einmal der grüne Jäger Gracchus. Sonst aber, wie gesagt: ich wußte nichts von dir, Geschäfte halber bin ich hier im Hafen, sah die Barke, das Laufbrett lag bereit, ich ging hinüber –, aber nun wüßte ich gerne etwas im Zusammenhang über dich«. Das ist Humor, aber in ihm der Punkt, auf den es ankommt: wie Gracchus vor dem »Zusammenhang«, vor der Herrschaft des Zusammenhangs als ein Einzelner bestehen könne und dieser mit seinen fünfzehnhundert Jahren lebendigen Totseins vor dem kurzen Leben, wenn die Zeit des menschlichen Lebens verkürzte Zeit ist und die Zeit des lebendigen Totseins endlose Zeit, die keine sinnvolle Ewigkeit begründet. Nun aber holt Gracchus zum Schlage aus: »Ach, im Zusammenhang. Die alten, alten Geschichten. Alle Bücher sind voll davon, in allen Schulen malen es die Lehrer an die Tafel, die Mutter träumt davon, während das Kind an der Brust trinkt, es ist das Geflüster in den Umarmungen, die Händler sagen es den Käufern, die Käufer den Händlern, die Soldaten singen es beim Marsch, der Prediger ruft es in die Kirche, Geschichtsschreiber sehen in ihrer Stube mit offenem Mund das längst Geschehene und beschreiben es unaufhörlich, in der Zeitung ist es gedruckt und das Volk reicht es sich von Hand zu Hand, der Telegraph wurde erfunden, damit es schneller die Erde umkreist, man gräbt es in verschütteten Städten aus und der Aufzug rast damit zum Dach der Wolkenkratzer. Die Passagiere der Eisenbahnen verkünden es aus den Fenstern in den Ländern, die sie durchfahren, aber früher noch heulen es ihnen die Wilden entgegen, in den Sternen ist es zu lesen und die Seen tragen das Spiegelbild, die Bäche bringen es aus dem Gebirge und der Schnee streut es wieder auf den Gipfel, und du Mann sitzest hier und fragst mich nach dem Zusammenhang. Du mußt eine auserlesen verluderte Jugend gehabt haben«. Dies ist eine negative Hymne der Verzweiflung auf den Zusammenhang, und sie ist kräftiger als jene Klage, von der wir früher gehört haben, die Klage über die Krankheit, dem Jäger Gracchus helfen zu wollen. Sie enthält nämlich den Ansatz zu der Frage, wie das Besondere vor dem Allgemeinen bestehen könne, das Einzelne vor dem Ganzen, der Mensch vor der Welt. Adorno schreibt in den »Minima moralia« den Satz nieder:

»Das Ganze ist die Unwahrheit«. Man könnte diesem Satz zustimmen, mit der Einschränkung: nicht ganz. Auch der Jäger Gracchus scheint von der Unwahrheit des Ganzen überzeugt zu sein, denn er schreibt dem, der ihn nach diesem Ganzen fragt, eine »auserlesen verluderte Jugend« zu. Das ist ein furchtbarer Vorwurf, er geht freilich fehl, ohne daß er es wüßte. Das Ganze ist nur dann die Unwahrheit, wenn es das Besondere ausstößt, statt es nach dem klingenden Gesetz des Rhythmus in sich einzuziehen, und wenn es dem Zusammenhang den Einzelnen entbindet, der ihn sprengt, statt ihn gesprächig zu machen, wie Welt und Gott dank ihrer korrelativen Beziehung einander stärken. Aber das steht nicht bei Adorno und könnte noch immer eher bei Kafka stehen, bei welchem es auch nicht steht. Dennoch steht bei ihm, in »Beschreibung eines Kampfes«, die kleine Geschichte »Der Kreisel«, und sie gehört unmittelbar hierher: »Ein Philosoph trieb sich immer dort herum, wo Kinder spielten. Und sah er einen Jungen, der einen Kreisel hatte, so lauerte er schon. Kaum war der Kreisel in Drehung, verfolgte ihn der Philosoph, um ihn zu fangen. Daß die Kinder lärmten und ihn von ihrem Spielzeug abzuhalten suchten, kümmerte ihn nicht, hatte er den Kreisel, solange er sich noch drehte, gefangen, war er glücklich, aber nur einen Augenblick, dann warf er ihn zu Boden und ging fort. Er glaubte nämlich, die Erkenntnis jeder Kleinigkeit, also zum Beispiel eines sich drehenden Kreisels, genüge zur Erkenntnis des Allgemeinen. Darum beschäftigte er sich nicht mit den großen Problemen, das schien ihm unökonomisch. War die kleinste Kleinigkeit wirklich erkannt, dann war alles erkannt, deshalb beschäftigte er sich nur mit dem sich drehenden Kreisel. Und immer wenn die Vorbereitungen zum Drehen des Kreisels gemacht wurden, hatte er Hoffnung, nun werde es gelingen und: drehte sich der Kreisel, wurde ihm im atemlosen Laufen nach ihm die Hoffnung zur Gewißheit, hielt er aber dann das dumme Holzstück in der Hand, wurde ihm übel und das Geschrei der Kinder, das er bisher nicht gehört hatte und das ihm jetzt plötzlich in die Ohren fuhr, jagte ihn fort, er taumelte wie ein Kreisel unter einer ungeschickten Peitsche«. Da ist es wieder, das »Allgemeine«, die »Kleinigkeit«! Beide zusammen sind in dem nicht zufällig gewählten Beispiel des Kreisels das Ganze, das rhythmische Ganze, und daß er, der Philosoph, am Ausgang zum Kreisel unter einer ungeschickten Peitsche wird, ist traurig, zeugt aber nicht gegen das Suchen dieses Philosophen. Von hier ist es nur ein leichter Sprung zu Heraklits Einsicht, daß alle Kreatur unter Gottes Peitschenschlag weide.

Der, dem die auserlesen verluderte Jugend zuerkannt wird, weist diesen Vorwurf ab, indem er als Norm ihn anerkennt, und sagt: »Möglich, wie das jeder Jugend eigentümlich ist« Dann fährt er dasselbe wiederholend fort: »Dir aber wäre es, glaube ich, sehr nützlich, wenn du dich einmal in der Welt ein wenig umsehen würdest. So komisch es dir scheinen mag, hier wundere ich mich fast selbst darüber, aber es ist doch so, du bist nicht der Gegensatnd des Stadtgespräches, von wie vielen Dingen man auch spricht, du bist nicht darunter, die Welt geht ihren Gang und du machst deine Fahrt, aber niemals bis heute habe ich bemerkt, daß ihr euch gekreuzt hättet«. Nun aber antwortet der Jäger Gracchus mit Worten, bei denen man genau aufpassen muß, denn er sagt: »Das sind deine Beobachtungen, mein Lieber, andere haben andere Beobachtungen gemacht. Es gibt hier nur zwei Möglichkeiten. Entweder verschweigst du, was du von mir weißt, und hast irgendeine bestimmte Absicht dabei. Oder aber: du glaubst dich tatsächlich nicht an mich erinnern zu können, weil du meine Geschichte mit einer andern verwechselst. Für diesen Fall sage ich dir nur: Ich bin – nein, ich kann nicht, jeder weiß es und gerade ich soll es dir erzählen! Es ist so lange her. Frage die Geschichtsschreiber! Geh zu ihnen und komm dann wieder. Es ist so lange her. Wie soll ich denn das in diesem übervollen Gehirn bewahren«. Hier wird das Entscheidende gesagt und gleichzeitig verschwiegen. Welche Absicht

194

kann der Frager haben, wenn er verschweigt, daß er weiß, wer der Jäger Gracchus ist? Wohl nur die, daß er will, daß jener es selbst sagt. Dann könnte Gracchus in einem heiligen Zusammenhang stehen, den nur er selbst offenbaren dürfte. Die zweite Möglichkeit, welche dieser offen läßt, daß der Frager seine Geschichte mit einer anderen verwechsle, beleuchtet dieses Heilige noch heller, ohne dennoch das Dunkel zu lichten, denn nun sagt er: »Ich bin –« und bricht ab, da jeder es wisse. Dieses Verstummen enthält ein echtes Geheimnis, das Kafka mit ins Grab genommen hat, und es wäre von größter Wichtigkeit, falls es einen Zugang zu ihm gäbe. So weit darf man sich freilich vorwagen, daß der ostentative Sinn dieser Geschichte noch nicht ihr eigentlicher sei. Damit wird eingeschränkt, was Adorno in »Minima moralia« über den gesellschaftlichen Aspekt des Todes von heute schreibt, in dem Abschnitt »Novissimum Organum«: »Die radikale Ersetzbarkeit des Einzelnen macht praktisch, in vollkommener Verachtung seinen Tod zu dem Widerruflichen, als das er einst im Christentum mit paradoxem Pathos konzipiert war«. Im Anschluß an einen komischen amerikanischen Film, in dem das ständige Herumtragen von Leichen Heiterkeit auslöst, fährt Adorno fort: »Komik kostet die falsche Abschaffung des Todes aus, die Kafka längst zuvor in der Geschichte vom Jäger Gracchus mit Panik beschrieb«. Panik ist ein treffendes Wort, das den Ton von Kafkas Geschichten genau umschreibt; ihren Sinn schließt es so wenig auf, daß die Panik eher der Schild sein könnte, hinter dem Kafka verbirgt, was er zwar sagen will aber nicht sagt. Da könnte noch eher jener chassidische Rabbi dem gewollten Sinn nahekommen, der da betet: Ich meine niemand anderen, ich meine dich allein. Dann wäre der Jäger Gracchus ein allerdings schwer begreifbares Symbol für den angeblichen Tatbestand, daß Gott tot ist, mit dem bestimmten Unterschied zu Nietzsche: daß er lebt, der Tote, und seinen Tod widerlegt. Dies ist freilich nicht als eine Deutung, sondern nur als eine Ahnung gemeint, welche über Kafkas Wortlaut hinausgehen mag, wenn nicht wiederum die »Geschichtsschreiber« weniger oder mehr darüber anzudeuten scheinen.

Nun kommt der Schluß: »Warte, Gracchus, ich werde es dir erleichtern, ich werde dich fragen. Woher stammst du? – Aus dem Schwarzwald, wie allbekannt. – Natürlich, aus dem Schwarzwald. Und dort hast du im vierten Jahrhundert etwa gejagt? – Mensch, kennst du den Schwarzwald? – Nein. – Du kennst wirklich gar nichts. Das kleinste Kind des Steuermanns weiß mehr als du, wahrscheinlich viel mehr. Wer nur hat dich hereingetrieben? Es ist ein Verhängnis. Deine aufdringliche Bescheidenheit war tatsächlich nur allzu gut begründet. Ein Nichts bist du, das ich mit Wein anfülle. Nun kennst du also nicht einmal den Schwarzwald. Und ich bin dort geboren. Bis zum fünfundzwanzigsten Jahre habe ich dort gejagt. Hätte mich nicht die Gemse verlockt – so, nun weißt du es –, hätte ich ein langes, schönes Jägerleben gehabt, aber die Gemse lockte mich, ich stürzte ab und schlug mich auf Steinen tot. Frag nicht weiter. Hier bin ich, tot, tot, tot. Weiß nicht, warum ich hier bin. Wurde damals aufgeladen auf den Todeskahn wie es sich gebührt, ein armseliger Toter, die drei, vier Hantierungen wurden mit mir gemacht, wie mit jedem, warum Ausnahmen machen mit dem Jäger Gracchus, alles war in Ordnung, ausgestreckt lag ich im Kahn«. Dies ist die alte Verzweiflung, die um so stärker wirkt, als sie brutal den Frager einbezieht, der sich als völlig unwissend erweist. Die Freude über das Gestorbensein, die in der eigentlichen Geschichte so mächtig ertönt, fehlt hier. Nichts als dreimal: tot. Nimmt man einen an dieser Stelle von Kafka gewollten Abschluß des Fragments an, dann wäre nicht nur der Jäger Gracchus tot, sondern der Mensch auch, zu dem er es sagt – wahrscheinlich er selbst, als Gesprächspartner, als Du – unter seinen Worten ausgelöscht. Er wäre allein, und es gibt für ihn keine Hilfe.

Der König
Tagebuchaufzeichnung

Am 29. 7. 1917 schreibt Kafka zwei Aufzeichnungen nieder,
die thematisch zusammengehören und eine Einheit bilden:
»Ich saß immer tief in der Werkstatt, ganz im Dunkel, man
mußte dort manchmal erraten, was man in der Hand hielt,
trotzdem aber bekam man für jeden schlechten Stich einen
Hieb des Meisters. – Unser König machte keinen Aufwand;
wer ihn nicht von Bildern kannte, hätte ihn nicht als König
erkannt. Sein Anzug war schlecht genäht, nicht in unserer
Werkstatt übrigens, ein dünner Stoff, der Rock immer aufgeknöpft, fliegend und zerdrückt, der Hut verbeult, grobe
schwere Stiefel, nachlässig weite Bewegungen der Arme, ein
starkes Gesicht mit großer gerader männlicher Nase, ein kurzer Schnurrbart, dunkle, ein wenig zu scharfe Augen, kräftiger, ebenmäßiger Hals. Einmal blieb er im Vorübergehen in
der Tür unserer Werkstatt stehn und fragte, die Rechte oben
am Türbalken: ›Ist Franz hier?‹ Er kannte alle Leute bei
Namen. Ich drängte mich aus meinem dunklen Winkel zwischen den Gesellen durch. ›Komm mit!‹ sagte er nach kurzem
Blick. ›Er übersiedelt ins Schloß‹, sagte er zum Meister«.
In der ersten Aufzeichnung wird erzählt, *wie* schlecht es dem
Arbeiter im Dunkel der Werkstatt geht. Für jeden schlechten
Stich ein Hieb des Meisters.! Dann geschieht etwas. In »Ein
altes Blatt« wird er nur mit gesenktem Kopf an einem Fenster seines Palastes gesehen, der Kaiser. Hier steht er in der
Tür, der König, großmächtig. Die Art wie er beschrieben
wird, verheißt nichts Gutes, alles deutet auf die Mächtigen,
die von Recht sprechen und Gewalt meinen. Und doch erscheint er als Retter! Dies ist das Neue, daß der König selbst
den in der Werkstatt Leidenden mit Namen nennt. Es ist
Kafkas Vorname, nicht wie sonst eine Verkleidung: *Franz*
übersiedelt ins Schloß.
Warum also die Rede vom Fehlen Gottes in Kafkas Welt?

Der so fehlt, ist auch abwesend da, wo nach Hölderlin »Gottes Fehl hilft«. Gewiß, auch hier ist nicht von Gott die Rede, und der König ist nicht einmal als König erkennbar, oder nur als ein solcher, vor dem man sich eher schützen müßte. Auch dies ist nur eine jener Legenden, von denen es im »Prozeß« heißt, daß sie schön sind, aber nicht helfen. Dennoch könnte Kafka sie durch nichts zurücknehmen, was er geschrieben hat zur ungewollten Stütze einer Weltzeit, die sagt, daß Gott tot sei. Er ist nicht tot, sein Eingreifen ist so selten wie der Besuch des Königs in der Werkstatt.[31]

Anmerkungen

1 Das Stück wird von Malcolm Pasley–Klaus Wagenbach: Datierung sämtlicher Texte Franz Kafkas (Kafka-Symposion, Berlin 1965, S. 55 ff.) auf 1922–1923 datiert, der Schrift nach. Es heißt aber: »Keine Anhaltspunkte für die Datierung«. Ein Anhaltspunkt könnte in Kierkegaards »Der Begriff des Auserwählten«, übersetzt von Theodor Haecker (Hellerau 1917), die folgende Stelle aus »Darf ein Mensch für die Wahrheit sich totschlagen lassen« (S. 321) sein: »Wenn der, welcher die Autorität hat, es zu sagen, zu einem Menschen sagt: geh! und wenn der, welcher die Autorität nicht hat, sagt: geh!, so ist die Aussage (geh!) und ihr Inhalt identisch; aesthetisch gewürdigt ist es, wenn man so will, gleich gut gesagt, aber die Autorität macht den Unterschied«. Ich halte es nicht für unmöglich, daß Kafka diese Stelle gleichsam in sein eigenes Denken übersetzt hat.

2 s. W. Benjamin: Versuche über Brecht (Frankfurt 1966, S. 124 f.) Dort finden sich zwei Deutungen des »Nächsten Dorfes« im Gespräch. Die von Benjamin – das Leben als Erinnerung – geht mir noch nicht ein. Brecht deutet es als »ein Gegenstück zu der Geschichte von Achill und der Schildkröte«: »Aber der Fehler steckt in ›einer‹ [der nicht hinkommt]. Denn wie der Ritt zerlegt wird, so auch der Reitende. Und wie nun die Einheit des Lebens dahin ist, so ist es auch seine Kürze. Mag es so kurz sein, wie es will. Das macht nichts, weil ein anderer als der, der ausritt, im Dorfe ankommt«. Brecht ergänzt den einen, der nicht ankommt, durch den anderen, der ankomme. Er überspringt das von Kafka Gemeinte, um die kollektive Einheit des einen und des anderen zu retten.

3 Karl Kraus schrieb 1917 in »Nachts« (Fackel Nr. 445 ff., S. 9) den Satz: »Ein Sprichwort entsteht nur auf einem Stand der Sprache, wo sie noch schweigen kann«. Daß Kafka Sprichwörter *erfindet*, zeugt für das Fiktive seines Zusammenhangs mit der Tradition, Dennoch deuten seine sprichwortnahen Wendungen auf die Grundschicht des Schweigens, dem die Sprache entspringt.

Exkurs über Karl Kraus:
Karl Kraus hat Kafka niemals in der »Fackel« erwähnt, obwohl er den ganzen Kreis der Prager Litertur, nach anfänglicher Bejahung Werfels, abgelehnt und radikal bekämpft hat. Das könnte ein Zei-

chen der Schätzung sein, es könnte aber auch bedeuten, daß er den sicheren Instinkt für künstlerische Persönlichkeiten hatte, deren Werk seinem künstlerischen Interesse und damit seinem Urteil entzogen war. Auch Ablehnung brauchte ihn nicht zu einer Äußerung zu veranlassen, da sie nur dann schriftlichen Ausdruck fand, wenn ihm ein öffentliches Interesse verletzt zu sein schien. Kafka war der Inbegriff des erfolglosen Schriftstellers, welchen die Öffentlichkeit über einen kleinen Kreis von Eingeweihten hinaus nicht zur Kenntnis nahm, obwohl der von Karl Kraus hochgeschätzte Verleger Kurt Wolff mindestens eine kurze Zeit lang beide druckte. Aber Karl Kraus hat Kafka geschätzt. S. den Brief an O. Forst-Battaglia vom 24. 1. 1933, zitiert in Paul Schick: Karl Kraus (Hamburg: Rowohlt 1965, S. 133).

Wie Kafka über Karl Kraus dachte, dafür gibt es bis jetzt nur spärliche aber trotz ihrer Spärlichkeit ergiebige Zeugnisse. Daß er, wie seine ganze Generation, ihn in Zustimmung oder Ablehnung gelesen hat, steht fest. Die Intensität dieser Lektüre läßt sich durch das Maß der Hingabe an die äußere Welt bei Karl Kraus, an die innere Welt bei Kafka einschränkend genau bezeichnen. Ein Satz, wie der »Ich mische mich nicht gern in meine Privatangelegenheiten« mußte Kafka entsetzen; die Gestaltung der Privatangelegenheiten bei Kafka hätte Karl Kraus entsetzen müssen, wenn er sie in ihrem ganzen Umfang gekannt hätte. Daß er die Privatangelegenheiten des inneren Lebens so wenig preisgab wie Kafka die Welt, komplettiert diesen Gegensatz ironisch. Karl Kraus wollte die Privatangelegenheiten des inneren Lebens mit den öffentlichen Angelegenheiten der Welt in Einklang halten, als Künstler, der in der Welt das innere Leben, in dem inneren Leben die Welt darstellt. Solchem Maßstabe hat Kafka sich nicht gestellt, sondern nur seinem eigenen.

Er hat zu Max Brod, nach dessen Kafka-Biographie (2. Aufl., New York 1946, S. 94) gesagt: »Karl Kraus sperrt die jüdischen Autoren in seine Hölle, gibt gut acht auf sie, hält strenge Zucht. Er vergißt nur, daß er in die Hölle hineingehört«. Es muß ihm bekannt gewesen sein, daß in dieser Hölle damals auch Max Brod saß. Statt einer Stellungnahme *für* Max Brod ist er nun im Bilde der Hölle fiktiv für Karl Kraus und gegen die jüdischen Autoren, um in Wirklichkeit für diese und gegen jenen zu sein, indem er den Richter in die Hölle einbezieht und dadurch die Hölle als Hölle entwertet. So sind die jüdischen Autoren fein heraus, um so mehr als es jüdische Autoren, die Karl Kraus gepriesen und österreichische und deutsche Autoren, die er je nachdem gepriesen oder angegriffen hätte, offenbar gar nicht gegeben hat. Dieses Verfahren zeigt einen Mangel an Verantwortung für die Welt, wenn er sich nicht veranlaßt sieht, den Gründen eines solchen Angreifers mit wahren Gegengründen die Stirn zu bieten, und es ist traurig, zu denken, daß im Vergleich mit seinem inneren Leben so tief ihn nicht einmal seine Freunde interessieren, daß er ihre Verteidigung übernehmen möchte. Ganz deutlich wird das Versagen vor Karl Kraus in den Gesprächen mit Gustav Janouch (Frankfurt 1951). Da stehen zunächst die Sätze über Léon Bloy und dessen Buch gegen den Antisemitismus »Le salut par les juifs«: »Und dann – Bloy kann schimpfen. Das ist etwas ganz Außergewöhnliches. Bloy besitzt ein Feuer, das an die Glut der Propheten erinnert. Was sage ich: Bloy schimpft viel besser. Das ist leicht erklärlich, da sein Feuer von allem Mist der modernen Zeit genährt ist«. Ist es aber nicht seltsam, aus dem Munde Kafkas zu hören, Bloy schimpfe »besser« als die Propheten, als wenn ein Rangunterschied zwischen der Sprache eines großen Schriftstellers und der eines Propheten gar nicht gedacht werden könne? Und weiß dann nicht das »Feuer«, das an die Propheten erinnert, dennoch um diesen Unterschied? In Wahrheit sind diese um 1920 gesprochenen Worte eines Prager Schriftstellers gar nicht denkbar, ohne daß er bewußt oder unbewußt an Karl Kraus gedacht hat, welcher mehrfach in der Zeit mit Léon Bloy verglichen wurde. Ein anderes Mal bringt Janouch ein neues Heft der »Fackel«, Kafka blättert darin und sagt: »Er zerpflückt die Journalisten wunderbar. Nur ein gerissener Wilddieb kann so ein gerissener Wildhüter sein«. Das ist die »Hölle« noch einmal. Als dann Janouch ihn fragt: »Karl Kraus enthüllt den Dramaturgen des Wiener Burgtheaters, Georg Kulka, als Plagiator. Was sagen Sie dazu?«, da antwortet Kafka: »Das ist doch gar nichts. Das ist ein kleiner Fehler in den Gehirnwindungen, nichts mehr«. Diese nichtssagende Erklärung ist der private Verzicht, zu einer öffentlichen Verfehlung Stellung zu nehmen, denn Georg Kulka hatte in den Blättern des Burgtheaters in leichter stilistischer Verkleidung ein Kapitel aus Jean Pauls Vorschule der Ästhetik unter seinem eigenen Namen veröffentlicht. Über Trakls Selbstmord sagt Kafka: »Er hatte zuviel Phantasie. Darum konnte er den Krieg nicht ertragen, der vor allem aus einem ungeheuren Mangel an Phantasie entstanden ist«. Das ist nicht nur wahr, es ist auch ein Gedanke, den Kafka aus sich selbst hätte entwickeln können. Wenn aber in der in Wien nach Ausbruch des Krieges, am 19. 11. 1914 gehaltenen Rede »In dieser großen Zeit« (Fackel Nr. 404) eben dieser Mangel an Phantasie das große Thema ist, auf dem Karl Kraus seinen Frontalangriff gegen die große Zeit aufbaut, so wird es klar, daß Kafka diesen Gedanken nicht aus sich selbst entwickelt hat. Das ist nicht als Einwand gemeint, es zeigt nur die annonyme Wirkung eines großen Schriftstellers auf einen anderen großen Schriftsteller, der zu tief in sich verstrickt ist, um die schlechthin religiöse Kategorie zu ermessen, in die bei Karl Kraus die gelebte Idee der Öffentlichkeit hineinwächst.

Noch einmal, und zwar in Kafkas letzter Lebenszeit, wird dieses merkwürdige Versagen wirksam. Im Oktober 1923 schreibt er (Briefe, New York 1958) an seinen Freund Robert Klopstock, der ihm »Untergang der Welt durch schwarze Magie« geschenkt hatte, dies: »Das Krausbuch habe ich bekommen . ., es ist lustig, wenn es auch nur eine Nachgeburt der »Letzten Tage« ist. Sonst lese ich wenig und nur hebräisch, keine Bücher, keine Zeitungen, keine Zeitschriften«. Man kann sagen, daß hier Kafka allem Literarischen abgewendet zu sein scheint und sich überhaupt nur unter dem Zwang des Dankes für ein Geschenk äußert. Dennoch ist es sonderbar, diese Sammlung der *Vorkriegsaufsätze* der «Fackel« trotz des dämonischen Witzes, der sie durchzieht, als »lustig« zu bezeichnen, und noch sonderbarer ist es, in diesem Buch eine »Nachgeburt« der letzten Tage der Menschheit« zu sehen, die *im Kriege* entstanden sind. Kafka war sehr unglücklich. Es hinderte ihn nicht, vielfach zu der Literatur seiner Zeit Stellung zu nehmen. Zu Karl Kraus nimmt er ausweichend Stellung, als komme es auf diesen Kampf gegen die Welt gar nicht an, obwohl sein eigenes Werk doch mit dem Werk dieses Schriftstellers solidarisch ist, indem das Private und das Öffentliche von entgegengesetzten Polen aus eine untergangsreife Zeit zersetzen. Der weltweite Unterschied ist nur der, daß für den einen der Kampf gegen die Welt seine Treue zur Welt stärkt, für den anderen diese Treue schwächt. Dies hängt auch mit der Sprache zusammen. Die Sprache Kafkas ist von echter Einfachheit, aber im

Verhältnis zu der dialektischen Tiefe des Dargestellten ist diese Einfachheit imaginär; die Sprache bei Karl Kraus ist von echter Widersprüchlichkeit, aber im Hinblick auf die öffentliche Sichtbarkeit des Dargestellten real. Die tragende Stilfigur Kafkas ist die nüchterne, mit ihm selbst identische Aussage, die auf die Sache geht, ohne auf die Sprache zu reflektieren; die tragende Stilfigur bei Karl Kraus der sprachliche Widerspruch, um die Bedrohung der mit der Welt identischen Sache in das stärkste Licht zu rücken. Im Gegensatz zu Karl Kraus fehlen bei Kafka sprachliche Antithesen, und es fehlt völlig bei stärkstem Vorhandensein des metaphysischen Witzes der eigentliche Sprachwitz. Unter den vielen Ansätzen von Geschichten und Erzählungen findet sich in »Hochzeitsvorbereitungen auf dem Lande« (S. 138) ein sehr kurzer, dessen erster Satz lautet: »Hoffnungslos fuhr in einem kleinen Boot um das Kap der Guten Hoffnung«. Das ist so substanzlos wie alles, was ein originaler Schriftsteller, ohne es im geringsten zu wollen, aus einer ihm fremden Sphäre der Sprache übernimmt, hier aus der des Sprachwitzes. Die bei der Übertragung in ein anderes Gebiet ganz wurzellos gewordene und jeder konkreten Anschauung beraubte Antithese zwischen Hoffnungslos und dem Kap der Guten Hoffnung kann, in der Zeit, nur von Karl Kraus kommen, welcher aber in »Nachts« geschrieben hat: »In der Schöpfung ist die Antithese nicht beschlossen. Denn in ihr ist alles widerspruchslos und unvergleichbar. Erst die Entfernung der Welt vom Schöpfer schafft Raum für die Sucht, die jedem Gegenteil das verlorene Ebenbild findet«.

Bleibt Kafkas einzige umfangreiche Äußerung über Karl Kraus, der Brief vom Juni 1921 aus Matliary an Max Brod (Briefe, S. 336 ff.), der im ersten Teil eine furchtbare, auch geistig furchtbare Darstellung der Krankheit enthält. Dann kommt er auf Kraus und dessen Satire gegen Werfels »Spiegelmensch« »Literatur oder Man wird doch da sehen. Eine magische Operette« zu sprechen. Bezeichnend ist schon der erste Satz: »Nach dem damaligen Eindruck, der sich seither natürlich schon sehr abgeschwächt hat, scheint es mir außerordentlich treffend, ins Herz treffend zu sein«. Warum ist es denn natürlich, daß sich der Eindruck schon sehr abgeschwächt hat? Doch wohl nur darum, weil es für Kafka schlechterdings kein modernes Literaturwerk gibt, dessen positiver Eindruck in ihm haften bliebe, und selbst der Eindruck klassischer Werke bleibt in ihm nicht haften, sondern trübt sich durch den Übergang in das eigene innere Leben, wie etwa eine merkwürdige Stelle über Grillparzers »Armen Spielmann« in den Tagebüchern (S. 282) erweist, deren Tiefe als unmitgeteilt wirkt. Nicht anders ist es in dem Brief an Max Brod vom 15. 12. 1908 über Rudolf Kassner (S. 61): sie hat nichts mit Kassner und alles mit Kafka zu tun, der für Kassners Essay »Diderot« dankt (und nicht für Rameaus Neffen, wie die Anmerkung S. 499 sagt). Dann heißt es in dem Brief über »Literatur«: »In dieser kleinen Welt der deutsch-jüdischen Literatur herrscht er wirklich oder vielmehr das von ihm vertretene Prinzip, dem er sich bewunderungswürdig untergeordnet hat, daß er sich sogar mit dem Prinzip verwechselt und andere diese Verwechslung mitmachen läßt«. Da geht, wie so oft in Kafkas Dichtung, ein positives Urteil in ein negatives über, so daß am Ende des Satzes jenes schon aufgehoben ist, dieses sich ihm bereits untergeschoben hat. Aber die Prämisse ist falsch. Nicht in der jüdisch-deutschen Literatur herrscht Karl Kraus, sondern in der deutschen: mit den »Letzten Tagen der Menschheit«, die in Sonderheften der Fackel bereits erschienen waren – die Buchausgabe erschien 1922 –, beginnt seine Wirkung auf Deutschland. Das müßte Kafka ahnen; es tritt nicht in sein Bewußtsein. Er ist eben an der großen deutschen Literatur als werdender nicht interessiert und schon gar nicht daran, daß ein Jude wie Karl Kraus ein großer deutscher Schriftsteller werden könnte, dessen Wirkung auf Deutsche der höchsten Bildungsschicht schon damals ein unbestreitbares Faktum war, gleichgültig, ob die Rezeption als ganze, wie etwa die Heines, schon gelungen wäre oder noch nicht. Weiter schreibt Kafka: »Ich glaube, ich sondere ziemlich gut, das was in dem Buch nur Witz ist, allerdings prachtvoller, dann was erbarmungswürdige Kläglichkeit ist, und schließlich was Wahrheit ist, zumindest so viel Wahrheit, als es meine schreibende Hand ist, auch so deutlich und beängstigend körperlich«.

Dies ist die Formulierung des Themas. Was ist nun der Witz? »Der Witz ist hauptsächlich das Mauscheln, so mauscheln wie Kraus kann niemand, trotzdem doch in dieser deutsch-jüdischen Welt kaum jemand etwas anderes als mauscheln kann, das Mauscheln im weitesten Sinn genommen, in dem allein es genommen werden muß, nämlich als die laute oder die stillschweigende oder auch selbstquälerische Anmaßung eines fremden Besitzes, den man nicht erworben, sondern durch einen (verhältnismäßig) flüchtigen Griff gestohlen hat und der fremder Besitz bleibt, auch wenn nicht der einzigste [?] Sprachfehler nachgewiesen werden könnte, denn hier kann ja alles nachgewiesen werden durch den leisesten Anruf des Gewissens in einer reuigen Stunde«. Hier geht wiederum alles ineinander über, nicht Karl Kraus mauschelt, sondern er macht das Mauscheln nach, und zwar das der jüdischen und das der christlichen Presse und das Mauscheln der Prager Literatur, und Kafka gibt ja selbst zu, daß in dieser Sphäre alle mauscheln, und dabei mauscheln natürlich nicht alle, und es gab unter den Juden wesentliche deutsche Schriftsteller und Dichter, deren Namen man nicht zu nennen braucht, und sogar in Prag. Er meint es aber tiefer und so tief, daß er Karl Kraus tiefer als nur im Scheine hätte verstehen können, denn gerade hier wollte dieser durchbrechen, und brach er durch, und »den leisesten Anruf des Gewissens in einer reuigen Stunde«, gerade den wollte er erreichen. Er rief laut und gewaltig, auf daß jene es hörten, und nicht nur die Juden, auch die Christen, wo sie vom bösen Geist der Presse zersetzt waren, und darum hat Carl Dallago, der Christ, der militante Katholik, Karl Kraus als Juden gepriesen. (s. W. Kraft: Karl Kraus. Salzburg 1956, S. 81). Nun aber biegt Kafkas Gedanke wiederum um, und das Mauscheln wird geradezu ein positiver Sprachvorgang, denn er schreibt: »Ich sage damit nichts gegen das Mauscheln, das Mauscheln an sich ist sogar schön, es ist eine organische Verbindung von Papierdeutsch und Gebärdensprache (wie plastisch ist dieses: Worauf herauf hat er Talent? Oder dies den Oberarm ausrenkende und das Kinn hinaufreißende: Glauben *Sie*! oder dieses die Knie aneinander zerreibende: er schreibt. Über wem?) und ein Ergebnis zarten Sprachgefühls, welches erkannt hat, daß im Deutschen nur das allerpersönlichste Hochdeutsch wirklich lebt, während das übrige, der sprachliche Mittelstand, nichts als Asche ist, die zu einem Scheinleben nur dadurch gebracht werden kann, daß überlebendige Judenhände sie durchwühlen«. Dieses alles wäre unübertrefflich, wenn man nur genau wüßte, *wie* Kafka es meint. Die meisterhafte Würdigung dieses falschen Sprechens als eines richtigen ist für Kraus, und er hätte es gebilligt; daß aber die schlechte Gesinnung, der dieses falsche (= richtige) Sprechen dient, von Kafka nicht mitgedacht wird, hätte er nicht gebilligt. Das über das Hochdeutsche und den sprachlichen Mittelstand Gesagte würde er wiederum gebilligt haben, aber die »überlebendigen Judenhände« waren für ihn nicht die überlebendigen Hände der Juden, sondern die Werfels und der anderen, welche für ihn nicht nur schlechte deutsche Schriftsteller sondern auch Juden waren. Unter dem Begriff der »erbarmungswürdigen Kläglichkeit« dürfte es fallen, daß Karl Kraus eben dies offen ausspricht, ohne auf die überlebendigen Judenhände so viel Gewicht zu legen wie Kafka selbst. Kafka war ein großer Jude, wie auch Kraus ein großer Jude war, aber von dem antijüdischen Komplex, welchen vor allem Stellen in den Briefen an Milena verraten, war er frei. Er war so gegen die Juden und die Christen seiner Zeit, wie er für die Juden und Christen seiner Zeit war, er war für die Welt und für die Rettung der Welt. Und nun schreibt Kafka: »Das ist eine Tatsache, lustig oder schrecklich, wie man will, aber warum lockt es die Juden so unwiderstehlich dorthin? Die deutsche Literatur hat auch vor dem Freiwerden der Juden gelebt und in großer Herrlichkeit, vor allem war sie, soviel ich sehe, im Durchschnitt niemals etwa weniger mannigfaltig als heute, vielleicht hat sie sogar heute an Mannigfaltigkeit verloren. Und daß dies beides mit dem Judentum als solchem zusammenhängt, genauer mit dem Verhältnis der jungen Juden zu ihrem Judentum, mit der schrecklichen inneren Lage dieser Generationen, das hat doch besonders Kraus erkannt, richtiger, an ihm gemessen ist es sichtbar geworden. Er ist etwas wie der Großvater in der Operette, von dem er sich nur dadurch unterscheidet, daß er statt bloß oi zu sagen, auch noch langweilige Gedichte macht. (Mit einem gewissen Recht übrigens, mit dem gleichen Recht, mit dem Schopenhauer in dem fortwährenden von ihm erkannten Höllensturz leidlich fröhlich lebte)«. Hier wird Wahres und Falsches unentwirrbar, und doch ist die Entwirrung nötig. Das Leid der jüdischen Generationen hat wahrscheinlich niemand in solcher Tiefe außer Kafka selbst erkannt, der zum Teil aus dem Blick der Wahrheit daran litt, zum Teil aus der konstitutiven Schwäche seines künstlerischen Selbstbewußtseins, zum Teil aus seinem antijüdischen Komplex im Namen eines Judentums, dessen Unerreichbarkeit ihn zwang, innerhalb des deutschen Geistes und der deutschen Sprache zu verzweifeln, statt sich beiden so natürlich zu stellen wie Karl Kraus. Wenn er diesen als den schlafenden Großvater preist, der schließlich erwacht und angesichts der geschehenen Literaturgreuel »oi« sagt, nämlich die »heilige weltumspannende Silbe«, die bei Werfel vorkommt und dort »Om« heißt, so ist das ein hohes Lob, dem der Tadel auf dem Fuße folgt: der Großvater macht keine »langweiligen« Gedichte. Und dann wird durch den Vergleich mit Schopenhauer wieder etwas zurückgenommen, denn wirklich hat Karl Kraus nicht so frevelhaft idyllisch gelebt wie Schopenhauer. Wenn aber Kafka behauptet, daß seine Gedichte »langweilig« seien, so beweist er zuviel und eigentlich gar nichts. Langweilig sind diese Gedichte nicht, der Gegenbeweis könnte sofort angetreten werden. Dazu waren sie für eine Generation beispielhaft, sie warten in einer neuen auf ihre Auferstehung. – Es gibt auch die Möglichkeit direkten Einflusses von Kraus auf Kafka. In dem inhaltsreichen Buch von Mark Spilka: Dickens and Kafka (Bloomington 1963) wird die Verwandtschaft zwischen beiden Dichtern ausführlich dargestellt, es wird aber auch (S. 292) zugegeben, daß wir über Kafkas Dickens-Lektüre wenig wissen. Es wird S. 291 angenommen, daß er die Hauptwerke kannte, so auch »Bleak House«. Für dieses Buch gibt es eine Brücke bei Karl Kraus in »Sittlichkeit und Kriminalität« (München 1964, erste Auflage Wien 1908). Darin ist das Kapitel »Das Gericht« enthalten, welches im April 1907 in der Fackel erschienen ist. Es enthält nur den Wortlaut von zwei Gerichtsurteilen und dann ein großes Zitat aus »Bleak House« gegen den »Oberkanzler in seinem Hohen Kanzlergerichtshofe« mit der »Pulvermine« am Schluß, um »den ganzen Plunder« in Atome zu verbrennen. Dies *muß* auch auf Kafka eingewirkt haben, als auf den Dichter des »Prozesses« wie überhaupt die Rebellion bei Karl Kraus gegen das Gerichtswesen seiner Zeit.

Nicht deutlich genug kann betont werden, daß Kafkas antijüdischer Komplex nicht der des tiefen und unseligen Denkers Otto Weininger ist. Er entspringt nicht dem Maßstab des Germanentums oder des Christentums, sondern ausschließlich dem des Judentums. Am Judentum baut sich Kafka auf, an ihm verwirft er sich. Hier ist er Karl Kraus überlegen, der das Judentum in seiner Jugend hinter sich ließ und dem das »offene System« seiner Gedankenwelt erst kurz vor dem Tode unter dem antimoralischen Druck Hitlers erlaubte und gebot, sich frei zu dem Judentum zu bekennen, dem er entwachsen war, obwohl er immer im Namen des Judentums sprach, wenn er das Schärfste gegen die Juden seiner Zeit sagte. Wichtiges Material über Kafka ist enthalten in dem Buch von Klaus Wagenbach: Franz Kafka. Eine Biographie seiner Jugend 1885–1912 (Bern 1958).

4 Omar al Raschid Bey, ein von indischem Geist durchdrungener russischer Jude, Helene Böhlaus zweiter Mann. (Theodor Lessing: Einmal und nie wieder. Lebenserinnerungen. Prag 1935, S. 294.)

5 In Max Brods Kafka-Biographie (S. 184) steht statt »bewußtlos«: besinnungslos. Es ist nicht unwichtig, zu wissen, welches Wort in Kafkas Text steht.

6 Der Aufsatz »Gottesfinsternis« von Wilhelm Kütemeyer (Die Krankheit Europas, Frankfurt 1951, S. 281 ff.) deutet diesen Sachverhalt als die Verlagerung des Zentrums in die Peripherie, um die Wahrheit in ihrer Unsichtbarkeit sichtbar zu machen.

7 Goethe in den Maximen und Reflexionen: »Bei jedem Kunstwerk, groß oder klein, bis ins Kleinste, kommt alles auf die *Conception* an«.

8 M. Susman: Das Hiob-Problem bei Franz Kafka. In: Der Morgen, Darmstadt, V, 1, 1929. – In P. L. Lutzmann: Meditationen um Stefan George (Düsseldorf 1965) wird (S. 233 ff.) Georges Gedicht »Der Brand des Tempels« aus dem »Neuen Reich« mit Kafkas »Altem Blatt« verglichen. Der Vergleich ist gehaltvoll, aber der Kaiser wird nur genannt, seine Bedeutung für das Ganze kaum gestreift.

9 Aus L. Hardt: Erinnerung an Franz Kafka. In: Das Silberboot, Wien 1947, 6.

10 W. Benjamin: Ursprung des deutschen Trauerspiels (Schriften I. Frankfurt 1955). S. 281: »Wenn anders der Tiefblick, mit dem Rochus von Liliencron Saturnkindschaft und Acedia in Hamlets Zügen las, um seinen besten Gegenstand nicht betrogen sein soll, wird er in diesem Drama das einzigartige Schauspiel ihrer Überwindung im christlichen Geiste erblicken«.

11 Die Stelle erinnert auffällig an das Gedicht von Rilke aus dem Nachlaß »Irrlichter«, das mit den Versen schließt: »Denn ich habe mich oft verlöschen gesehn / unter dem Augenlid«. Es kann kein Einfluß vorliegen. Dieser ist spürbar in »Betrachtung«, aber bereits dort überwunden.

12 Das Deutsch, das der Vater hier spricht, wenn er zwischen »letzterem« und »ersteren« unterscheidet, ist das halbwegs korrekte Oberflächendeutsch eines Kaufmanns.

13 Jean Pauls Persönlichkeit. Herausgegeben von E. Behrend, München 1913, S. 7.

14 In meinem Aufsatz »Über den Tod. Zu Franz Kafkas ›Traum‹« (Der Morgen, Jg. 11, 1935) habe ich eine einheitliche religiöse Deutung dieses Traums gegeben, die ich heute nicht mehr aufrechterhalten kann, obwohl ich sie grundsätzlich nicht für unmöglich hielte. Ein rechtmäßiger Versuch, Kafka religiös zu erfassen, liegt vor in Gershom Scholems Lehrgedicht »Mit einem Exemplar von Kafkas ›Prozeß‹« (Jüdische Rundschau, Berlin, Jg. 1935, Nr. 24; jetzt in W. Benjamin: Briefe Bd. 2, Frankfurt 1966, S. 611 f.). Das vierzehnstrophige Gedicht entfaltet, ausgehend von dem »Prozeß«, das Nichts als die einzige Erfahrung, die eine Gott verwerfende Zeit von ihm haben darf, besonders stark in der dritten und vierten Strophe: »Schier vollendet bis zum Dache / ist der große Weltbetrug. / Gib denn, Gott, daß der erwache, / den dein Nichts durchschlug. – So allein strahlt Offenbarung / in die Zeit, die dich verwarf. / Nur dein Nichts ist die Erfahrung, / die sie von dir haben darf«.

15 Der Tiefsinn des Kommentars stößt auf die Grenze, die selbst dem tiefen Denken gesetzt ist. Im Kommentar, der auf historischer Kodifikation beruhenden Lehre – s. W. Benjamin: Trauerspiel, Einleitung – fällt die Unendlichkeit der Deutungsmöglichkeiten mit dem *einen* Sinn zusammen, auf den sie sich beziehen. Dieser ist, ohne Kommentar, vorgegeben. Gerade bei Kafka, der das Profane bis zum dem Punkt durchdringt, wo ein Aspekt des Heiligen sich schattenhaft abzeichnet, wird die Frage dringend, wie weit profane Schriften einen Kommentar tragen können, ohne zu wanken. Wenn der Gefängnisgeistliche im »Prozeß« die vielen Deutungen auf die Verzweiflung zurückführt, den einen Sinn des Gesetzes nicht erfassen zu können, so würde er die Wahrheit sagen, wenn in diesem Gesetz die historische Kodifikation mitgesetzt wäre. Sie ist aber nicht mitgesetzt.

16 Th. Adorno: Aufzeichnungen zu Kafka (Neue Rundschau 1935, 3): »Man hat ihn oft mit der Kabbala verglichen. Mit welchem Recht können einzig die der Texte Kundigen entscheiden«. – G. Scholem: Religiöse Autorität und Mystik (Eranos-Jahrbuch, 26, 1958), S. 253 f.: »Als ein Schlüssel zur Offenbarung – so stellt sich die *neue* Offenbarung dar, die dem Mystiker zuteil wird. Ja mehr:

der Schlüssel mag selbst verloren gehen – noch immer bleibt der unendliche Antrieb, ihn zu suchen. Das ist nicht nur die Situation, in der die Schriften Franz Kafkas die mystischen Antriebe, gleichsam auf dem Nullpunkt angelangt, und noch im Nullpunkt, auf dem sie zu verschwinden scheinen, so unendlich wirksam zeigen. Es ist das schon die Situation der talmudischen Mystiker des Judentums, wie sie schon vor siebzehnhundert Jahren einer von ihnen anonym und an versteckster Stelle großartig formuliert hat. Origines berichtet in seinem Psalmenkommentar, daß ihm ein hebräischer Gelehrter, wohl ein Mitglied der rabbinischen Akademie in Caesarea, gesagt habe, die heiligen Schriften glichen einem großen Haus mit vielen, vielen Gemächern, und vor jedem Gemach liegt ein Schlüssel – aber es ist nicht der richtige. Die Schlüssel von allen Gemächern sind vertauscht, und es sei die Aufgabe, groß und schwierig in einem, die richtigen Schlüssel zu finden, die die Gemächer aufschließen. Dies Gleichnis, das die Kafkasche Situation schon innerhalb der in höchster Entfaltung befindlichen talmudischen Tradition aufreißt, ohne etwa in irgendeiner Weise negativ gewertet zu werden, mag einen Blick dafür öffnen, wie tief letzten Endes auch die Kafkasche Welt in die Genealogie der jüdischen Mystik hineingehört«.

17 F. Rosenzweig: Die Schrift und Luther. In: Buber-Rosenzweig: Die Schrift und ihre Verdeutschung (Berlin 1936, S. 108 ff.)

18 Obwohl Kafka nur neun Jahre jünger war als Hofmannsthal, welcher, soweit mir bekannt ist, ihn nie erwähnt hat, gehört er nicht nur einer neuen Generation an, sondern vor allem einer neuen Weltzeit; dieser strebte Hofmansthal zu, ohne die alte Menschheit, aus der er – und seine Kunst – kam, preisgeben zu wollen. – Sowohl bei Stifter als auch bei Hofmannsthal finden sich Kafkasche Situationen. – »Amerika« wirkt stilistisch wie ein erster, vom Autor noch nicht korrigierter Entwurf, ausgenommen das erste, von Kafka selbst herausgegebene Kapitel »Der Heizer«. – In einer katholischen Deutung Kafkas, enthalten in »Die Bestimmung des Dichters« von Ignaz Zangerle (Freiburg i. Br. 1948) wird mit Recht die Weltwirkung Kafkas auf Grund von Übersetzungen abgelehnt. – Kafkas Stil hält, im ganzen gesehen, die Mitte zwischen dem korrekten Deutsch in der Übersetzung eines fremden Originalwerks und der originalen deutschen Sprache eines individuellen Künst-

lers. Am schönsten, in der Freiheit von den heute üblichen Klischees des Urteils hat diesen Stil Franz Blei in seinem Aufsatz (Zeitgenössische Bildnisse, Amsterdam 1940) bestimmt: »Es ist eine einfache, unverzierte, klare, etwas kalte, bilderarme deutsche Prosa von höchster Anschaulichkeit in der erzählten Fläche mit nur geringem Relief der Plastik. Kafka sah zu jeder Zeit seines erwachsenen Lebens viel jünger aus, als er war, in seiner kargen vermagerten, hoch aufgeschossenen Körperlichkeit, die beim Gehen etwas schwankte, wie von einem unsichtbaren Wind dahin dorthin bewegt. Auch das kleine Gesicht blieb immer das gleiche Knabengesicht ohne auffallende Merkmale. Wenn ich in den Büchern Kafkas lese, ist diese jünglinghafte Gestalt immer da, als ob zwischen ihr und dieser Prosa geheimere Relationen noch bestünden als die man der Autorschaft zuschreibt. Ich drücke es etwas ungeschickt aus, wenn ich sage, Kafkas Prosa hat eine knabenhafte Sauberkeit, die auf sich acht gibt«.

19 Und es hat wirklich einen Deutschen gegeben, der General der amerikanischen Miliz wurde: Carl Schurz (1829–1906). Von seinen Lebenserinnerungen (Berlin 1907) erzählt der zweite Band sein Leben in Amerika, vor allem die Teilnahme am Sezessionskrieg in der nächsten Umgebung Lincolns. Kafka muß diese Erinnerungen gelesen haben. Ein Einfluß auf »Amerika« ist nicht feststellbar, es sei denn, daß er von der *aufsteigenden* Linie dieses Lebens in einem mindestens vergleichsweise halbidyllischen Amerika mit seinen eingewanderten Deutschen zu der *absteigenden* Lebenslinie seines Helden gekommen wäre.

20 Aus Jean Pauls »Heimlichen Klaglied der jetzigen Männer«: Vierte Ruhestunde.

21 S. den von G. Scholem übersetzten Aufsatz »Halacha und Aggada« in den von V. Kellner aus dem Hebräischen übersetzten »Essays« von Chaim Nachman Bialik (Berlin 1925), der beginnt: »Das Antlitz der Halacha: grämlich – das der Agada: lachend. Jene pedantisch, erschwerend, hart wie Stahl – die Ordnung der Strenge; diese freimütig, erleichternd, weicher als Öl – die Ordnung des Erbarmens. Jene ordnet an und weicht nicht um Haaresbreite davon ab: ihr Ja ist Ja und ihr Nein ist Nein; diese gibt einen Rat und bedenkt die menschliche Kraft und Einsicht: Ja und Nein sind ihr ungewiß. Jene – Schale, Körper, Handlung; diese – Gehalt, Seele, Intention. Dort versteinertes Beharren, Zwang, Fron; hier dauern-

de Erneuerung, Freiheit und Willkür. So heißt es von Halacha und Agada in ihrer Beziehung auf das Leben, und über ihre Beziehung auf das Schrifttum pflegt man hinzuzusetzen: dort dürre Prosa, ein präziser und feststehender Stil, graue, eintönige Sprache – Vorherrschaft des Intellekts; hier die Frische der Dichtung, ein fließender und abwechslungsreicher Stil, buntfarbene Sprache – Vorherrschaft des Gefühls. Diese Antithesen zwischen Halacha und Agada kann man noch unbegrenzt fortsetzen, und an allem mag in gewisser Weise ein Stäubchen Wahrheit sein, aber darf man hieraus etwa (wie viele meinen) schließen, Halacha und Agada seien beide einander feind, seien Gegensätze?« Der ganze Aufsatz zeigt, daß sie einander *nicht* feind sind. Er schließt mit den Sätzen: »Kommt und richtet Gebote über uns auf! Man gebe uns Formen, um unseren flüssigen und trüben Willen in ihnen zu präzisen und festen Ausprägungen umzugießen. Wir dürsten nach *leibhaften* Taten. Gewöhnt uns im Leben ans Tun mehr als ans Reden, im Schrifttum an die Halacha mehr als an die Agada. Wir beugen unseren Nacken: Wo ist das eiserne Joch? Warum kommt die starke Hand nicht und der ausgereckte Arm?«

22 In der guten Aufführung der anfechtbaren Brodschen Theaterbearbeitung des »Schlosses« in Paris 1957, mit Jean-Louis Barrault als K., war es einer der starken theatralischen Augenblicke, wie Barnabas plötzlich in seinen Lumpen dasteht.

23 Nur der lächerliche Schein wirkte in der Pariser Aufführung gerade in der Szene mit dem Dorfvorsteher auf das Publikum, das eine Szene von Courteline belachte.

24 s. G. Scholem: Die Theologie des Sabbatianismus im Lichte Abraham Cardosos: In Judaica. Frankfurt 1963, S. 125.

25 Es scheint von Kafka nur eine direkte Äußerung über Sprache zu geben, aus den Jahren 1917–1918, nämlich diese: »Die Sprache kann für alles außerhalb der sinnlichen Welt nur andeutungsweise, aber niemals auch nur annähernd vergeichsweise gebraucht werden, da sie entsprechend der sinnlichen Welt, nur vom Besitz und seinen Beziehungen handelt«. (Hochzeitsvorbereitungen auf dem Lande S. 45.) Vielleicht läßt sich Kafkas Auffassung von der Sprache als die riesige Anstrengung verstehen, die hier von ihm selbst formulierte Begrenzung der Sprache durch den »Besitz« zu durchbrechen, um das Außersinnliche darzustellen.

26 Moritz Heimann stellt in seinem Aufsatz »Der Bürger« (Auswahl, herausgegeben von Wilhelm Lehmann, Wiesbaden 1960, S. 99) dem soziologisch bestimmten, negativ gesehenen Typus des Bourgeois den Bürger als individuelle Person, als positiv gesehenen Menschen gegenüber und schreibt: »Der ›Geist‹ wählt seiner Natur nach die exzeptionellen, und wenn er kritisch ist, sogar die negativen Seiten des Menschenlebens zur Betrachtung aus; *die positiven können gar nicht dargestellt werden.* Jedes Urteil, die Sprache selbst, fälscht, unterschlägt das eigentlich strömende, ungeteilte Leben, und noch der tiefste Dichter urteilt und spricht. Wer urteilt und spricht, verleumdet auch immer«. Gerade hier versucht Kafka die Wahrheit zu sagen und das Undarstellbare darzustellen.

27 Dies ist nicht eine »christliche« Deutung, wie F. Beissner in seiner Schrift »Der Erzähler Franz Kafka« (Stuttgart 1952), eingehend auf meinen Aufsatz über das »Ehepaar« (Die Wandlung 1949, 2) meint, genauer: eine unerlaubte »Übersetzung« des von Kafka dichterisch »Gemeinten« ins Christliche (S. 31 f.), wohl aber ist es eine Deutung. Wenn Beissner seinen Spott über die endlosen Deutungen ergießt, die Kafka gefunden hat, so hat er keineswegs Recht, so sinnlos sie auch vielfach sein mögen. (Und auch die meinige könnte falsch sein!) Daß Bestehendes »gut gedeutet« werde, sagt selbst Hölderlin. Und hat Beissner den Mut, von *jeder* Deutung abzusehen, wie dies Walter Benjamin in seinem Aufsatz über Kafka getan hat (Schriften II)? Er richtet den Blick auf das Dichterische, wo er jeder Deutung sich überheben zu dürfen glaubt. Benjamin richtet den Blick auf Einzelnes, um Erstaunliches zu gewahren, und selbst bei ihm, der aus anderen Gründen die Deutungen ablehnt, kommt es auf Umwegen wiederum zur Deutung. In seinem grundlegenden Aufsatz »Der Erzähler« (Schriften II) hat er an dem großen russischen Erzähler Lesskov gezeigt, was ein Erzähler ist und warum es mit dem Typus des Erzählers zuende gehen müsse. Es hängt mit der Erfahrung zusammen, welche sich in unserer Welt zersetzt. Diese Erfahrung von der Welt hatte Lesskov in umfassendem Maße. Kafka hat die Erfahrungen, über die er in seinem gelebten Leben verfügte, in seinen Dichtungen zwar dargestellt aber in der Darstellung sofort annihiliert, indem er sie als Nicht-Erzählbares erzählt. So ist er zugleich ein großer Künstler und wesentlich kein Erzähler, und selbst ein Erzähler ließe sich

deuten. Warum sollte etwa Wilhelm Raabes »Stopfkuchen« keiner
Deutung zugänglich sein? Was sie erschwert, wenn auch nicht unmöglich macht, ist die *Kunst* des Erzählens, die neben dem *Erzähl-*
ten gedeutet werden müßte. Indem Beissner bei Kafka die Kunst
des Erzählens deutet aber die Deutung des Erzählten wegläßt, verfehlt er seinen eigentlichen Gegenstand. Warum hat Kafka Peter
Hebel so sehr geliebt? Weil er wußte, daß er der für ihn uner-
reichbare künstlerische Gegenpol war. Aber von Robert Walser als
einem *uneigentlichen* Erzähler konnte er sich beeinflussen lassen. –
Ein anderes Thema von Beissners Schrift sind die teilweise nicht un-
berechtigten Einwände gegen Brods Textgestaltung. Sie werden eingeschränkt von Jörg Thalmann in seinem Buch »Wege zu Kafka.
Eine Interpretation des Amerikaromans (Frauenfeld 1966) S. 284.
– Es gibt übrigens eindeutig christliche Motive bei Kafka. Als Georg
Bendemann im »Urteil« von seinem Vater zum Tode des Ertrinkens verurteilt wird und wegstürzt, sieht ihn die Bedienerin und
ruft: »Jesus!« Dann verhüllt sie mit der Schürze ihr Gesicht. Dies
ist ein Motiv neben anderen, die mit dem Christentum nichts zu
tun haben. Darum ist das Buch von Alfred Borchardt »Kafkas
zweites Gesicht. Der Unbekannte. Das große Theater von Oklahoma« (Nürnberg 1960) zwar in mancher Hinsicht interessant aber
grundsätzlich verblendet, denn es deutet das große Theater von
Oklahoma als Kafkas Eintritt in die Kirche. Er hat aber erkannt
(S. 32), daß das »Naturtheater« bei Kafka nur im Titel des Kapitels vorkommt, nicht im Text. Dagegen geht sein Hinweis (S. 131),
daß der Satz in »Amerika« »und niemand hätte auch nur eine
Kleinigkeit in der Einrichtung aufzeigen können, welche die voll-
ständigste Gemütlichkeit irgendwie gestört hätte« sich barock-goe-
thisch« lesen lasse, gänzlich fehl. Goethe schreibt nicht »aufzeigen«
oder »irgendwie«. Das verlogene Biedermeier im Hause des Onkels
ist gemeint.
28 André Gide: »Montaigne mourut (1592) avant d'avoir pu lire
Don Quichotte (1605), quel dommage! Ce livre était écrit pour lui.
Il lui ressemble au point que je m'étonne si d'autres ne l'ont pas
déjà remarqué, déjà dit. Mais c'est le propre de ce grand livre ..
de se jouer en chacun de nous; en aucun plus éloquemment qu'en
Montaigne. C'est au dépens de Don Quichotte que, peu à peu,
grandit en lui Sancho Pansa«. (Suivant Montaigne, Nouv. Revue

Française, Juin 1929.) Die Stelle erweist, daß wesentliche Gedanken niemals von einem Menschen allein gedacht werden. In der verborgenen Gemeinsamkeit des wesentlichen Denkens steckt mindestens *ein* Kriterium für eben diese Wesentlichkeit. Das meinte wohl Goethe, als er in den Maximen und Reflexionen den Satz des Aeschylos zitierte: »Die Klugen haben miteinander viel gemein«.

29 Aus dem Gedicht »Mäuschen« von Robert Walser (Unbekannte Gedichte, herausgegeben von Carl Seelig, St. Gallen 1958, S. 73 ff.). Das Gedicht erschien zuerst in der Vossischen Zeitung vom 15. 8. 1919. Vielleicht ist es die Quelle für »Josefine«.

30 Der Satz ist unverständlich. Wie kommt in ihn Lesen und Schreiben hinein? Man könnte ihn natürlich auch so deuten, aber ohne gutes Gewissen. Ich vermute eine Abirrung Kafkas im »Schreiben«, indem er plötzlich den Jäger vergaß und nur noch der Schreibende, nur noch Kafka selbst übrig blieb.

31 Hier gibt es also einen direkten Zugang zum Schloß: durch den König. Im Roman gehört das Schloß dem Grafen Westwest. Dieser ist so unbekannt, daß K. im Gespräch mit dem Lehrer auf seine wiederholte Frage, ob der Lehrer den Grafen kenne, von ihm die auf französisch zugeflüsterte Antwort erhält, er solle Rücksicht auf die unschuldigen Kinder nehmen. Die Deutung des Namens »Westwest« bei Heinz Politzer (Franz Kafka, der Künstler. Frankfurt 1965, S. 338), daß doppelte Verneinung Bejahung, Untergang also Aufgang sei, halte ich zwar für gesucht aber auch für bemerkenswert. Ich möchte eher glauben, daß das Wort »Westwest« humoristischer Nonsens ist. Hinter diesem Nonsens verbirgt sich das Gemeinte: *der* Gemeinte. Er ist abwesend. Der König ist anwesend im Gleichnis.